新 潮 文 庫

カウントダウン

佐々木 譲著

新 潮 社 版

9806

カウントダウン

I

その男は、事務所に入ってくるなり、森下直樹《もりしたなおき》に言ったのだった。

「町は、もう一回死ぬ」

あいさつ抜きの言葉だった。なるほど北海道のこの町でも、夕張市同様に財政悪化が問題になっていることは事実だ。しかし、あいさつくらいはあってもよかった。

直樹は、面食らいながらも自分から名乗った。

「司法書士の、森下です。多津美《たつみ》さんでしたね」

「そう。突然の電話で失礼」

直樹は、デスクの前の椅子《いす》を勧めた。電話で多津美と名乗っていた男は、オーバーコートを着たまま椅子に腰をおろした。見たところ六十歳前後か。禿頭《とくとう》で、口髭《くちひげ》、顎《あご》鬚《ひげ》をはやしている。眼光が鋭かった。やり手の企業エグゼクティブと見えるが、何か芸術方面の職業人と見えないこともない。どうであれ、雰囲気はかなり都会的だ。地元の男ではない。顔に見覚えがあったような気もするが、どこで見たのだったか思い出せなかった。

多津美は事務所の中をぐるりと見渡してから、あらためて直樹に視線を向けて言った。

「きょうは、司法書士の森下さんではなく、市議の森下直樹さんに用事があってきたんです」

直樹はこの市の市議会議員だ。前回、初立候補して当選した。二十四人いる議員の中で、最年少の若さだった。本業は司法書士だ。市役所に近い古い二階建てビルの二階にある、父の事務所を引き継いだ。ここには司法書士としての直樹を訪ねる客のほか、市議としての直樹を訪ねてくるひともいた。直樹は議員活動用の事務所を別に持っているわけではなかった。

いまやこの町でたった二軒しかなくなった司法書士事務所のひとつ、それがこの森下司法書士事務所だった。この客からは、この日の午前中に相談予約の電話が入った。タツミユタカ、と名乗った。うかがうのは事務員さんのいない時間がいい、という奇妙な条件がついた。では五時半過ぎに、と直樹は応《こた》えた。その時刻以降は、女性事務員の沢島恵子《さわしまけいこ》も退勤しているからと。するとこの客はたったいま、五時三十五分になって事務所のドアをノックしたのだった。

直樹はボールペンを持ち上げて言った。

「うかがいましょう」

多津美という男は言った。

「町はもうじき死にます。そのことでご相談です」

多津美はまだ、片手をオーバーコートのポケットに入れたままだ。

直樹は相手の目を見つめて訊《き》いた。

「ということは、行政に関する不満とか、あるいは異議申し立てとか？」

「そうじゃない」と男は言った。「あんたが町を救う。力になろうと思ってやってきた」

口調が、ずいぶん横柄《おうへい》なものに変わった。少なくとも、対等あるいは直樹以上の立場にあると、強調しているように聞こえる。直樹は、自分が出来の悪い中学生に戻ったような気分を味わった。

「町を救う？　わたしの力になりたい？　そうおっしゃいました？」

「そう。この町の財政破綻《はたん》が近づいている。財政破綻は、町の死だ。夕張のあとを追うことになる。それなのに、いまの市長は来年の選挙にも立候補するつもりだ。そうなると六選だ。ひとりの男が、二十四年間この町のトップでい続けることになる。あの男ひとりに好き放題されたあげく、あと四年待たずに、一度死んだ町は確実にもう一度死ぬことになる」

男の言葉は鋭かった。町が死ぬ。夕張のあとを追う……。

多津美の言うとおり、北海道夕張市は、今年の六月に巨額の隠し債務が発覚し、財政再建団体に転落することが決まった。人口一万三千の町で、債務の総額はおよそ六百三十億円だったという。そのうち隠れ赤字に相当するおよそ三百五十億円の一時借入金は、北海道庁からの短期貸し付けに置き換えられ、残り三百億近くの通常の地方債分を長期にわたって返済することになる。そのため、行政サービスは全国最低レベル、市民の負担は全国でも最も重い水準となることが決まっている。国が夕張市に押しつけようとしている再建計画は、市民の生活が成立しないほどの過酷なものとなるらしい。夕張市を自然死させる計画、とさえ評されている。

この幌岡《ほろおか》市は、その夕張市に隣接している。北海道では、このふたつの町は双子《ふたご》市とも呼ばれている。石炭で栄えたという点も、夕張市と共通していた。

幌岡市の財政は悪化の一途をたどっていた。いずれ再建団体に指定されるのではないかとも噂《うわさ》されている。ただし市長は意気軒昂《けんこう》だ。おれの目が黒いうちは、総務省にそんな真似《まね》はさせないと息巻いている。中央政界にも顔の広い市長の言葉だから、市民の多くは、この町の夕張化は避けられるはずと楽観視している。

しかし、それほどの大きな問題について、市議会の最年少議員である自分が、何かできるとも思えない。町が死ぬ、と指摘されても、議員ひとりで救えるわけもなかった。お引き取りを願うしかない。

そう告げようと口を開いたとき、相手は言った。

「わたしは、行政広報と選挙のプロだ。二十年間で、十八勝三敗。あんたの力になれる」

「ちょっと待ってください」直樹はあわてた。「わたしは、自分の選挙は自分でやってます」

来年四月の統一地方選挙で、幌岡市の市議も改選となる。自分も再選を狙《ねら》うつもりでいた。当落ラインは四百票前後。選挙のプロの手を借りねばならぬような選挙ではない。じっさい前回も、高校の同級生グループや観光ボランティアのグループが後援してくれて、町の全域から七百票を集め当選した。こんども、大きな波乱要素はないはずだった。

多津美はポケットから手を出して、名刺をデスクの上に滑らせてきた。

直樹はその名刺を手に取って読んだ。

「行政広報・各級選挙コンサルティング
多津美アソシエイツ　ディレクター
多津美裕《ゆたか》」

事務所の所在地は、東京の港区となっていた。

直樹は名刺をひっくり返して裏も見たが、裏は白紙だった。

直樹の胸のうちを察したか、多津美が言った。

「わたしは選挙のコンサルタントなんだ。ネットで検索をかけてみるといい。裏方ではあるが、選挙関連でところどころにわたしの名前が出てくる。独立する前は」多津美は日本で最大手の広告代理店の名を出した。「そこのセールス・プロモーション部門にいた。いまの事務所を作ったのは、十五年前だ。突然なのであんたがわたしを信用できないのは当然だ。あとで照会先も教えよう」

「信用していないわけじゃありませんが」

「あっさり信用しないでほしい。こういうときは、あとで必ず相手の言葉の裏を取るんだ。面倒だから話を先に進めるが」

いいだろう。あと二十分ぐらいは、この男の話につきあってやれる。多重債務の相談などに較《くら》べれば、興味の惹《ひ》かれる話であることはたしかなのだ。

「とりあえず、うかがいましょう」

「あんたがまた市議を狙うと言うなら、わたしの手など要らない。だけどもわたしは、あんたは市長選に出るべきだと思っている。となると、素人《しろうと》の手には余る。かといってこの町では、政党はどこもカラオケ・サークル以上のものじゃない。わたしが必要だ」

「わたしが、市長選に出るなんて、いつ言いました？」

「言っていない。聞いてもいない。だけど出ないと言ったこともないだろう？」

「話題にしたこともありませんよ」

「町は死にかけている。年度内に確実に死ぬ」と、多津美はいましがたの言葉を繰り返した。「財政破綻が明らかになり、再建団体入りする。大田原《おおたわら》市長が六選ということになったら、二度目の死だ。その秒読みが始まっている。もう二度と市長選挙は行われなくなる」

現在の大田原昭夫《あきお》市長は、二十年前、正確には十九年と七カ月前に初当選して以来五期、市長を務めていた。もともと市職員で、初当選のときは企画課長を辞職しての立候補だった。当時、四十五歳だったはずだ。若手で、しかもアイデア豊富なやり手の市長として、以降多くのメディアが彼を持ち上げてきた。夕張の当時の中田《なかだ》鉄治《てつじ》市長と並ぶ、北海道の有名市長のひとりだった。大手の炭鉱が閉山となったあと、観光開発に活路を求めた点でもよく似ている。観光開発への過剰な投資が、市財政を悪化させたという点も。

多津美は続けた。

「このままでは、夕張よりも厳しい再建計画が突きつけられる。幌岡は、夕張の前例があるのに学習しなかった自治体ってことになる。総務省は容赦はしない。幌岡市は二度死ぬ。人口が半分以下になった限界自治体が、四年後のこの町の姿だ。札幌市に飛び地吸収合併でもしてもらうことになるだろう。人口が半分になれば、あんたのこの司法書士事務所も、畳まざるを得なくなる。そう予測できないか」

「かといって」直樹は反論しようとした。声の調子はいくらか弱々しいものになった。「財政を悪化させたのはたしかに大田原市長ですが、財政事情をいちばんよく知っているのも大田原さんです。こういうときであればなおのこと、大田原さんにまかせるしかない」

多津美は皮肉っぽく唇の端を歪《ゆが》めた。

「あっちの宣伝が効いているんだな。大田原陣営の言い分と一緒だ」

「道理ではあると思いますが」

「だからもう一期、あわせて二十四年間、あの男に市長をやらせるのか？　二十年かけて町を衰退させてきた男に、臨終の告知までさせてやるって言うのか？」

「大田原市政の二十年間、悪いことばかりでもありませんでしたよ」

「たとえば？」

「たとえば映画祭のおかげで、幌岡の知名度が上がった」

「波及効果は？　映画祭を始めたときと、いまとで、観光客数はどう変わった？　九二年がピークだったはずだ」

「映画祭がなければ、ゼロだったかもしれない」

「あの予算が効果的に使われていれば、これほどひどい落ち込みはなかったろう」

「農産物のブランド力も上がった」

「あれは、この町のブドウ農家や醸造所のおかげだ。観光開発とは関係ない」

「二十年間、町が元気だったのも、大田原市長のおかげですよ。いろんなイベントが、季節ごとに市民を高揚させたんです」

「元気？」多津美が、はっきりと声に出して笑った。「この町のどこが元気だ？」

多津美は立ち上がって、事務所の窓に寄った。十二月というこの季節、この時刻の空はもう真っ暗だ。

多津美は窓からこの建物のある幌岡市本町《ほんちょう》の通りをざっと眺め渡してから振り返った。

「ここにきて、教えてくれないか。町いちばんの繁華街であるはずのこの通りに、いま営業している商店は何軒ある？　酒屋と喫茶店、床屋に美容院、それにそば屋が一軒だけだ。二十年前、この本町通りには、二百メートルのあいだに三十軒以上の商店があったと聞いている。シャッター通りになっているなら、まだ救いもあるさ。いつかその建物にひとが戻ってくるかもしれない。だけど見てみろ。いまこの通りは、再開発もないままに廃屋が並んでいるんだ」

「整備はおこなわれてきたんですよ。道幅も広げた。駐車場も広くなった。新しい建物だって建っている」

「なのにひとはいない。そこの小学校は、複式学級だそうだな。市制を敷いている町の、市役所のある市街地の小学校が複式学級。二十年前から、生徒数は六分の一になった。ちがうか？」

「この町は、集落が分散しているんです。いまは、西のほうが中心市街地っぽくなっている」

「その変化を無視して、公共施設は二十年間ずっと、この本町中心に整備されてきた。病院も、市民会館も、図書館も。おかげでこの町は、どこに住んでも住みにくい町になってしまった。本町にはろくな商店街がなく、西町《にしまち》には公共機関がない。大田原市長が、時代の流れに背を向けて、ひたすらかつての繁栄を取り戻すための都市計画を進めてきたからだ。この事務所、二十年前と較べて客は増えたのかな？」

「人口が減ったんですから、客も減りましたよ」

「人口一万五千。二十年前の五分の一だな。減ったなんて言いかたでは表現が足りない。市民の五分の四が消えたんだ。この町を捨てたんだ。そうだろう？」

「食べるためには、働く場所のあるところに行くしかありませんからね」

「観光開発は、町に雇用を作るためのものではなかったか？　雇用は、どれだけ増えた？」

直樹は、少し数字を勘定しながら答えた。

「ホテルや遊園地の第三セクターなんかで、二百人ぐらいの雇用が生まれているはずです」

「閑古《かんこ》鳥《どり》が鳴いている遊園地に、八十人の職員が働いているな。あれは雇用か？　まともな産業に雇用されていると言えるか？　そもそもあの遊園地は、事業として成立しているか？　どう思うね？」

　もちろん直樹だって、厳しさは承知している。市民のひとりとしても、市の商工会議所のメンバーとしても、市議としても、十分にいまの市の置かれた状況は理解していた。しかし、それを初対面の男にこのような口調で指摘されたくはなかった。

「町のことは」と、直樹は自分の不快を押し殺して言った。「よそのひとにとやかく言われたくはありません。わたしたちは、それでもなんとか町を再生させようと努力してきたんだ。懸命に、全力挙げて」

「よしてくれ」と、多津美は目の前で手を振った。「懸命だの、全力だの、空《むな》しい言葉は使わないでほしい。努力？　努力したなんて子供でも言える。何か実効性のあることを、適切なタイミングでやってきたか？　もし市長も市役所も市民もみなが正しいことを全力挙げてやってきたというなら、幌岡のこの悲惨な現状はどういう理由によるものなんだ？」

「よそのひとにはわからないと思います」

「わたしをよそ者と呼ぶな。ひとを、幌岡市民とよそ者とに分けるな。まず、そこから始めよう」

「始めようって、いったい何を?」

「言ったろう。きみはつぎの市長選に立候補する。きみは次期の幌岡市長になるんだ。そのプロジェクトが始動する」

「勝手に決めないでください。わたしは、市長になるつもりなんてない」

「自分が市長になる以外に、町の死を止めることができなくても?」

「町は死にませんよ」

「もう死にかけている。年度内にはっきりする。財政再建団体となる」

「もし、もし再建団体になったとしても、それは町の死じゃありません」

「再建団体になるってことは、生命維持装置がつけられるってことだよ。事実上の死。取り外すタイミングだけが問題になるんだ」

「市を復活させられれば、生命維持装置も必要なくなる」

「再建団体になれば、逆に再建は不可能だ。債務の返済以外にできることはなくなる」

「それは、極端な見方です」

「いいや。一度死ぬだけじゃない。大田原が六期目も当選したら、町はもう一度確実に死ぬよ。彼は自分が二十年間やってきたことを否定できない。否定も方向修正もできないまま、ずるずると蟻《あり》地獄にはまってゆく」

「大田原市長は、政治力のあるひとです。何か方策を持っているはずだ」

「そんなものがあるなら、ここまで町は追い込まれなかった。六選は、阻止しなくちゃならない」

「だとしても、新市長はぼくでなくてもいい」

「ほかに誰がいる?」多津美は、事務所の中を歩き出した。「市議会は、きみと共産党市議以外は、全員が市長支持派だ。市役所の幹部も同じ。職員組合も、長年市長に飼い馴《な》らされてしまった。商工会にも、地区労にも、農業団体にも、大田原に挑む意志のある者などいない。わたしは、この三カ月、この町に通って観察してきた。大田原がどうやら六選を目指すらしいと言われているのに、対立候補として立とうなんて市民はひとりもいないよ。少なくとも、まともに選挙のできる人物の中にはいない。誰かいると言うなら挙げてみてくれ。それが有力候補になるだけの人物だったら、わたしはいまからその人物に会いにゆく」

「少なくとも、立候補すべきなのは、ぼくじゃない」

「きみだ」と、多津美は強い調子で言った。「大田原の対立候補になる資格があって、勝てる可能性を持っている者は、きみだけだ」

「資格ってなんです？」

「幌岡の生まれ育ちで、ここに基盤がある。組織勤めの経験がある。家庭があって円満。法律と行政に関する知識がある。北大に進んだけれども、司法試験には三度落ちたという経歴も、プラスに働く。司法書士、という仕事も悪くない。なにより、きみは大田原が嫌いだ。あいつの整髪料の匂《にお》いが嫌いだ。あいつのいかがわしさが大嫌いだ」

「どうしてそう勝手に決めつけるんです」

「決めつけたんじゃない。知っているんだ」

「どうやって知ったんです？」

「通ったと言ったろう？　九月の市議会での、きみの質問も傍聴した」

思い出した。あのとき、傍聴席でこの男を見かけた。それで見覚えがあったのだ。

多津美は続けた。

「きみの市政報告のホームページも見ている。きみは、二十四人の市議のうち、パソコンを使いこなせるたったふたりのうちのひとりだ」

「年配のかたが多い議会ですから」

多津美は、直樹の言葉に反応せずに続けた。

「きみは、観光開発路線の失敗も承知しているし、観光に頼っていても町が生き残れないことも理解している。健康と福祉の町という市議としてのきみの提言も現実的だ。幌岡一万五千の市民の中で、来年四月、大田原の対抗馬になれるのはきみだけだ」

「あなたに言われることじゃないと思うんですが」

「そうかね」

多津美は、いくらか口調をやわらげて言った。

「わたしにこう言われて、自分は前から市長になりたかったと、気づいたんじゃないか？　そうでなければ、三十六歳で市議に立候補はしなかったはずだ。きみはいつか、市長になる計画を、ひそかに温めていなかったか？」

正直にいえば、ある。誰にも語ったことはないが、ある。市議に当選したときは、次は市長選とも思った。大田原市長が引退するとき、つまり次の次ぐらいには、市長選に立候補してもよいかと。そのとき、自分は四十四歳になるのだが、たぶん自分はさほどひどい市長にはならないだろうとも思っている。悪化する財政問題の解決を手がけ、観光以外の産業を機軸に町を再生したいとも構想している。そのときまで、多津美が言うように幌岡市が残っていればの話だが。

しかしその夢をあからさまに指摘されて、直樹は頬が赤くなるのを感じた。そんな野心は、絶対にひとに悟られるべきではないのだ。市議のレベルであろうと、ひとたび政治的人間であろうとした者ならば。

　多津美は微笑して言った。

「素直に答えてくれ。きみはいつかは市長選に立候補してもいいと思っている。市長としてやりたいこともあるはずだ。ならば、いまだ。幌岡が大田原の手で二度目の死を迎える前に、立候補するんだ。わたしが全面的にバックアップする」

　直樹はそれでも言った。

「あなたに突然言われて、はいわかりましたと言えるような問題ではありませんよ。それはおわかりでしょうね。あなたが現れてから、まだ十分もたっていないんですから」

「時間を無駄にしたくない。来年四月の統一地方選挙まで、正味あと四カ月だ。きみの説得に時間をかけるわけにはゆかない。答を知りたい」

「どうするかはぼくが決める。そのとき、選挙コンサルタントを使うか使わないかも、ぼくが決めることです。あなたから指図されることではないはずだ」

「立候補するつもりなら、わたしが必要になる。言っておくが、わたしはこの業界ではトップだ。わたしより有能な選挙コンサルタントは、日本にはいない。わたしを使うつもりなら、いま決断してくれ」

「順序が逆だ」

「何が問題なんだ？」

「あなたは、ぼくを立候補させたくてここにきた。そうですよね？」

「そのとおりだ」

「だったら、ぼくを急《せ》かさずに、答を待ったらどうです？　どっちみちぼくのために働いて下さると言うのなら」

「どっちみち働くなどとは言っていない。統一地方選挙は、一番の稼ぎどきだ。きみが決断しないなら、わたしは誰かよその選挙で仕事を引き受ける。じつを言うと、明日ひとつ、東京でアポが入っている。用件はわかる。だから、いま結論を知りたいんだ。きみがいま決断できないと言うなら、明日依頼される選挙のほうで働く」

　直樹は苦笑した。お好きに、と言うしかない。

「そちらを受けていただいて、一向にかまいませんよ。だいいち、このあたりの選挙で、選挙のプロを雇うことはない。そんなカネもないし、プロに頼んだところで、当選が確実というわけでもない」

「それが答だと言うなら、残念だな」

「北海道の郡部では、選挙の勝敗の大きな要素は、やはり人情なんです。ひとの感情だ。アメリカのビジネス・スクールのモデルはあてはまらない」

「べつにそういう手法が売りではないのだけどもね」

「豆鉄砲食らいましたが、こういう結論でかまいませんね」

「しかたがない。退散しよう」

多津美が事務所のドアに身体《からだ》を向けた。

直樹は呼び止めて訊《き》いた。

「多津美さんは、この幌岡になにかご縁がおありなんですか?」

「いや」と多津美は首を振った。「とくに縁はない」

「なら、どうしてこの町の市長選挙に関わろうなんて考えたんです? 最初からべつの自治体の選挙をやればいいでしょうに。統一地方選挙なんだから、隣りの夕張でも、仕事はあるかもしれない」

多津美は、一瞬だけ言葉を選ぶような表情を見せてから答えた。

「わたしはこれまで二十一回選挙の仕事をしてきた。だけど、候補選びから始めたことはないんだ。選挙は、けっきょくのところ、候補だ。タマだ。選挙戦術でどうにかなるのは、全得票のせいぜい一〇パーセントでしかない。タマ選びからやれるんなら、勝利は確実なんだ」

「だから、幌岡に目をつけたんですか？　なんの縁もないのに」

「ここで大田原に勝つことは、魅力ある課題だからね。わたしのビジネスの実績としても、申し分ない」

「幌岡がどうなるかってこと自体は、どうでもいいんですね？」

「いいや。幌岡を死なせてはならないと思う。ましてや、あんな市長の愚政のために、殺されてはたまらない。わたしがここにきたことの根底には、その想《おも》いがあるよ。信じてもらえないかもしれないが」

「党派的な立場はないのですか？」

「ない。わたしはこれまで、七回は保守系候補を手伝った。残りは非自民系だ」

「候補に合わせて信念を変える？」

「極端な政治的信条を持つ候補の仕事はしたことがない。きみがもし自分を中道リベラルだと規定するなら、わたしもその範囲内だ」

多津美は、これで話は全部済んだ、とでも言うように小さく会釈《えしやく》した。

彼がドアに向き直ったときだ。ドアの曇りガラスに人影が映った。

ドアがノックされたので、直樹はどうぞと返事をした。

ドアが開いて姿を見せたのは、いちおうは顔見知りの男だった。

江藤昇《えとうのぼる》という市の職員だ。厚手の防寒ジャケット姿だった。

江藤は、多津美を見て言った。

「間に合った」

直樹は、江藤と多津美の顔を交互に見た。

ふたりは知り合いなのか？　江藤のほうは、この事務所に多津美がいることを知っていたようにも見える。

直樹は江藤に訊いた。

「ご存じなんですか？」

「最近知り合った」

江藤は事務所の中に入ってきて、応接セットのソファに腰をおろした。

江藤はもう定年間近のはずだ。かつて市役所企画課の課長代理のころ、大田原市長にしばしば直言したために疎《うと》んじられたという。左遷《させん》されて、いま市営ゴミ処理施設の係長待遇の職にある。顔には皺《しわ》が多くて、口はへの字に結ばれていた。堅苦しく、かたくなそうな印象のある男だ。

直樹は、江藤とは特別に親しいわけではなかった。仕事のつきあいもない。儀礼的な会釈ですれちがうことがある程度だ。

周囲の噂《うわさ》で、江藤がいまや市役所の中では、アンチ大田原の旗幟《きし》を明らかにしているほとんど唯一《ゆいいつ》と言っていい職員だとは知っていた。少なくとも管理職クラスでは、江藤がただひとりだ。市長の三期目の選挙のときは、対立候補を立てようと画策したという話も耳にしている。

江藤が多津美に訊いた。

「もう答をもらったのかな？」

多津美はうなずいた。

「時間が欲しいとのことだ。前向きなのだろうが、はっきり言わない。わたしは、今夜のうちに東京に戻る」

直樹は驚いて江藤に訊いた。

「立候補のこと、おふたりのあいだで、話題になっていたんですか？」

「ああ」と、江藤は直樹に顔を向けてぶっきらぼうに答えた。

「そもそもおふたりは、どういうお知り合いなんです？　ずっと以前から？」

「九月の市議会のころだ。そのときに初めて会った」江藤のほうから話題を変えた。

「市長選、出る気はないのか？」

意外だ、という口ぶりだった。

「そういうことですか」直樹は少しだけ納得できた。いくらなんでも、これはよそ者の多津美が思いつけることではなかった。地元に入れ知恵した者がいるのだ。あいつなら、立候補させられるかもしれないと。それが、江藤だったわけだ。「江藤さんが、ぼくのことをいろいろ吹き込んだんですね」

「立たないのか？」

「すぐには返事はできません」

「ノーじゃないんだな。十分だ」

横から、多津美が口をはさんだ。

「わたしには時間がない。これで失礼する。いい候補と思ったのだけども」

「待ってくれ」と江藤が多津美を呼び止めた。「ノーと言っていないんだ。森下くんは、正式表明のタイミングをはかっているんだ」

「無意味だ。チームを動かすつもりなら、ぐずぐず口ごもることはない。その気があるのに明言しないのは不誠実だ」

直樹は言った。

「べつに口ごもってなどいません。思いがけないことなので、考えたいと言っているんです」

江藤が両手を広げた。まあまあ、と制止したような格好だった。直樹は、自分がいくらか喧嘩腰《けんかごし》だったことに気づいた。

江藤が、直樹を見つめて、反応を確かめるかのようにゆっくりと言った。

「じつは、因縁があることだ。十二年前、親父《おやじ》さんは、大田原の対立候補を立てようとはかった。裏選対を仕切ることになっていたのが、親父さんだった。だけど事前に計画が漏れて、計画は頓挫《とんざ》した」

知らない話だった。

「三期目のときですか？」

「そうだ。大田原が三選を果たしてふた月目、森下さんは亡《な》くなった」

父は自動車の運転を誤り、崖下《がけした》に転落したのだ。十一年前のことだ。札幌の司法書士事務所に勤めていた直樹は、それからちょうど一年後に、この幌岡に戻ってきて森下司法書士事務所を継いだのだった。

江藤が言った。

「親父さんは、事故で死んだんじゃない。明らかに自殺だ。大田原に、追い込まれたんだ」

直樹は目をみはった。

江藤は真顔のままでうなずいた。

いま江藤昇の言った言葉が、森下直樹の頭の中で反響している。

自分の正面にいるふたりの男を交互に見た。

ふたりは直樹の視線を受け止めて、反応をうかがっている。この自分がこれだけ衝撃を受けることを、予期していたようだ。多津美も、江藤からあらかじめこのことを知らされていたのだろう。

「でも」と、ようやく直樹は口を開いた。「父が死んだときには、自殺なんて話は、どこからも出てこなかった。遺書もなかった」

江藤が言った。

「誰もが残すとは限らない」

「江藤さん。あなたも葬式に出ていらした。でも何も言わなかったじゃないですか」

「葬儀の席上で、あれは自殺だった、なんて言えるか?」

言わなかったのは江藤だけではない。母親も、そうは口にしていなかった。いや、親族、父の知人の誰ひとりとして、そんな見方を直樹に告げてはいない。葬儀のときばかりではない。その後十一年間、そんな話は匂《にお》わされたこともなかった。

母親たちから聞かされていた事情というのは、こうだ。その日、父はふだんと変わらぬ様子で仕事に出かけた。お昼は自宅に帰って来て食べた。午後の一時前に事務所に戻ると言って、家を出た。じっさいはそのあと、父は事務所に向かわず、車で日高《ひだか》町《ちょう》方面へと向かった。国道二七四号線を東に走ったのだ。石勝《せきしょう》樹海ロードという愛称のある山岳道路だが、急カーブが連続するため、とくに悪天候の日の運転は要注意となる道だった。その日は小雨のぱらつく空模様で、父は穂高トンネルというトンネルを抜けた先で、ガードレールを突き破って崖下に転落した。車は大破、父は運転席で押しつぶされて死んでいたという。

その日、父がどこに向かうつもりだったのかはわからない。ただ、父のもとには日高町や平取町《びらとりちょう》方面からも相談にくるひとはいた。そんな客のひとりを訪ねるところだったのだろうと、母親は言っていた。

警察の話では、父は居眠り運転していた可能性があるとのことだった。現場にはブレーキ痕《こん》がなかったというのだ。急カーブで、車はかなりの高速のままガードレールにぶつかり、はねあげられ、慣性のままに宙を飛んで崖下へと落ちた。そういう状況だと想像できると聞かされた。

あれが自殺？　交通事故を装《よそお》った自殺だと言うのか？　でも、ではなぜ父は自殺しなければならなかったのだ？

直樹は江藤に訊いた。

「市長に追い込まれたとおっしゃいましたね」

「そう。大田原が、親父さんの死の引き金を引いた。自殺の前の日、親父さんは、大田原や後援会幹部と会っている。呼び出されたんだ」

「どこにです？」

江藤は、この町ではやや高級な部類に属する寿司《すし》屋の名を挙げた。この店の二階の座敷では、しばしば町の幹部たちが集まって談合する。議会や委員会にはかられる前に、行政の大要が決まるのがこの店だった。

「そこで、父はどんなふうに追い込まれたというんです？　父には、弱みでもあったのですか」

江藤は、少し苦しげな顔になった。できることならばその話題は避けたい、とでも言っているような顔だ。

「そうなんだ」江藤は直樹から視線をそらして言った。「親父さんには、弱みがあった。対立候補擁立工作を根に持った大田原は、選挙のあと、そのことで親父さんに報復したんだ」

「どんな弱みだったんです？」直樹は、自分の胸のうちで不安が大きく成長したのを感じていた。自分はいま、知らぬままでよかったことを知ることになるのだろうか。

「自殺しなければならないほどのことだったんですか？」

江藤は首を振った。

「死ぬことはなかった」

「どんなことだったんです？」

「仕事にからんだ違法行為だ。倫理的にも、まずいことだった。だけど、自殺するほどのことではなかったとわたしは思う」

「父は、潔癖な人間でした。仕事のうえでも、法を犯すはずがない。だいいち、江藤さんは、どうしてそのことを知っているんです？」

江藤が、直樹を見つめてきた。

「亡くなる前日、親父さんから聞いた。大田原たちと会ったあと、親父さんが電話してきたんだ」

「どういう内容だったんです？」

「訴訟を起こすと言われたそうだ。その内容については、幌岡新報が記事として取り上げることになっていたんだ。見本刷ができていたそうだ」

幌岡新報というのは、この町に二紙ある地域紙のひとつだ。大田原市長寄りで、大田原市政の広報紙とさえ揶揄《やゆ》されている。これまでも、大田原が望む通りの記事を載せてきた。もう一紙は幌岡タイムスという地域紙で、こちらは政治的には中立だ。

直樹は江藤に訊《き》いた。

「父からそういう電話があって、江藤さんはどう応《こた》えたんです？」

「気にするな、と言った。でも親父さんは、新聞に出ることと、訴訟を告げられたことで、気力がすっかりなくなっていたんだと思う。わたしは、恐れる必要はないと応えたんだけど、親父さんにとっては、期待していた答ではなかったのかもしれない」

「大田原は、取り引きを持ちかけたということではないんですか？　取り引き次第では、訴訟回避の可能性もあった？」

「ちがう」と江藤は言った。「取り引きなんかじゃない。最後通告だったという。おれに楯突《たてつ》いた者がどうなるか教えてやる、と言われたそうだ」

「まだ、わからない」直樹は首を振った。「父の違法行為って何です？　ほんとうに自殺しなきゃならないほどのことだったんですか？」

「言いにくいことだ。だからずっと秘密だった」

「話してくれませんか」

それまで黙っていた多津美が、うんざりという調子で言った。

「もういいだろう。親父さんの死の真相が、立候補するかしないかの判断に何か関係するのか？」

江藤が多津美に顔を向けて言った。

「弔い合戦だと思ってもらいたいんだ」

「つまらん」と、多津美は鼻で笑った。「言葉の使い方も不正確だ。それにこのひとは、そんなことを持ち出さなくても、やる気があるなら立候補する」

「動機がいっそう強いものになる」

「だからといって、選挙でそれをアピールすることはできない。ましてや争点にもできない。忘れよう。森下さんには、あくまでも大田原市政への批判者として、立候補してもらいたいんだ。私怨《しえん》を晴らすためではなくて」

江藤は肩をすぼめた。その通りとでも思ったのかもしれない。

直樹は、江藤に訊《たず》ねた。

「ひとつだけ教えてください。その件、わたしが真相をすっかり知ったとしたら、たとえ私怨を晴らすためであろうと、立候補したくなるほどの話なんですね？」

江藤はうなずいた。

「少なくとも、あんたを説得する材料にはなると思っていた」

「もうひとつ。父や江藤さんたちがそのとき擁立しようとした候補は誰だったんです？」

江藤は答えた。

「当時の市立病院の事務長」

「大友《おおとも》さん？」

直樹は驚いた。彼はたしか病院でスキャンダルを起こし、町から去ったのではなかったろうか。時期はちょうど十二年前ぐらいのことになる。もともと市職員で、そのころ定年間近だったはずだ。父とは親しかった。直樹自身も、彼が父と議論している場面をよく見ていた。札幌でその大友のスキャンダルの話を聞いたとき、妙に寂しい想《おも》いをしたものだ。

直樹は気づいた。あのスキャンダル自体にも、何か裏があったのだろうか。

直樹の表情に、その想いがはっきり表れたのだろう。江藤は言った。

「想像通りだ。大友さんは引っかけられて、強制わいせつで訴えられた。すぐに示談成立。大友さんは事務長を辞職し、この町を出た」

「相手は、どんな女性だったんです?」

「病院の女性職員だ。つまり市職員。大田原が採用した美人だった」

「罠《わな》が仕掛けられたということですか?」

「そうだ。きみも、気をつけてくれ」

「大友さんは、その後どうなりました?」

「岩見沢で、ひっそりと暮らしていた。四年前に亡くなった。肝硬変だった」

　この意味がわかるか、と江藤の目は問うているようだった。ひとりの社会人が、卑劣な手で破滅させられたのだ、と言っているのだ。肝硬変が死因ということは、たぶん酒の飲み過ぎだ。毎日浴びるように飲んでいたということになるのか。ある意味で緩慢な自殺。

　かちり、と直樹の胸の深いところで、響いた音があった。金属のかんぬきがはずれたような音だ。自分を常識と保身とに抑えつけていたロックが、はずれたようにも聞こえた。危険への、あるいは冒険への衝動が、直樹の腹の底からわきあがってきて自分を突いた。

「決めましたよ」直樹は、多津美にも視線を向けながら言った。「父の死の詳しい事情については、いまは聞かなくてもかまわない。いつかすっかり教えてもらえるなら、それでけっこうです。わたしは決めました」

　多津美が、聞き違いかもしれないという表情で訊いた。

「立候補するんだな？」

「ええ」

　江藤がほっとしたように頰をゆるめた。

「そうしてくれると思ってた」

　多津美がデスクの前まで歩いてきて、右手を差し出した。握手しよう、という意味だろう。

　直樹も右手を差し出した。

　多津美は直樹の手を握って言った。

「プロジェクト始動だ」

「お世話になります」

「厳しい選挙になる。だけど、あんたは勝つよ」

　江藤も立ち上がって手を差し出してきた。直樹は江藤とも握手した。

　江藤は言った。

「あんたで勝てなければ、町はもう一回死ぬ」

いましがた多津美も似たような言葉を口にしたのだった。

しかし、町がそれほどの危機だというとき、果たして自分にそれを回避できるだけの能力があるのだろうか。正直なところ、直樹には自信がなかった。多津美から立候補を勧められてからまだわずか十五分かそこいらだ。もしこの時点で自信があったとしたら、それはそれで問題だ。自我肥大の程度が過ぎて、とても市長に向く人格ではないとだって言えるのだ。

多津美が、鞄《かばん》を持ち上げて言った。

「今週末、もう一回くる」

「それまでに、わたしのやることは？」

「組織のことを、江藤さんと詰めてくれ。つぎの議会は来週だったか？」

「来週水曜から」

「質問の予定はあるね」

「ええ」

「その質問が、選挙戦の実質的なスタートだ。効果的にやろう。いい答を聞けてよかった」

多津美が事務所のドアのほうに歩きだしたので、直樹は呼び止めて言った。

「報酬を決めなくていいんですか？」

多津美は少し首を傾けた。その質問は、想定していなかったのかもしれない。

多津美は言った。

「市長選で勝ったら、相場のコンサルタント料を請求する」

「市長の給料は、八十万円ですよ。再建団体にならなかったとしても」

「後援会からいただく」

多津美は右手を上げると、ドアを出ていった。

多津美の靴音が聞こえなくなってから、直樹は江藤に言った。

「こんなに簡単に立候補を決めてしまって、よかったんでしょうか」

江藤はすでにまた、いましがたまでのかたくなそうな顔に戻っていた。

「格好がつかないという意味か？」

「いいえ。軽率じゃなかったかと」

「結論はひとつだったんだ。悪いことじゃない」

「ぼくは、いまから何をしたらいいんでしょうね」

「奥さんの説得」

なるほど。それは道理だ。ほかの誰よりも先に、自分は女房に立候補の意志を伝えねばならない。すでに気持ちを固めたという意味では、これは事後承諾ということになる。妻はつむじを曲げるかもしれなかった。

直樹は、妻の怒る顔を想像しながら、江藤に言った。

「そろそろ事務所を閉めます。帰って、かみさんに話す」

「今夜、もう一回会えないか。二時間後ぐらいに」

「何か？」

「きみの選対チームを、紹介する」

「もうできているんですか？」

「きょう、できる。呼びかける相手についても、目途《めど》もついている」

「場所は？」

「白根屋《しらねや》」と、江藤は中町《なかまち》の安食堂の名を出した。今年七十五になるという老女がひとりで切り盛りしている店だ。料理の出るのが遅いと、このところ客足が引いているという。逆に言えば、結社のひそかな集まりには好適だった。

直樹は江藤に言った。

「八時に、行きます」

「奥さんを、きちんと説得してこいよ」

「はい」

妻は、不承不承であれ、承諾してくれるだろう。

2

妻の美由紀《みゆき》は、直樹の言葉を全部聞き終えるまで、ほとんど表情を変えなかった。話しながら、直樹は軽い怯《おび》えさえ感じていた。美由紀は、この話全体が気に入らないのではないだろうか。市長選に立候補するということも、その決めかたも、自分に直樹の意志が伝わった順序も。

たしかに自分はきょうまで、そんな可能性があることさえ、話したことはない。市議立候補のときのひそかな将来構想についても、おくびにも出したことはないのだ。だからきょうの立候補決意は、美由紀にとっては寝耳に水のとんでもない話に聞こえたかもしれない。じつは隠していた借金がある、という話と同じほどの衝撃があるのかもしれない。

「そういうわけだ」と直樹は締めくくった。「この町を二度死なせるわけにはゆかないんだ」

美由紀のうしろでは、子供ふたりがテレビを見ている。五歳の男の子と、八歳の女の子。弘樹《ひろき》と由香《ゆか》だ。どちらも直樹たち夫婦が幌岡市に移り住んでから生まれた。友人の紹介だ。

美由紀とは、札幌の司法書士事務所で働いているときに知り合って結婚した。彼女もそのころ、札幌の広告代理店で働いていた。さまざまなイベントや興行の裏方の仕事だったという。札幌市内のミッション系女子大の卒業だった。高校、大学と、演劇部に所属していた。いまこの幌岡の町でも、市民演劇同好会で活動している。外部の劇団の公演を町に呼ぶことが、活動の中心だ。またこの町の映画祭事務局をずっと手伝っているし、フィルム・コミッションのメンバーでもあった。

美由紀の顔だちは、少し南国的にも見える。眉《まゆ》がくっきりと濃く、二重の大きな目。口も大きいほうだろう。その顔だちのせいか、ふだんはろくに化粧もしないのに、派手に見られがちだ。

直樹は美由紀を見つめて、答を待った。

美由紀は、やがて微笑して言った。

「わかった。お父さん、がんばって」

直樹は確認した。

「いいんだね？」

「だって、決めたことでしょう？　ずっと前から、決めてたんじゃない？」

「そんなことはない」

「この町をなんとかしようってこと。市議では力不足だって思っていたでしょう」

その通りだ。それを愚痴ったこともあるかもしれない。

「焦《あせ》りはあった。市議になってからは、いっそう強くなった」

「妻としては、お父さんを応援するだけ」

「きみにも、いろいろやってもらうことになるかもしれない」

「市議になったときから、覚悟はしていた。平気よ。大丈夫」

「もうひとつ、経済的な問題もある」

「何か問題？　供託金を出すぐらいの貯金はある。それに自営業なんだし、落選したって仕事には戻れる」

「もし再建団体になったら、市長の給料はいまの月収の半分くらいになるかもしれない」

「なんとかなるわ」美由紀はふたりの子供たちを振り返った。「由香が高校生になると、教育費もかかるようになるけど」

「それまでには、町の再建も果たすよ」

「生活のことなら、当面心配しないで。少なくとも、一期だけは大丈夫。二期やるかどうかは、あらかじめ相談してね」

正直なところ、一期で町の再建が果たせるかどうかはわからない。いや、かなりきついと言えるだろう。しかし、道筋だけはつけることができるかもしれない。少なくとも、いまの市長のもとでとられてきた乱脈財政と観光依存の「破綻《はたん》への道」からは、軌道修正できる。やる気になれば、四年という任期はけっこう使える時間だった。

直樹は言った。

「もし当選したら、一期で結果を出す。そう努力する」

美由紀は、もう一度微笑して言った。

「ファイト!」

直樹は応《こた》えた。

「おう」

美由紀のうしろで、子供たちがふしぎそうに直樹を見つめてきた。

その店、白根屋は、谷のほぼ中央部、中町の商店街の中にあった。

幌岡市は、東西に延びる谷あいに、細長く形成された町だ。市役所、市立病院などの公共施設が集まる本町は谷のもっとも奥にある。北海道炭鉱が操業していたころは、この本町が中心市街地として賑《にぎ》わった。

中町には、夕張市や栗山町《くりやまちょう》、日高町とを結ぶ道路が集まっている。交通の便がよいので、炭鉱が閉山となった後は、むしろこの中町の人口のほうが相対的に多くなった。もっとも、衰退と人口の減少は中町も本町と同様だ。

谷の入り口、町のもっとも西寄りには、平坦地《へいたんち》が広がる。広く農地が取れるので、ブドウ栽培を中心にした農業エリアとなっている。農協事務所をはじめ、農業支援機関や施設の集中するのが西町だ。安平町《あびらちょう》・千歳《ちとせ》市方面に道路がつながっている。

中町の商店街は、JR駅前に鉄路と並行して延びている。表通りには小売店が多く、一本裏手の通りには、食堂や酒場が並んでいた。白根屋があるのは、裏通りの西の端近くだ。サイディング・ボード張りの二階屋の一階だった。

直樹は美由紀に送られて白根屋に到着した。午後八時三分前だ。

集まりが白根屋でということであれば、酒が入るのかもしれなかった。飲酒運転はできないから、直樹は美由紀に送ってもらったのだった。

美由紀が車を停めて言った。

「帰るときは、電話して」

「ああ。誰かが送ってくれるかもしれないけど」

「立候補を決めると、いろいろとプライベートなことも注意しなくちゃならないでしょうね。市議と市長とでは、注目度がちがう」

「きょうこの瞬間から、気をつけるさ」

車を降りて店に入ると、おかみが奥を示した。もう集まっているという。

座敷の襖《ふすま》を開けると、見知った顔が六人、座卓を囲んでいた。全員が控えめに、直樹の到着を歓迎してくれた。

入り口近くにいた江藤が言った。

「市長候補だ。森下直樹。説得を受け入れてくれた」

何人かが、音を立てずに拍手した。

直樹は頭を下げてから、あらためて出席者を見渡した。

市議選のときに応援してくれた、中学・高校の同級生がいた。高畑光男《たかはたみつお》だ。彼はいまも、市議・森下直樹の後援会の会長である。父親の建設会社で働いている。

同じく後援会のメンバーで、理容師の友人がいた。浜口明《はまぐちあきら》。彼は長いこと幌岡国際映画祭の実行委員会を支えてきた。彼とも高校が一緒だった。

地元にある無認可保育園の園長がいた。恩田由美子《おんだゆみこ》。四十代の独身女性だ。仕事で何度か相談に乗ったことがある。

ブドウ栽培農家の知人もいた。飯島義夫《いいじまよしお》だ。七十代で、この町でのブドウ栽培とワイン造りのパイオニアのひとりだ。

幌岡炭鉱の採炭夫だった老人もいた。町田善作《まちだぜんさく》。組合の活動家で、一時期共産党員だった。

江藤が言った。

「緊急なので、都合のついたひとだけ集まってもらった。このメンバーが、あらためてあんたの後援会の中核になる」

「よろしくお願いします」と直樹はもう一度頭を下げた。

頭を上げてから座を見渡し、素早く「この場にいない者」のことを考えた。

まず商工関係者がきていない。高畑光男は、彼らの代表ではないはずだ。友人としての参加。目下、町の商工関係者の中には、市長六選に反対という空気はないということだろう。

市の職員組合からの出席者もいない。江藤は市職員だが、異端だ。数には入らない。

市職組はこれまでずっと大田原を組織内候補として応援してきた。その市職組関係者がいないということは、市職組はつぎも大田原を推すということだろう。さらに言えば、地区労も地元の連合も、大田原六選を支持するだろうと想像できるわけだ。

農協の関係者もいない。いま目の前にいる篤農家《とくのうか》の飯島義夫は、必ずしも農協や西町地区に影響力を持っているわけではなかった。もともと保守的な農家には、パイオニアを嫌う傾向もある。農家票もあてにはできないと考えたほうがいい。

もちろんここには、どの政党の関係者もいなかった。直樹の選挙は、組織の応援なしのものとならざるを得ないということだ。

このとき初めて、直樹は弱気になった。二時間前に立候補を決めたが、やはりこれはそうとうに厳しい選挙となる。冷静に見るなら、勝ち目はないかもしれない。

ここにいるメンバーは、後援会の中核というよりは、支持者のすべてなのではないか？ これに多津美を加えて七人。七人の支援者。

江藤が訊《き》いた。

「奥さんは何か言っていたか？」

直樹は答えた。

「ファイト！って」

全員が笑い、場の雰囲気がなごんだ。

江藤が微苦笑をひっこめて言った。

「最初に確認しておこう。森下くんに市長として立ってもらう理由は、ただひとつだ。この町を二度は死なせないため。二度死ぬことを阻止するためだ。この町は見てのとおり、瀕死《ひんし》だ。すでに死んでいるという見方さえある。もし大田原に六選させたら、確実にもう一度死ぬ。夕張にも学ばなかった自治体として、夕張以上に過酷な財政再建計画を押しつけられる。森下くんに市長になってもらうことが、いま考えられる唯《ゆい》一《いつ》の破綻回避の手だ」

直樹は江藤を手で制して言った。

「待ってください。じつのところ、みなさんには買いかぶられているのではないかという気もしています。わたしは行政についても財政についても、専門家ではありません。市議一期目ですし、破綻回避のための具体策があるわけではない。危機意識があるだけです」

「それは承知だ」と、高畑光男が言った。

中学時代、直樹が不良グループから呼び出しを食らったとき、すぐに気配を察して生活指導の教師に通報してくれた男。高校の学校祭の運営をめぐっても、似たようなことがあった。直樹の想《おも》いの中では、直樹が危機にあるとき、いつも脇《わき》に立ってくれた友人だ。

その高畑は続けた。

「おれたちは誰も、お前がその方面のプロだとは思っていない。プロの頭と手は、借りたらいいんだ。いま大事なのは、大田原と対決するっていう意志だよ。対立候補になる覚悟を持てるかどうかだ。お前しかいないよ」

「心配はもうひとつ」と、直樹は高畑に顔を向けて言った。「大田原市長の六選を阻止したとして、ほんとうに財政破綻は避けられるのだろうかということなんだ。市長はあの通り、市財政の細かな点についてはいまだに公表を突っぱね続けている。ぼくは、この町はすでに財政破綻しているのではないかとさえ思っている。だとしたら、新しい市長にできることなど、ほとんど何もない」

江藤が言った。

「破綻している可能性は濃厚だ。いや、市民の大部分は、それを疑ってはいないさ。大田原たちは財政の実情を隠している。隠さねばならないんだから、この町はもう破綻していると見るのが自然だ。しかし、破綻処理を破綻の責任者がやるというのでは、筋が通らない。総務省だって許さない。だから、新市長を立てて、責任追及をやらなきゃならないんだ」

「責任追及をやれば、再建計画はいくらか緩いものになりますか？」

「責任追及をやらずに当事者が居直った町と、責任追及がきちんとなされた町と、計画に差がついて然《しか》るべきだろう？」

たしかにそう期待したいところではあるが、総務省はその事情を勘案してくれるだろうか。

江藤は続けた。

「じつは、さっき道庁筋から教えられた」

理容店の浜口明が江藤に視線を向けた。

「道庁筋って？」

江藤は言った。

「道庁の関係者だ。それ以上は言えないが」

江藤は干される以前、企画課の課長代理として、道庁の担当部署とも関係は密だった。その人脈の中の誰かということなのだろう。

江藤は続けた。

「道庁は、来月、つまり一月年明け早々、幌岡市役所に実態調査に入る。前回までは、知事と大田原の馴れ合いでごまかしてきたが、夕張があのようになったいま、もうそんな関係なんて通じない。町の財政がどんなことになっているのか、こんどこそはっきりする」

大田原は、道内の保守系政治家や新知事と親しいことを、ことあるごとに吹聴《ふいちょう》してきた。じっさい、炭鉱があった当時はこの町は革新の牙城《がじょう》であり、各級選挙では保守系候補の票に対して、革新系候補がいつもダブルスコアで勝っていた。大田原は市長になると、職組上がりであるにもかかわらず保守系政治家たちに接近、保守革新の票差を逆転させて、保守系の政治家たちに恩を売ってきたのだ。

江藤が言った。

「道庁の実態調査が決まったことで、向こうの危機意識は高まる。十二年前の暗闘以上のことが始まるぞ。気を引き締めてゆこう」

そのとき、襖の外からおかみが声をかけた。

「お客さんが見えられました」

その場の全員が、襖に目を向けた。

襖が開いて、顔を見せたのは、豊かな銀髪の老人だった。

森下直樹は思わず声を上げていた。

「先生！」

高校時代の担任教師だ。田所永治《たどころえいじ》。英語を担当していた。幌岡東高校には七年在職しており、その最初の三年が、直樹の高校時代に重なっている。おおらかな人柄で人気のあった教師だ。幌岡東高校の合唱部の顧問も務め、合唱部を二度、全国コンクールに出場させている。

当時の北海道であれば、公立学校の教師は北海道教職員組合に加入するのがふつうだった。田所も当然組合員だったはずだが、さほどの活動家ではなかったという記憶がある。だから、この町の地区労とも、当然ながら連合とも深い関わりはない。

田所は幌岡東高校での勤務を最後に、平《ヒラ》教諭のまま定年退職した。定年後、西町に住宅を建てて夫婦ふたりで住んでいる。

東高校の教諭で、定年後そのまま幌岡に住み続けた者は少ない。校長であった教諭でさえ、定年後は幌岡を出るのがふつうだった。その意味では、田所は市内在住の東高卒業生の接着媒体のような位置にあった。年に一度、市内で同窓会が開かれるときは、必ず出席する元教師のひとりなのだ。同窓会の顧問という立場でもある。

田所は、直樹を真正面から見つめて言った。

「決心してくれたそうだな」

直樹は言った。

「二時間前に、いきなりこういうことになってしまいました」

「いや、四年がかりだった」

「四年がかり？」

「そうだ。きみが市議に立候補したときから、じつは候補に狙《ねら》っていた」

「先生が？」

「わたしとか」田所は、入り口のそばに座る江藤昇を示して言った。「彼とか」

直樹は、その場の出席者を見渡した。直樹と田所を除いた六人は、愉快そうに直樹たちを見つめてくる。

田所は言った。

「大田原市長の対抗馬が必要だと、ずっと思っていた。きみが市議に立候補したとき、ようやく燭光《しょっこう》が見えたと思ったものさ」

江藤が田所に言った。

「先生、とにかく上がんなさい。入り口に立ってないで」

田所は笑って座敷に上がり、江藤の横に腰を下ろした。

直樹は信じられない想いで言った。

「先生が選挙に関わってくださるなんて、信じられません」

田所は微笑して言った。

「わたしはノンポリだったからな。だけど、いまは年金生活者だ。絶対に収入は上がらないのに、現金支出だけは増えてゆく。このうえ再建団体になって、公共料金が上げられたら、わたしはあと、何を切り詰めたらいいんだ?」

もちろんおおげさな言い分だとは思った。公務員であれば、年金暮らしと言っても、国民年金に共済年金が加わる。月に二十五万円程度は支給されているはずだ。またこの町の炭鉱離職者にも、やはり年金は手厚い。いわゆる「黒手帳」の持ち主ということで、ふつうの年金生活者よりも優遇されていた。だから再建団体となっていちばん影響を被《こうむ》るのは、公務員でも炭鉱勤めでもなかった民間中小企業の離職者、退職者たちだった。生活保護水準の支給額なのだ。再建団体になった場合、田所が言うように、あと何を切り詰めたらよいのかという事態になる。幌岡市の場合、そのような水準の年金生活者がおよそ五百世帯、千二百人ほどいる。生活保護世帯は二百、およそ五百人だった。もちろん、全国的にも際立《きわだ》ってこの割合は多い。

田所は言った。

「いままでわたしは、教え子が何の選挙に出ようと、いっさい協力してこなかった。

誰の後援会にも入ったことはない。だけどこんどだけは別だ。先生と呼ばれることの影響力がまだ多少なりともあるんなら、こんどは使わせてもらう」

「ありがとうございます」と直樹は頭を下げた。

東高校の卒業生は、創立以来六十年でほぼ一万人になる。幌岡西高校の卒業生は四千人。ざっと見積もっても、この町の働き盛りのほぼ七割は東高校の卒業生だ。大田原も東高の卒業生だが、田所先生が直樹についたという事実は、さほど大田原市政に批判的でない卒業生にもアピールするはずだ。同窓会が直樹についた、という空気までは醸成できないにせよだ。

江藤が言った。

「これで七人。裏選対は、この七人で始まることになる」

恩田由美子が言った。

「わたしたちは、まず何をやったらいいのかしら」

江藤が言った。

「まず後援会を強化する。市議選のときから高畑さんが会長となって、会を切り盛りしてくれている。これをもっと実体のあるものにする。後援会の会合を年内に二回、本町と中町で一回ずつ開催して、組織を拡大する。その運営を高畑さんにまかせたい」

高畑がうなずいた。

「ええ。これに限らず、ひと前に出る仕事はわたしがやりますよ。高校のときからずっと、森下直樹後援会長なんですから」

江藤が、頼む、というように口を動かしてから続けた。

「わたしは、市役所、職組対策だ。大田原批判の声を大きくする。六選はまずかろうって声を、引っ張りだす」

保育園園長の恩田が言った。

「それがいちばん難しいことのように思える」

「たしかに。だけど、わたしももう失うものはない。大田原一派からの攻撃はわたしが引き受ける」

「市職員の中に、反大田原にまわるひとなんて、ほんとうにいます？　誰もが市長を怖がっている。飛ばされることを心配している」

それは江藤が受けた報復のことを言っていた。三選反対の動きを見せたことで、それまで企画課長代理だった江藤は、ゴミ処理施設に異動となったのだ。ふだんほかの市職員とは接触することもなくなるような、山中の職場だった。以来、十二年間、江藤は処理場に勤めてきた。二年前に処理場の責任者が定年退職したので、ようやく係長待遇の肩書がついたが。その意味では、処理場の江藤とは、大田原の恐怖支配のシンボルであった。

江藤が言った。

「大田原がもし六選を目指すとなれば、逆に言えばいよいよ大田原市政も末期に入ったということだ。反大田原にまわっても、最悪でも四年間冷や飯を食うだけで済む」

ブドウ農家の飯島が言った。

「あのひとは、二十年間、情実人事を続けてきたんだ。逆の言いかたをすれば、二十年間、不満の土壌に肥料をやり続けてきたってことだ。不満は発火するだけたまっているよ」

高畑が言った。

「分断支配はうまいって聞きますよ。部下を競わせて、どっちかを完全に敵にしてしまわないうちに、救ってやる。だから市役所全体が、大田原の忠犬ポチだらけになった」

江藤が言った。

「大田原に心底からの忠誠心を持ってる者なんていない。市役所じゅうを探してもな。

助役と総務部長だって、自分が後継に指名されると思ってるから、ポチなんだ。自分が指名されないとわかれば、その瞬間に反対派にまわるさ」

映画祭実行委員会の浜口が言った。

「ビラやポスター作り、後援会報とか、宣伝全般はぼくだ」

江藤が言った。

「あんたは、マスコミとも接触が多い。マスコミ対策をまかせたいが、いいかな」

直樹は浜口を見た。

彼はこの十年ばかり、映画祭の裏方として、その宣伝や広報活動を担当してきた。どのメディアとも親しいし、つきあいかたも心得ている。メディアの受けのいい男だった。

いっぽう大田原は、いつのまにか全国メディアの大半を敵に回してしまっていた。尊大すぎ、傲慢《ごうまん》すぎる点が、同じ程度には鼻っ柱の強いメディア関係者から反発をくらうようになったのだ。一社だけ、ある全国紙の支局長とは度を越えて親しいと評判だが、逆に言うならば、ほかの新聞社や放送局とは、いまは関係は良好ではない。五選に批判的な記事を書いたべつの全国紙には、一時どうでもいいような理由をつけて取材を拒否し続けた。そのせいもあって、記者クラブでは、その友好的全国紙対諸社連合という対立の構図ができている。言うまでもなく、諸社連合のほうは、このところ大田原市政に対してきわめて冷やかである。

浜口がうまくメディア対策をするなら、報道関係の大部分は、直樹を少なくとも大田原と同格の候補として扱ってくれるだろう。泡沫《ほうまつ》や「独自の戦い」の候補としてではなく。行間から支持、応援の気分が見え隠れするような報道だって、期待できそうだった。

江藤が浜口に続けた。

「浜口さんには、森下直樹ブームが起こるよう、広報を取り仕切ってもらいたい。目標としては、これから選挙までの四カ月、大田原の三倍のメディア露出を目指してもらいたいんだ」

「そのつもりですよ」

恩田が言った。

「わたしには？」

「婦人部」と江藤は言った。「大田原にはいまだに、女性ファンが多い。若いときアコーディオンを弾いたり、有名俳優を呼んできて写真を撮ったり。テレビへの出演も多かった。なんだっけ、あのテレビ番組」

浜口が、刑事もののドラマの名を出した。大田原は十数年前、その番組の撮影がこの町でおこなわれたとき、特別出演しているのだ。当時大人気の若手俳優と台詞《せりふ》のやりとりがあった。当時、撮影現場には一千人の市民が集まったという。いまでも町では、その俳優のことが話題になるときは、必ず一緒に大田原との共演の件が持ち出される。

江藤が言った。

「あれもあって、大田原はいまだに町が生んだ最高の全国区タレントだ。それを切り崩したい」

「崩せる？」

「森下の女性ファンを増やしたい。婦人の会合に、できるだけ出てゆける機会を作ってやってほしい」

江藤は直樹に顔を向けてきた。

「ＰＴＡの会合には出ているか？」

「ええと」直樹は口ごもって言った。「授業参観には出てますが、ＰＴＡの活動は運動会の記録係ぐらい」

「残り時間もないが、このあとのＰＴＡの会合にはすべて出て、雑用を引き受けてくれ。恩田さんが、ほかにやるべきことを指示してくれるだろう」

恩田が言った。

「来週日曜、中町福祉会館で、介護保険についての相談会がある。そのあとお茶会。お母さんを連れてきて」

母はいま、千歳市の介護老人保健施設にいる。膝《ひざ》の関節を手術したので、そのリハビリのために入所しているのだ。あと二カ月は入っている予定だが、来週あたりは外出させようと思っていた。自宅に連れてきて、翌朝また老健施設に送ってゆくつもりだった。

それを言うと、恩田は言った。

「同世代のおばあちゃんたちに、親孝行なところを見せてあげて。手を引くかおんぶして、福祉会館に連れてきて」

「行きたいと言うかな」

「お母さんのお友達もくるはず。そんなに嫌がらないと思う」

江藤が言った。

「市議選とはちがう。知人が三百人いるだけでは、当選はできないんだ。あんたが知らなくても、向こうはあんたの顔も、何をやっているかもよく知っている、という市民が必要なんだ」

高畑が言った。

「それも、あと四千人」

恩田が言った。

「うるさいと思うでしょうけど、引っぱり回すわ。覚悟してね」

直樹はよろしくと恩田に頭を下げながら思った。それって、おれの身体《からだ》ひとつで足りるのか？　ＰＴＡの仕事をしながら、さらに選挙戦？

町田善作が言った。

「おれは左翼対策」

彼は北炭幌岡炭鉱の坑夫だった男だ。組合の活動家でもあった。炭鉱閉山後、かつては共産党員だったと認めた。会社側とは長年激しくやりあってきており、暴力団に襲われたこともある。いまこの場にいるこの面々の中では、もっとも修羅場体験が豊富かもしれない。現在は共産党を離れているが、かつて炭鉱夫だった年金生活者たちのあいだでは人望が厚い。高畑か浜口が言っていたはずだが、オールドレフトの鑑《かがみ》のような男なのだ。

江藤が訊《き》いた。

「大田原は、たいがいの左翼も取り込んでしまった」

「本町の四丁目五丁目には、組合出身者がまだ二百世帯住んでる。あそこは、おれがまとめるさ」

「地区労はどうだろう?」

「だめだ。あんな小市民たち、大田原の取り巻きだ。おれはこの町のどこに左翼がいるか、自分で知ってる。あんたたちの知らない隠れ左翼たちがな」

「あんたには、森下直樹支持を公言して欲しくない。あんたは伝説の闘士だけれど、あんたが支持を鮮明にすることで、逆に引くひとも多いんだ」

町田善作は、皺《しわ》の多い顔を歪《ゆが》めた。微笑したのだろう。

「承知してるさ。おれは大田原攻撃を受け持つ。大田原に辟易《へきえき》してるって有権者が、その次に何を考えるかまでは、方向づけない。きょう以降は、おれはこういう場には出てこないよ」

町田善作が直樹に顔を向けた。

「あんたの親父《おやじ》さんには世話になった。親父さんは、けっしてこちら側じゃなかったが、骨のあるひとだった。仲間たちを大勢助けてもらった」

たぶんそれは、父親が手伝った生活保護申請のことを言っているのだろう。この町にはむかしもいまも、弁護士はいない。大きな都市であれば弁護士がする仕事の一部は、司法書士が引き受けていた。この町で生活保護の申請をするとき、役所の福祉課との交渉が揉《も》めたときなどは、たいがい司法書士が出て行くのだ。書類作成にも助言するし、ときには福祉課とやりあう。とくにこの町では、もと炭鉱の下請け会社で働いていた年寄りの生活保護申請が多かった。父は、早い時期からそのような人々を親身に支えてきたのだった。

町田は続けた。

「森下直樹と聞いて、古い仲間は親父さんへの恩義を思い出す。みんな、そういう義理はきっちり返す連中だ」

高畑が笑った。

「町田さんがもと共産党員だなんて、信じられませんよ。いまの言葉だって、ほとんど俠客《きようかく》のものに聞こえる」

町田は高畑に顔を向けて言った。

「組合のなかった時代、友子《ともこ》がその代わりだった。親兄弟の盃《さかずき》を交わすんだ。あんたの言う通りだ。任俠の世界と同じだよ」

友子、というのは、かつて炭鉱夫のあいだにあった相互扶助制度のことだ。医療や福祉が不十分な時代、炭鉱夫たちは友子と呼ばれる結社に加わることで、それぞれの被災や失職のリスクを分散させた。友子の親分は子分たちの面倒をよく見たし、ときには子分たち兄弟分たちを代表して会社と交渉し、さまざまな権利やカネを勝ち取ってきたのだった。幌岡炭鉱でも、労働組合運動が盛んになる昭和二十年代のなかばぐらいまで、坑夫たちのあいだにいくつも友子があったという。

飯島義夫が言った。

「わたしが農家対策なんだろ？　ひとつだけ条件があるんだが」

「条件？」と、直樹と江藤が同時に言った。

飯島が言った。

「六号農道の舗装の件だ。一部地区負担ということになって、農家十二戸のうち、三戸が計画から降りた。しかしあとの九戸は、どうしてもやってほしい。これを解決できないか」

その問題は、この二年のあいだに急に浮上してきた問題だった。五年前であれば、大田原市長は問題なく、当該農道の舗装化に踏み切っただろう。地区負担という手を取らずに、国の整備事業の一部とし、市も応分の負担をすると決めたうえで、舗装工事を決めたはずだ。しかしいま、これだけ財政が窮迫しているときだ。事実上財政破《は》綻《たん》しているのではないか、という疑いも出ている状況では、以前のような調子で新規の土木事業には踏み切れない。こんどの選挙でも、大田原はこれをやると公約することはできないだろう。

江藤が直樹に目を向けてきた。

直樹は考えをまとめながら言った。

「市の支出は、一千万円規模となる事業でしたよね」

飯島が言った。

「そうだ」

「どっちみち財政再建団体となった場合は、計画が事業として認められる可能性は極端に少なくなります」

「もしそれが避けられたら、という話だ。六号農道の舗装化、優先課題にはできないか」

「飯島さんの条件なのですね？」

「条件というのは、言葉がきついな。取り引きだと誤解されるのも嫌だ。言い直す。新市長への期待ってことだ」

江藤が言った。

「あの農道は、西町南部とのバイパスにもなりうる。地区の農家十二戸だけの問題じゃない。前向きな検討案件に入るんじゃないのか？」

直樹は、表情には出さないまま思った。さすがに飯島は古狸《ふるだぬき》だ。善意だけでは動かない。動くときには、理由がある。具体的で自分にも直接関わる見返りを求めるということだ。じっさいこうでなければ、周囲や農協の反対をものともせず、この町でワイン用ブドウの栽培を成功させることもできなかったろう。パイオニアに必要な資質は、底抜けの善意ではないのだ。徹底したプラグマティズムだ。多少の障害などものともしない、トラクターのような駆動力なのだ。

「わかりました」と直樹は言った。「取り引きじゃないということでしたら、六号農道の舗装化は検討課題にします。ただし、再建団体に転落したときは、市長がどうにかできることでもありません」

飯島は言った。

「わかってる。あんたが、農家の事情もよくわかってる、という保証が欲しかったんだ」

「わかっているつもりです」

「農家に必要なのは、浮わついた観光地の名前なんかじゃない。きちんとした農業生産地としてのブランド・イメージなんだ。大田原がやってきたことは、農家にとってはむしろ迷惑な、軽薄な町のイメージ作りだった」

「承知しています」

襖《ふすま》の外から声があった。

「そろそろ出していいですか」

おかみの声だ。この店に集まった以上、たぶんお酒とつまみも出てくるのだろう。

江藤が言った。

「出してくれ。頼む」

「はあい」

江藤は、集まった面々を見渡して言った。

「では、ちょっとだけ固めの盃としよう。大田原六選阻止、再建団体転落回避、森下直樹新市長実現の、チーム森下結成会だ」

襖が開いて、おかみが座敷にお盆を置いた。盆の上には、瓶ビールやポットが載っている。

「ちょっと失礼」

と江藤が立ち上がり、土間のスリッパを履いた。洗面所にでも行こうということのようだ。

彼がいないあいだに、残った面々は互いのグラスにビールを注ぎあった。恩田のグラスには、直樹がほんのわずかだけ注いだ。

ほどなく江藤が座敷に戻ってきた。妙に不安そうな表情だった。いまトイレで、何か気がかりなことを思い出したという顔にも見える。

直樹は訊いた。

「どうしました？」

江藤は座敷に上がってから襖を閉じ、小声で言った。

「カウンターに、犬飼《いぬかい》がいた」

その場の全員が、目をみひらいた。

いまここで江藤が犬飼と言えば、それは第三セクター幌岡興産の常務、犬飼道三《みちぞう》しかいない。市職員だったが、十二年前から幌岡興産に出向した。秘書課からの転出で、裏選対での貢献が認められての抜擢《ばってき》だったと噂《うわさ》されている。つまり、大田原子飼いの中でも五本指のひとりと言える男だった。その男がこの店にいた？

直樹は不安に駆られた。偶然なのだろうか。直樹が市長選立候補を決めた夜、事実上の選挙対策本部ができたその瞬間に、対立陣営の有力者がその場にいた。その有力者が江藤をみれば、そこで何か政治的な意味合いのある会合が開かれていると想像するのは自然である。

江藤が小声で言った。

「隠すようなことでもないが、まだ全員の顔を見せてやることもない。少しずつ店から消えよう」

田所が言った。

「わたしが、あいつに話しかけよう。カウンターの向こう側に座れば、視線はこっちには向かない」

恩田が反対した。

「べつに知られて困るようなことでもないわ。このまま、続けません？　固めの盃だけで終わるんですか？」

高畑と浜口が恩田に同意した。

「そうですよ」

「かまわんじゃないですか」

町田善作が言った。

「気にするな。不審には思うだろうけど、どうってことはない」

江藤が、少し考えてから言った。

「そうだな。放っておこう。ただし、少し声は落とそう」

全員が微笑した。

そのあと、翌週の定例議会が話題となった。直樹が質問に立つことになっている。何を質問する予定か、その質問を市長選にどう生かしてゆくか、についての説明を求められた。

直樹は、次の議会では、第三セクターへの緊急貸し付けの件を質問するつもりだった。幌岡市がもしすでに財政破綻しているとしたら、それは第三セクターの経営不振が原因である。ゴルフ場、それにホテルと遊園地を経営する第三セクターは、阪神大震災以来客数の落ち込みが激しく、外から見ても絶対に黒字経営ではない。なのに決算報告ではただの一度も赤字が報告されたことはないのだ。昨年度でも、九十億円の売り上げ、八千万円の黒字である。

そんなはずはない、というのが、多少なりとも市財政に危機意識を持つ者の見方だが、市は健全経営をうたって頑として財政の詳細を明らかにしていないのだ。議会の古参議員たちも、この点については市に対して質問したこともないし、詳しい決算報告を求めたこともなかった。

その黒字経営のはずの第三セクターに、市は次の議会で、二千万円の緊急貸し付けを提案するという。なぜそんな貸し付けが必要なのか、直樹はこれを質問の柱とするつもりでいた。当局側の回答次第では、市財政の隠蔽《いんぺい》されていた部分が明らかになるかもしれないのだ。

もっとも、古参市議たちは緊急貸し付けの件が明らかになった先週から、直樹に遠回しに言ってきている。質問内容はできるだけ明快に市当局に伝えておいたほうがいいぞ。向こうだって、中身のある回答をしようと思えば、事前に質問を知らされておく必要があるから。

いわゆる質問取りのことであり、答弁調整のことも言っているのだろう。決して好ましい慣行ではないが、質問の案件次第では、そうすることもあってよいと思う。議会での質問は必ずしも市当局を立ち往生させることが目的ではないのだ。指摘、提案としての質問もある。その場合、質問取りに応じることも答弁調整も、有効な手なのだ。ただ、市当局が回答を逃げると予測できるこのような案件では別だ。

直樹は古参議員たちには答えていた。

福祉と病院問題が質問の中心ですよと。

古参議員たちは必ずしも納得したようではなかったが、それ以上突っ込んで確かめてはこなかった。直樹が会派に所属せずに、独立系市議としての立場を守っていることも、今回はさいわいしている。二十四人の市議は、大半が保守系であり、市議会内の幌岡自由クラブに所属していた。民主党系の市議は五人。民主市民会議という会派を作っている。共産党がひとり。直樹もひとり一派だ。会派内で調整されることはないし、先輩議員から「教育と指導」を受けることもないのだ。

そもそもこの町には、議会で質問に立とうという意欲と批判精神を持った市議など、半分もいなかった。過半数は、自分が市政の監視者であるという認識さえ持っていないだろう。むしろ大田原のもっとも身近な支援者という意識のほうが強いはずだ。だから会派に所属しない直樹にも、年に四回の議会ではそのたびに必ず質問ができるのだった。

直樹が予定している質問内容を口にすると、江藤が言った。

「この緊急貸し付けは、たしかに三セクの財務状況が危機的だってことをうかがわせる。そこまで突っ込めるかな」

直樹は言った。

「回答しないならしないで、危機であることは伝わる。市当局にも、ジレンマになるでしょうね。きちんと答えたら、大問題になる。答えなければ、詮索《せんさく》される」

高畑が言った。

「これって、金融機関がもう幌岡市に引導を渡したってことじゃないですかね。だから、補正予算で緊急貸し付けってことになった。金額を考えると、たぶん利息分の返済に当てるんでしょう」

町田が言った。

「三セクの専務の誕生日を思い出せよ」

第三セクターの専務は、大田原昭夫市長の実弟である。大田原和雄《かずお》。もともとは札幌の旅行代理店勤めだったが、第三セクターができたとき、観光事業の専門家という触れ込みで役員に就任した。もちろん大田原市長が引っ張ったのだ。社長は大田原市長の兼任である。つまり第三セクターは事実上、大田原兄弟が経営しているようなものだった。

「誕生日?」と、江藤が訊《き》いた。

「十二月十一日だ。六十歳。三セクの社内規定では、定年退職の日ってことだよ」

飯島が、驚いたように言った。

「退職金を、市から貸し付けのカネで支払うってことか?」

江藤は大きくうなずきながら言った。

「金融機関がいよいよ相手にしなくなったということか」

恩田が訊いた。

「退職金は二千万なの？」

町田が言った。

「さあ。それに、どういうやりくりをするつもりかもわからない。だけど、弟の定年退職の日が近々。来年早々には道庁の実態調査。いよいよ大田原は、終戦処理に入ったんだ。そのうえで、六選に出てくる。戦犯追及をかわすためだ」

浜口が言った。

「どこまで汚いんだ」

直樹は、目の前のグラスに残ったビールをひと息に呷《あお》った。

燃えてきた。自分は熱くなってきている。次の議会では、連中に対してはっきりと宣戦を布告しよう。その意志が伝わるだけの質問としよう。


その夜、森下直樹は激しい不安に襲われて目を覚ました。

ぐっしょりと汗をかいていた。パジャマの襟元まで濡《ぬ》れている。

何か苦しい夢を見ていたようだ。巨大な蟻《あり》地獄にでも落っこちたような夢だ。もがいてもがいても、そこから出ることができない。足は砂に取られて重く、なんとか一歩斜面を登ろうとしても、砂は足元ですぐに崩れてしまうのだ。どうしても脱出できない。穴から逃れることができなかった。

苦しさのあまり、ひと休みして振り返った。すると、自分は穴の底近くにいたと思っていたのに、穴は巨大なクレーターのように広がっていた。穴はいつのまにか、広さも深さも何十倍にも拡大していたのだ。あわてて上を見たが、あとわずか数メートルと見えていたはずの斜面の上端は、遥《はる》か上方に遠ざかっていた。

ああ、と溜《た》め息をついたかもしれない。

そこで目を覚ました。

悪い夢を見た……。

その夜の選挙対策チームの発会式で、少しお酒が入ったせいもあるのだろう。もともとそんなに飲めるほうではないのだ。なのにきょうは、テンションが上がっていたせいで、ビールをひと瓶ぶんぐらいは飲んだ。眠りは浅かったし、ずっと呼吸が苦しかった。

布団《ふとん》の中で身体《からだ》をひねり、枕元《まくらもと》の時計を見た。午前二時少し前だった。

右隣りの布団で、美由紀が小声で言った。

「どうしたの？」

常夜灯の明かりに目が慣れてきた。美由紀は心配そうにこちらを見ている。美由紀と自分とのあいだには、五歳の弘樹が寝息を立てていた。八歳になる娘の由香は、美由紀の向こう側で眠っている。

直樹も小声で言った。

「寝苦しかった。いやな夢を見た」

「少しうなされていたみたいだった」

「お酒のせいだろう」

「選挙の話のせいじゃない？」

そのとおりだ。うなされる理由としては、市長選挙に立候補を決めたこと以外に考えられない。財政が破綻《はたん》しているかもしれないという自治体の市長選に、立候補すると決めたのだ。しかも相手は、六選を目指すらしいと言われている現職である。ふつうに考えれば、まるで勝ち目のない選挙戦と言っていい。供託金の百万円は返ってくるかもしれないが、選挙費用は無駄に消えることだろう。

だけどもっと恐ろしいことがある。もし市長に当選して、しかも市が財政破綻していた場合だ。自分の月給は二十五万円程度となるだろう。いま策定中と聞く夕張市の財政再建計画では、市長の給料はその程度になると言われているのだ。市会議員とちがい、市長はフルタイムで働くことが求められる。司法書士の仕事をするかたわら、市長職をこなすことはできない。財政が破綻していた場合は、直樹は二十五万円の給料で、妻とふたりの子を養ってゆかねばならないのだ。

落選するよりも当選した場合のほうが、自分の生活は苦しくなる。もし自分が当選し、しかもこの幌岡市が財政破綻していたら。財政再建団体になってしまったら。

もしかしたら、ほくそ笑むのは現市長である大田原ではないのか。財政再建自治体のトップの座から逃れることができるのだから。尻拭《しりぬぐ》いは他人がやってくれるのだから。

直樹は、顔を天井に向けて言った。

「はめられたのか？」

美由紀が言った。

「え？」

「いや」直樹は動揺を隠して言った。「市長選のことさ。大田原は、ほんとうは次の選挙には出るつもりなんてないんじゃないのかな」

「どうして？」

「財政破綻の処理から逃げられる。再建団体になっても、その当事者じゃなくなる。

大田原は、本音は市長なんてやりたくないのかもしれない」

「だって、六選目指すって、後援会で話したんじゃなかった？　噂《うわさ》だけ？」

「その意味のことは言ったんだろう。でも、逃げるための戦術だったのかもしれない。六選を言い出せば、やはり財政は破綻していないのだと周りは受け止める。そうなると、対立候補が出るかもしれない。自分は告示当日、立候補しなければいい。きれいに逃げられる」

「そんなふうに思うの？」

「そういう気がしてきたんだ」

「財政破綻していなければ？」

「その場合は、六選も旨味《うまみ》がある」

「整理してみましょう」と、美由紀は布団から動かないままに言った。「この町は夕張とはちがって、まだ財政破綻していない可能性もあるわね」

「可能性だけはある」

いまだに市は、財政状況の詳細な開示をかたくなに拒んでいる。しかし来年早々の北海道庁による実態調査も決まった。いずれはっきりする。少なくとも、市長選の告示前には。

美由紀は言った。

「でも、大田原さんは、六選を目指すと内々で言ったらしい」

「どれだけ本気かはわからない。対立候補を引っ張り出すために打ち上げたアドバルーンかもしれない」

「あのひと、自分は逃げることを考えたとして、自分の影響力も及ばない誰かに、簡単に自分の地位を差し出す？　あのひとの後釜《あとがま》になりたいと願っているひとは、多いんでしょう？」

「財政の状態次第だと思う」

「もうひとつ。六選を目指すと発表したら、対立候補の出ない可能性のほうが高くなかった？　現職の大田原さんに勝てる候補なんて、そうそういない。あなたでさえ、きょうの夕方までは、そのことを考えたこともなかった。つまり、大田原さんは本気で六選を目指しているはずだわ」

「ということは、財政破綻はしていないのかな」

「夕張みたいに、六百何十億もの債務じゃないのかもしれない。破綻していたとしても、財政再建計画がゆるいものになるなら、大田原さんはもう一期やっても自分が傷つくことはない。既得権も守られるでしょう？」

黙ったままでいると、美由紀は訊いた。

「騙《だま》されたと思っているの？」

直樹は、天井を見つめたまま答えた。

「政治の素人《しろうと》たちが、プロに引っかけられたって心配をし始めていたんだ。夢の中で、それを思いついた。だから寝苦しかったんだろう」

「プロって言うけど、大田原市長も後援会も、そんな複雑なゲームができるひとたち？　誰かを立候補させるために六選を目指すと言ったりする？　自分がコントロールできないような事態を、わざわざ作ったりする？　あのひとたちって、もっとシンプルなしかたをするんじゃない？」

「たとえば？」

「誰かを騙したければ、直接そのひとと交渉するんじゃないかな。お前、おれの後継をやらないかって」

美由紀の言う通りかもしれない。大田原や市議会の主だった古参議員たち、市役所の幹部たちは、根っからのムラの政治家や役人たちだ。高度な政治技術は使わない。これまでそんな技術は必要もなかったのだ。

おれを信じろ、おれにまかせろ、悪いようにはしない……。

大田原の政治的語彙《ごい》はこの程度のものだろうし、取り巻きにしても同じことだ。

そう納得しようとした。しかしまだ一抹の疑念は残る。やはり大田原は、市の財政破綻の責任から逃れるため、おひとよしを呼び込もうと六選出馬をほのめかしたのではないか。彼は立候補するつもりなど、ほんとうはないのではないか。

直樹は掛け布団をよけて、身体を起こした。

数カ月前、仕事が重なって不眠気味となったとき、市立病院で誘眠剤を処方してもらった。あれを飲もう。闇《やみ》の中で同じことを考え続けていても、生産的な答は出てこない。悩みはすっきりとした頭で、あらためて考えればよいのだ。

3

直樹は、ふたりの相談者を事務所から送り出した。

NPO法人を作ろうと計画している福祉関係者だった。彼らは市立の老人ホームとはべつに、グループホームを設立しようとしていた。すでに高齢者人口が全体の四十パーセントを超えた町だから、グループホームへの期待は高かった。市立の老人ホームは、いま百人待ちという状態なのだ。かといって、大田原市長は、これ以上老人ホームを増設する意志は持っていない。三年前、直樹が議会で質問したとき、大田原市長は答えたものだ。財政厳しい折り、施策には優先度、緊急度が勘案される。老人ホームの新設は残念ながらあと回しだと。そう答えた翌年には、彼は公用車を買い換えたのだ。四年乗っただけの国産最高級セダンを新型に。結果として幌岡市は、孤独死した老人がこの二年間で十二人という自治体になっているのだった。

直樹はいま、町の福祉施設を定年退職したふたりに、NPO法人を設立するための手続きについて、詳しく説明していたのだった。たぶん彼らは、外部からの支援も受けて、町にグループホームをいくつか作ることになるだろう。

そのふたりとの雑談の中でも、市の財政のことが話題になった。

もし市財政が破綻したなら、自分たちの構想にどう影響するかということだった。町は市立老人ホームを民間に運営委託することになるかもしれない。その場合は、受け皿として自分たちも名乗りを上げなければならないだろうと。

「どうなんでしょうか」とひとりが訊《き》いた。「破綻するんでしょうか?」

直樹は、直接には答えられなかった。

「市は、財政状況をずっと隠してますからね」と直樹は言った。「隠しているところをみると、もう破綻は確実なのかもしれない」

「あの三セクのリゾートで」ともうひとりが言った。「黒字が出てるはずがないものね。ホテルの稼働率《かどうりつ》が平均四〇パーセントかい？　ゴルフ場はいつもガラガラ。道立のパークゴルフ場のほうは、あれだけ混んでいるのに」

まったくですよ、と同意して、直樹はふたりを送り出したのだった。彼らの計画が煮詰まれば、司法書士として直樹はその設立の手続き一切を受け持つことになるだろう。

直樹は自分で湯をわかし、インスタント・コーヒーを淹《い》れた。

事務員の沢島恵子はいま、岩見沢市の法務局岩見沢支局に出向いている。帰りは午後遅くになるだろう。きょうは直樹は事務所にひとりだった。

直樹はインスタント・コーヒーを入れたマグカップを持ってデスクに戻り、書棚から小冊子を一部取り出した。

二十年前、大田原市長の第一期目に計画され、その二年後から営業を始めたリゾートの案内パンフレットだった。

「ふれあいの里・幌岡ドリーム・リゾート」と、そこは名付けられた。運営主体は市が全額出資する第三セクター、幌岡興産で、ゴルフ場と大ホテル、屋内型遊園地をセットにしたリゾートだ。資本金一億円は産炭地域振興臨時交付金だった。

隣の夕張市がスキー場を中心にしたリゾートを建設したのに対し、この町はゴルフ場をリゾート地の目玉としたのだ。

炭鉱が撤退した跡地が、そのリゾート開発の対象地域だった。立坑や斜坑、選炭場、それに列車への積み出し施設などが集積した場所だったが、大田原は北海道炭鉱からこの土地を譲り受けた後、こうした産業施設をすべて解体して、更地にしたのだ。もちろん当時から、それらの炭鉱施設を近代産業遺産として残すべきだという声もあった。しかし、維持管理の費用がかかりすぎるという理由で、施設の撤去は強行されたのだった。

その炭鉱施設跡に「ふれあいの里・幌岡ドリーム・リゾート」が建設された。ゴルフ場は十八ホール。平坦地《へいたんち》ではないから、かなりトリッキーな設計となった。当時日本でもっとも人気のあるプロゴルファーが、設計監修にあたったことになっている。しかし、じっさいそのゴルファーがどの程度のことをしたのかはわからない。名前を貸しただけ、という話もある。ゴルフ場オープン記念のコンペティションでは、大田原市長とそのプロゴルファーが同じ組でまわった。監修料として支払われた三千万円は、じつはそのときの記念写真撮影代金でしかなかったのではないか、と皮肉る者もいる。

ホテルは、地上七階建てで、百六十室。最上階には、当時で一泊七万円のスイートルームが十二室あった。長期滞在客向けをうたったが、じっさいにこのホテルで一週間以上滞在した観光客はほとんどいなかったのではないか。多少長めに泊まったビジネス客はいたにしても。

ホテルは、夕張市への対抗で建設されたものだった。建物の大きさ、内装の質、ロビーやレストランの豪華さなど、どの部分もすべて、夕張の同種の宿泊施設を上回ることを主眼に設計されたのだ。というのも大田原には、隣町の夕張市へのライバル意識が奇妙なまでに強かった。施設や施策は、どれも夕張市への対抗意識がむきだしだった。

巨大なドーム型の屋内遊園地は、豊富な温泉を使った大プールを中心にしていた。波のあるプールということで、当初はそこそこ人気を集めた。団体客のために、常磐《じようばん》ハワイアンセンターにならったサンバ・チームも作られた。子供向けに、ロケット館やら恐竜館、秘境ジオラマ館を併設した。

オープンした翌年には、北海道の某動物学者が小動物園を売り込んできた。犬や馬とのふれあいを通じて、子供たちの情操教育に役立てる、という触れ込みだった。大田原はそのための施設を建設して、この動物学者が経営するプロダクションに貸し出した。

また、北海道で有名な某プロ・スキーヤーが、ローラー・リュージュなる遊具を売り込み、これも採用が決まった。建設費用は二億円で、そのうち一五パーセントがそのスキーヤーへ、監修料として支払われた。

大田原の夫人に対しては、ある占い師が仏舎利《ぶっしゃり》だという触れ込みの古い骨片を売り込んだ。夫人は大田原を動かし、これを収める豪華な石の塔を建てさせた。宗教的意味合いの施設の建設ということで、これにはさすがに議会内でも反対があった。しかし大田原の言い分は、宗教施設ではなく観光施設、というものだった。その仏舎利は偽物《にせもの》、という報道もされたが、市は、観光資源なのだからその真偽は問題ではない、という言い方でかわしてきた。

ひとことで言えば、いかがわしさで有名な人間たちが引きも切らず大田原の周辺に群がり、カネを引き出した。その結果、確たる構想もなしに次々と集客のためのアトラクションが増設されていった。

また夕張市では、中田鉄治市長の発案により、真冬に国際映画祭を実施してそれなりの人気を集めていた。欧米の往年のスターや監督を招待することで、そこそこ知名度を上げていたのだ。

大田原市長も、このリゾートを舞台にした国際映画祭を企画した。夕張の映画祭は例年、二月に実施されていたが、幌岡市は夏の恒例イベントとした。しかし季節を違えようと、しょせん二番煎《せん》じの企画だった。出品される映画のジャンルは、夕張のファンタジー系に対して、アクション系中心としたが、そのためにいっそうB級の映画祭という印象が定着した。現在では、映画祭の名称から、「国際」の語は消えている。

リゾートの利用客数は、オープン四年目、バブル景気の最後の年の九二年がピークだった。翌年から利用客数は減少を始め、一九九五年、阪神大震災の起こった年には、ピーク時の五分の一にまで落ち込んだ。その後はついにこの年の利用客数を超えたことはない。

リゾート開発が続いても人口の減少は止まらなかったから、市役所の職員の数は毎年だぶついていった。そのだぶついた分の市職員が、第三セクターの社員として出向することになった。現在、幌岡興産の従業員数は二百十人である。

リゾート全体の年間の売り上げはこの数年九十億円前後で、経営は黒字であると公表されていた。ただし売り上げの正確な内訳は、市も第三セクターも出してはいない。利用客数が減っているのに黒字である理由として、第三セクターの社長は、雑収入の増加を口にしたことがあった。映画撮影のための施設の貸し出しとか、古い遊具の売却とか、シンボルマークとマスコットのロイヤリティ収入という説明である。しかし、その程度のものが億単位の収入にはならないことは明白だった。

またこの五年間で、第三セクターへの観光施設管理委託料が一億四千万円から五億円に上がった。これは実質的な赤字補塡《ほてん》と想像できるのだが、大田原は頑としてこれを否定している。あくまでも諸事情を勘案して適正な委託料に修正してきただけだと言うのだ。

これまでは、と直樹はパンフレットを見つめたまま考えた。誰が議会で質問しても、第三セクターの経営実態については、木で鼻をくくったような回答しかなされなかった。幌岡市の財務状況の詳細についても、すでに決算報告書にある通りというのが、決まりきった回答である。

しかしこんどの議会では、第三セクター幌岡興産に対する二千万円の緊急貸し付けが議題として上がる。大田原支持の議員が大半を占める議会では、緊急貸し付けが可決されてしまうしかないとしても、質問しないわけにはいかない。

もちろん彼らはまともな回答などしてこないだろう。いくらでも逃げられるし、逃げの回答を議会は容認する。むしろ自分が目標にすべきは、大田原が回答を拒んだことを、市民に十分に知らしめることではないか。質問者である自分が、大田原に対するもっとも激越な反対勢力であることを、印象づけることではないか？

直樹は椅子《いす》から立ち上がり、事務所の窓に寄った。

この二階建ての古いオフィス・ビルの事務所の窓からは、本町の市街地を見渡すことができる。目の前にある街路は、幌岡市の目抜き通りだった。かつてはありとあらゆる種類の商店が並び、映画館や芝居小屋がいくつも建つ通りだった。六月の祭りの時期には、通りはひとで埋めつくされ、歩くこともままならないほどだった。直樹自身にもその記憶は鮮明だ。一九八五年、北炭幌岡炭鉱が閉山となるまでは。

その閉山から四年のあいだに、人口は九万人から五万人にまで減った。炭鉱とその関連施設で働いていた一万二千の労働者とその家族が、町を去ったせいだ。その四年のあいだに、商店主たちの多くも店を畳み、市外へと去った。それは子供たちにも暗く寂しい時代だった。学校では毎月のように、転校する同級生のためのお別れ会が開かれた。

あのとき、町のさまざまな方面から、市の未来像についての提言があった。

そのひとつが、炭鉱がなくなったことを冷静に見つめ、身の丈に合った小さな、しかし住み心地のよい町を作ろうという案だった。具体的には市街地を中町に集約し、医療と福祉の町として次の時代を生きていこうというものだ。こんにちで言う、コンパクト・シティ化の構想にも似ていた。

しかし商工業者たちはこの案に猛反発した。町を縮小する、という前提を、彼らは容認できなかったのだ。

ある医療法人が、炭鉱跡地に医療と福祉の総合施設を建設できないかと、視察に訪れた。彼らの計画は、北米で言うメディカル・パーク構想に近いものだった。ひとつの総合病院を核に、研究施設やリハビリ施設、ケアハウス、養護老人ホーム、宿泊施設や研修施設などを集めた、雇用人口一千人規模の医療コンプレックスを作ろうというものだった。主に福祉関係者や年金生活に入った市民たちがこの案を支持した。しかし市当局はこの計画に冷淡に対応、その医療法人も進出をあきらめた。

そのころちょうど隣の夕張市は、名物市長・中田鉄治が「炭鉱から観光へ」というスローガンのもと、積極的な観光開発を進めていた。八〇年代と言えばバブルへと向かう好景気の時期で、夕張市の路線は輝かしいものに見えたのだろう。日本全体の浮かれたようなリゾート開発ブームも、観光こそ幌岡市の生き残りの唯一《ゆいいつ》の策と見せてくれた。商工業者たちは圧倒的に、観光開発路線支持だった。

当時の市役所の企画課長だった大田原が、幌岡も夕張以上に魅力的な観光開発をと、具体的な計画をぶち上げた。ゴルフ場とホテル、温泉に遊園地、という、総合的リゾート開発計画である。もし幌岡市にもスキー場に適した山があったならば、計画はいっそう壮大なものになっていたろう。残念ながら幌岡市には、十分な標高と大きさの山がなかったため、いわゆるリゾート三点セットのうちのスキー場だけは、夕張市に対抗できるだけのものは建設できなかったのだ。

大田原の構想では、第三セクターが牽引車《けんいんしゃ》となってリゾート開発を進めれば、やがて大手の観光資本も続々と幌岡に進出、町の人口は七万人にまで回復するはずだった。

その当時の幌岡市長・梶本圭司《かじもとけいじ》は、市役所の総務部長出身で、一期目だった。まだ炭鉱があった当時の北海道炭鉱の鉱業所長と親しく、その所長の指名によって市長に当選したような人物だった。そもそも炭鉱があった当時は、幌岡には市長がふたりいると言われ、そのひとりは歴代の北海道炭鉱幌岡鉱業所長だった。所長が同意しない限り、市役所の行政はいっさい進まないという話があった。市長選立候補のとき、その選挙公約は北海道炭鉱幌岡鉱業所の秘書室長が書いたと言われた。その噂《うわさ》は、後に市長自身がその通りだと認めた。

梶本は、よく言えば慎重なタイプであり、リゾート開発には消極的だった。かといって、コンパクト・シティやメディカル・パーク構想の意味が理解できていたような人物でもない。要するに、市の未来についてどんなビジョンも持っていなかったし、責任を取らねばならぬようなことはいっさいしたくないという人物だった。

　炭鉱が閉山になって最初の統一地方選挙が近づいてきた。幌岡では、梶本が立候補、再選を目指すのだろうと予想されていた。しかし、告示をおよそ一カ月後に控えた三月のある日の夕刻、市役所の前に三百人ほどの市民が集まった。遠い地区から貸切バスでやってきたひとびともいた。集まった市民は手に手に、プラカードや横断幕を持っていた。

「大田原企画課長を市長に」

「市長には大田原さんしかいない」

「決断を、大田原さん」

「大田原さん、応援するぞ」

　直樹自身も、この現場を目撃している。直樹はそのとき大学二年、春休みで帰省していた。

　異様な光景だった。市民たちが、市役所の一課長に対して、市長選への立候補を求めたのだ。一見、市民のあいだからの自然発生的な行動のように見えた。じっさいは、大田原とその取り巻きが周到に進めた計画の第一段階だった。大田原自身は市長選への立候補については否定し続けていたが、観光開発、リゾート開発構想だけはあらゆる場所で訴えていた。告示近くになって、市民のあいだからも、あのひと自身が市長になったらどうだろうと言い出す者が出てきた。

そう思いついたご本人たちも、自分たちがうまく操作されているという意識はなかったろう。中にサクラがいたことも気づいていなかったにちがいない。やがてその期待は市内各地域や職域での「勝手連」結成へと進み、ついにその日の市役所請願行動となったのだ。

やがて退庁時刻となったところで、大田原が市庁舎前に出てきた。歓声が上がった。応援団長を自称する本町自治会の会長が市長選立候補を促す要請文を読み上げ、これを大田原に手渡した。大田原は、マスメディアのカメラがすべて自分に向いていることを確認してから、おおげさに涙を流し、「市民の期待に背を向けるわけにはゆかない」と、感極まったような声で語った。十数名の女性たちがわっと大田原に群がり、肩を叩《たた》き握手を求めながら、さらに強く立候補を促した。

すぐに若い男たちが騎馬戦のように身体《からだ》を密集させて、大田原の身体を持ち上げた。集まった市民たちは、担《かつ》ぎ上げられた大田原を先頭に、市役所周辺や本町商店街を行進した。

翌日、大田原は市長選立候補を宣言、市長選では現職市長の梶本を破って初当選したのだった。現職を三倍の票差で破っての圧勝だった。八七年の四月だ。彼はただちにリゾート開発による幌岡市再生計画に着手した。リゾート開発は北海道の旧炭鉱町にとって、確実に町を救う方策だと、市民の多くが信じた。

直樹は、ひと通りの少ない本町大通りを眺め渡しながら思った。

あの日、騎馬戦の乗り手のように男たちに担がれた大田原は、この通りをすでに凱《がい》旋《せん》将軍のような表情とポーズとで通っていったのだった。大田原はこの町の希望であり、期待だった。たぶん彼自身も自分をそう意識していたことだろう。自分は凡庸なあの前市長に代わって、町を救うのだと。救うだけの構想力と実行力が自分には備わっているのだと。

でも、大田原市長に熱狂したあの市民が、いい夢を見たのはいったい何年間だったろう？　八七年から九二年まで五年間だけか。投資も回収できないうちに、リゾート開発による地域振興は行き詰まった。施設利用者の数は頭打ちとなり、あとに続くはずの大手資本も現れなかった。

町の人口は、けっきょくのところ、炭鉱が閉山になったあと、ただのひとりも増えなかった。ただただ減少し続けた。

九五年一月、阪神大震災が起こった。ちょうど統一地方選挙のあった年だ。市民の中にようやく、リゾート開発による町の再生路線に疑問を持つひとびとが出てきた。昨日の江藤昇の話では、このとき大田原三選阻止の動きが出たという。このとき、大田原に代わる市長を選び、リゾート開発路線の軌道修正をおこなっておけば、町のその後はまた変わったかもしれない。しかし大田原はその後もさらに十二年、市長を続けて、リゾート開発路線を推進し続けてきたのだった。

正直なところ、その結果としての町の財政の実情については、直樹自身が知りたくはなかった。直視せずにすむものなら、目をそむけたかった。たぶんそれほどの惨状となっているだろう。昨日、自分の応援団としてあの七人が集まってくれたということが、逆に事態の深刻さを語っているのだ。市民の想像のレベルがどれほどのものかを、示しているのだ。

いまや、と直樹は思う。破綻《はたん》しているかどうかは問題ではない。破綻の程度はどれほどのものか、それが問われている事態のはずである。債務は十億なのか。それとも三十億か。百億か。まさか夕張のように六百数十億ということはありえないにせよ。

デスクで電話が鳴った。

直樹はわれに返って、デスクに近寄り、電話を取り上げた。

「多津美です」と、すでに耳に慣れたバリトンが聞こえてきた。昨日よりは多少ていねいさの感じられる口調だった。

直樹は言った。

「昨日はご苦労さまでした。あれから、わたしの応援団と、結団式をやりましたよ」

「そうですか」そのことにはまるで関心がない、という調子だ。「来週の議会質問の件で、提案がある」

「と言いますと？」

「大田原は、財政状況については、絶対に正直には答えてこない。ちがいますか」

「そのとおりです。道庁の調査ですっかり明らかになるまでは、回答自体を逃げるでしょう」

「その質問で、あんたの力不足を印象づけたくない。行政のプロの答弁にすごすごと引っ込んだと思わせたくないんだ」

「誰にです？」

「ほかの議員に。傍聴者に。市民に。市役所の職員たちに。マスメディアに」

「どうしたらいいんです？」

「木で鼻をくくったような回答を想定したうえで、攻めることを考えるべきだと思う」

「たとえば?」

多津美は言った。

「財政破綻の責任を認めさせる。やつにそうとは気づかせずに、そのことの言質《げんち》を取る」

「できますか」

「やってもらう」と、多津美は言った。

森下直樹は、戸惑いというよりは軽い怒りを感じながら言った。

「そんなに一方的に言わなくても」

電話の向こうで、多津美裕が意外そうに訊《き》き返した。

「何か問題か?」

「多津美さんのその調子、ぼくがまるで操り人形みたいに感じるんです」

「あんたは、操り人形なのか?」

「まさか」

「じゃあ、問題ないじゃないか。わたしはチームのひとりとして、あんたに提言した。受け入れるかどうかは、あんたの判断だよ」

「やってもらう、というのは、提言ですか? 命令に聞こえました」

苦笑したとも聞こえるような呼吸の音がした。

「誰に対しても遠慮がないのは、わたしの性格だ。やってもらえるとうれしいのだが、と言い直そうか」

「同じことです」

直樹は、自分は完全に貫禄《かんろく》負けしている、と意識した。多津美のあの物腰や口調、経験からきているにちがいないあの自信、総じて人間の器量と呼べるものに、自分は負けている。ただしいまそれを認めてもさほど敗北感がないのは、彼の器量や貫禄が、不正や犯罪を正当化する種類のものではないからだろう。

直樹は言った。

「ご指示を。どうやればその言質が取れるんです？」

「それは、きみが考えることだ。きみは大田原のキャラクターも、これまでの答弁のやりくちも詳しく知っている。向こうは質問取りの際に想定答弁書を用意する。きみはその裏をかけばいいんだ」

「電話で指示されるほど簡単なことじゃありませんよ」

「重大なことだ。あとあと意味を持ってくる。その言質が、最高の攻撃材料になる」

「とにかく、やるだけはやりますが」

電話を切り上げようとすると、多津美がさらに言った。

「紹介しておきたい人物がいる。きょう、札幌に行けるか？」

「きょうですか？」

行けないことはなかった。きょうは午後の予定は入っていなかった。昼から動くことはできる。札幌まで、道央自動車道を使えば一時間十五分である。

直樹は訊いた。

「どんな人物なんです」

「地方財政の専門家だ。夕張市の財政破綻を早くから予測していた。資料を持ってゆけば、質問についてアドバイスをもらえるだろう」

「なんていうひとです？」

「北海道大学の、重森薫《しげもりかおる》助教授」

「力になってもらえそうですか？」

「もう連絡ずみだ。きょうの午後なら、空いているという。歓迎するそうだ」

「早手回しですね」

「ぐずぐずが嫌いなたちなのさ。行けるんなら、先方の連絡先をきみのところにメールしておく」

直樹は壁の時計を見ながら言った。

「午後二時でどうでしょうね」

「わたしから連絡しておこう。財政関連の資料をまとめて持っていってくれ」

「ええ」

直樹は電話を切った。

妻には、お昼には帰らないと連絡しておこう。昼食は自宅に帰ってとることが多いのだが、弁当を持ってくることもある。週に一回ぐらいは外食することもあるのだ。きょうは、札幌に向かう途中のファミリー・レストランに入るのがよいだろう。岩見沢に行っている沢島恵子に電話を入れ、資料をまとめた。その作業のさなかに、また携帯電話が鳴った。

ゴミ処理施設の江藤昇からだった。

「いま、そばに誰かいるか？」

声をひそめている。周囲を気にしながら電話してきたようだ。

「大丈夫です」

「わたしのところに、妙な探りが入った。あんたのところに、何かないか？」

「というと、市長側からということですか？」

「ああ。市職員からだ」

「どんな探りだったんです？」

「何をやるつもりなのかと、雑談を装《よそお》って訊かれた。昨日、やっぱりあの集まりの意味が、勘づかれていたんだ」

昨日、江藤は同じ店に犬飼道三がいたと言っていた。第三セクター幌岡興産の常務だ。大田原市長の子飼いである。彼が、あの集まりを市長周辺にご注進に及ぶことは、昨日のうちから十分に考えられた。

「犬飼さんのラインですね」

「たぶん。隠し事をしているわけじゃないが、切り崩しや早めの対策には気をつけなきゃあと思う。きょうから、もうばれたものとして動いたほうがいい」

「六選阻止を目指すと、公言してもいいってことですか？」

「いや、そうじゃない。あんたは、大田原との対決姿勢を鮮明にするってことだ」

「これまでも、その点は隠していません」

「どうかな。いままでは、対決姿勢というよりは、単に批判側という雰囲気だけだったぞ」

そうかもしれない。議員一期生という遠慮もあったし、なにより相手は圧倒的な支持を受けて五選されてきた市長だ。直樹が何をやろうと、対決にはならなかった。同じ土俵には上げてもらえなかったのだ。直樹がどれほど厳しい中身を用意して質問に立っても、市長にはまったく格下扱いだった。まるで直樹が幼稚園児でもあるかのように、適当にあしらわれてきたというのが実際のところだ。対決にはなりようがなかったのだ。

「とにかく」と江藤は言った。「ばれたことを前提にしよう。やつらは敵が目の前に現れると勢いづく。そういう昔ながらの政治が大好きな連中だ。やつらを熱くさせることはない。ぎりぎりまでは、うんと弛緩《しかん》させておかなきゃならない」

「ばれたなら、もう遅いのかもしれません」

「向こうはあんたの立候補の計画までは知らない。そんなことがあるとは想像もできないだろう。だけど、あんたの市議二期目の立候補は妨害してくるかもしれない。気をつけてくれ」

「具体的な妨害が、じっさいに考えられますか？」

「飲酒運転で捕まるだけでも、大ダメージだ」

「わかってます」

電話を切ってから、いまの話の内容を反芻《はんすう》してみた。小さな町なのだ。どこの飲み屋でどんなメンバーが一緒に飲んでいた、というような話は、すぐに伝わる。誰にはどんなネットワークがあるのかも、たいがいは公的な情報として広まる。詮索《せんさく》し合うというほどではなくても、耳には入るのだ。直樹の仕事に関して言えば、誰かの家に消費者金融の取り立てがきた、という噂《うわさ》が聞こえてくるころには、その本人から、多重債務についての相談がくる。

昨日は、第三セクター常務の犬飼が、反市長派の江藤の交じった集まりを目撃したのだ。しかも統一地方選挙まであと四カ月。犬飼を含めた市長周辺が敏感になるのも無理はなかった。

「何をやるつもりなのか？」

連中が、江藤の読み通り、議会内対決か市議選だと思い込んでくれているなら、さほどダメージはないのだが。

直樹は、犬飼や大田原市長らの顔をいったん頭から振り払ってから事務所を出た。事務所のあるビルは、いまは一階と二階合わせて三軒のテナントが入っている。二階にあるのが、森下司法書士事務所と、幌岡設備業協会。一階は印刷会社だった。

直樹は階段を降りると、ビルの裏口から駐車場に出た。

その研究室まで案内され、正面のデスクに重森薫助教授の姿を見て、森下直樹は驚いた。女性だったのだ。なんとなく名前の音感から、男性だと思い込んでいた。多津美から聞かされた助教授という肩書のせいかもしれない。

相手は、立ち上がって、微笑を向けてきた。

「多津美さんから、電話をいただいています。重森です」

直樹は、その研究室のドアを閉じてよいのかどうか迷ったが、けっきょく閉じずに部屋の中へと進んだ。間口一間半の、奥に細長い部屋だった。デスクの後ろの窓からは、北大構内のべつのビルが見える。部屋の両側は書棚で、研究書のほかに書類ホルダーもぎっしりと詰まっていた。新聞や雑誌の記事の切り抜きとか、レポートなども多いのだろう。

直樹は少し狼狽《ろうばい》しながら、スーツの内ポケットから名刺入れを出して、名刺を一枚抜き出した。

重森薫助教授も、デスクの引き出しから名刺ケースを取り出した。

デスクをはさんだままで、名刺を交換した。

重森薫は公共経済学が専門だとわかった。

顔を上げて、直樹は素早く相手を観察した。

歳《とし》は三十代後半だろうか。推測があたっているとして、その年齢の女性で国立大学の経済学の助教授というのはさほど珍しくもないのかどうか、直樹にはわからなかった。そうとうに優秀な学者なのかもしれない。

細身のメガネをかけており、髪は短めだ。色白で、小さくて鋭角的な顔だちをしていた。たぶん子供のころから秀才と見られてきたにちがいない顔の造りだ。

白いシャツに、ブラウンのカーディガンを羽織っている。スカートではなくパンツ姿だった。身長は百六十センチぐらいだろうか。

重森が言った。

「夕張市には注目してきました。幌岡市も、現状は厳しそうですね」

直樹はうなずいた。

「すでに財政破綻《はたん》しているんだろうという見方があります」

「おかけください」と、重森はデスクの前の椅子《いす》を示した。

直樹はその椅子を手前に引いて腰をおろした。

重森もデスクの向こう側で椅子に腰掛け、デスクの上で両手を組み合わせて言った。

「来週、市議会で質問されるとか」

多津美がそこまで話しているのだろう。

「そうなんです」直樹はうなずいた。「市財政の実情をただしたいんですが、どこまで突っ込めるか、弱っていたところでした」

「夕張でも、市側は徹底して隠してきました。市議会も、監視機能を生かせなかった。というか、監視しようという意志もありませんでしたね。破綻に薄々気づいていながら、誰もそれを問題にしなかった」

「幌岡市も似たようなものです」

「問題にしてはならないという空気があるんでしょうか？　オール与党の議会なら、それもしかたがないでしょうが」

「市財政のからくりについて、わかるひとがいない、という理由がひとつ挙げられます」

「たしかに、どこの市町村も、数字を読もうともしない議員さんが大半ですけどもね」

「もうひとつは、知るのが怖い、という理由からかもしれません。与党の議員たちは、たぶん質問してほんとのことが明らかになるのを拒んでいるんです。知らないままに、先送りができればいいと思っているのではないかと思います」

「先送りすればするほど、債務はふくらんで、再建は難しくなるのに」

「夕張の市議会は、破綻発覚後も、道《どう》と国が債務を肩代わりしてくれると信じていたようでしたね。その後のニュースを見ても、実情を明らかにするのも、穴埋めするのも、道か国だと決め込んでいた」

「そうですね」重森は小さく首を振った。何か不快なことを思い出したというような表情だった。「夕張には、財政破綻発覚直後に、道庁の担当者さんたちと一緒に出向いたことがあります。ある幹部の言い分がまさにそうでした。道庁の担当者が、どうしてこんなになるまで放っておいたのかと質問したら、にこにこ笑いながら言ったものです。道庁の指導でやってきたことですし、どっちみちいつか国が救済の手続きに入るんでしょう。ならばわたしたちが勝手に数字を公表したら、それは越権でしょうって」

「うちのところも、まったく同じことを言いそうです」

「資料をお持ちいただけました？　公表されたものからどれだけのことがわかるか、わたしも自信はありませんけれど」

直樹はブリーフケースから書類ホルダーを取り出して、重森の前に滑らせた。市議になって以来の三カ年度分の決算報告書だった。ほかに、そのつど市が公表してきた簡単な市財政のレポートがある。さらに、第三セクターの経営状態を推測できる資料を少し。市に対して第三セクターが出した事業報告の一部などだ。

重森は書類を引き出すと、視線を落とした。

直樹は、資料を読む重森の姿を、露骨にならない程度に見つめた。

彼女は、やはり学究肌と言っていい雰囲気を持っていた。思索することや分析することがよく似合っていそうだ。声のトーンは少し高めだが、落ち着いている。妻の美由紀とは正反対の雰囲気の顔立ちと言えた。

直樹は、ホルダーを持つ重森の左手に目をやった。指輪はしていない。この年齢の女性であれば、結婚している場合は指輪をするのがふつうだが、これは単に重森の美意識や価値観のせいかもしれない。独身であるとまでは判断できなかった。

直樹はデスクの上の小物に目をやった。写真立てのようなものは置かれていない。デスクの左側にノートパソコンが一台、右側には書類と文献らしきものの山、それにスチール製のペン立てがふたつ、固定電話。

直樹はさらに彼女の研究室の壁にも視線を移動させた。室内全体は、あまり女性っぽい印象がない。よく見れば窓際《まどぎわ》のハンガーに女性もののジャケットとコートがかかっており、ワゴンの上に女性もののショルダーバッグが置いてある。しかし一見しただけでは、この部屋を使っているのが女性であるとはわかりにくかった。中性的な部屋であると言えるかもしれない。つまり重森は、あまり自分の女性性を主張しないタイプなのだろう。

重森がふと顔を上げた。視線がまともに合ってしまった。見つめていたと気づかれたのは確実だ。

直樹は軽く咳払《せきばら》いして訊《き》いた。

「やはり、深刻でしょうね」

重森が言った。

「なかなかわかりにくい資料だと思います。わざとわかりにくく報告してある」

「ということは?」

「なにか隠されているのは確実だと思います」

重森は、デスクの上で資料を直樹のほうに押してきた。

「ほら、ここですけど」

直樹の位置からは読めなかった。直樹は立ち上がってデスクの上に手をつき、その資料に目を落とした。

重森も椅子から立ち、いちばん上に綴《と》じてある資料の表を指さした。

「この報告では、一般会計と特別会計のあいだで、負担すべき経費の分担がはっきりしていないように読めます。全体として不足している部分を一般会計から特別会計に貸し付け、収支を合わせているだけのようにも見えますし」

読みにくかったので、直樹はデスクの上にさらに身を傾ける格好となった。

重森が書類を示しながら言った。

「ここに、観光事業会計貸付返還金とあります。でも詳細はわからない」

直樹は言った。

「そこはぼくらも……」

重森が書類から視線を上げて、直樹を見つめてきた。思いのほか、その顔は直樹の間近にあった。直樹は少しだけ身を引いた。

「そこはぼくらもふしぎに思っている部分なんです。黒字のはずの三セクにどうして貸し付けが必要になるのか。市はこれまで説明したことはありません」

「とりあえず表面上はこの決算報告は整っている。でも、絶対に実態は反映していない」

重森は、その書類ホルダーを持ち上げると、デスクの向こう側から手前側にまわってきた。重森の視線の先には、事務用のホワイトボードがあった。

重森はホワイトボードの前に立つと、フェルトペンを手にとって、手早く書き始めた。

「おそらく幌岡市も、夕張と同じ手口を使っている。それで債務が見えてこないんだと思います」

「ぼくも、勉強会で夕張の手口について調べたことがあるんですが、いまひとつわからなかった」

重森は、ホワイトボード上の文字とチャートを示しながら、夕張市の例について解説してくれた。

それによれば、夕張市の主なカネの流れは、特別会計と一般会計と第三セクターとのあいだの、貸し付けと返済の繰り返しだったと整理できるという。債務が発生するのは、一般会計と金融機関とのあいだだけのことである、というのが夕張市の説明だった。

債務が見えてこないのは、たぶん一時借入金の処理のせいだろう、と重森は言った。一時借入金は、市財政が年度内に一時的に資金不足になる際に使われるが、その年度内の処理が原則である。複数年度にまたがって返済することはできない。逆に言えば、年度内返済が前提であるから、決算表には記入されない。その年度に返済されているのだから、債務としては報告されることはないのだ。

そこまで重森が書いたチャートは単純なものだった。直樹にも容易に頭に入った。

重森が次に書いたチャートはかなり複雑なものになった。

「夕張市がやったことと同じことを、幌岡市はやっていると思う。会計年度というのはふつう四月一日から翌年三月末日までを言うけれど、じつは出納整理期間というのが設けられている。四月から五月の二カ月間ね。実際には入ってこなかった交付金や税金を、この整理期間中に処理すればよいという制度。つまりこの二カ月間は、ふたつの年度が重なっている。たとえば前年度の特別会計の赤字分を、出納整理期間に一般会計から貸し付けて穴埋めし、前年度の一般会計へは同じ出納整理期間に新年度の特別会計から同額償還するお金の流れで、表面上収支を合わせたのでしょう。こうすれば、前の年度の赤字分は、見えてこないわ」

「ちょっと待ってください」と直樹は言った。思わず右手を上げてしまってから、自分はまるで講義を受けている学生だなと照れ臭くなった。「見えてこなくても、借金には変わりはありませんね。それは、決算報告のどこに出てくるんです?」

重森は、いい質問です、とでも言うように微笑して、またチャートを指さした。

「今年度、一般会計のほうで生じた債務は、つぎの年度の出納整理期間にまた借りて補えばいい。出納整理期間中の一時借入金なのだから、とりあえずまたその年度も赤字は見えてこない」

「だけど、返さなければ、借金は増え続ける」

「そう。夕張市はこの手口を使った。それでどんどん雪だるま式に債務はふくらんだんです。個人で言うなら、完全に多重債務状態。たぶん幌岡市もそうなんじゃないかと思う。決算報告がきれいに整いすぎているから、逆にそれが推測できます」

「金額の想像はつきますか」

「いえ」と重森は首を振った。「この資料だけでは、財政規模から推測するしかありませんね」

「夕張並み？」

「あれほどとは思いませんが」重森は、べつの資料をめくって、表の数字を直樹に示した。「ここに、三セクの諸収入の数字が出ていますね」

そこは仲間うちでも疑念の対象となっている部分だ。もし幌岡市が第三セクターの破綻をごまかしてきたとするなら、それはこの諸収入の扱いの部分のはずだ、とは見当がつくのだ。しかし詳細もわからない。

「そこはぼくらもおかしいと疑っている部分なんです。諸収入はこの数年増え続けている。でも、観光施設の客の入りを見ているかぎり、市に諸収入が入ってくるほど売り上げは上がっていないんです」

「昨年度の売り上げに対して、諸収入は二パーセントぐらい。それなりの利益を出しているって見えますね」

「ガラガラのゴルフ場。お盆以外はひっそりとしたホテル。遊園地なんて、いつだってお客より従業員のほうが目立つんです」

「たぶん、三セクの赤字は繕いようのないところまできているのだと思う。貸し付けてもどうにもならないぐらいに赤字が拡《ひろ》がっている。それを隠すために、諸収入で埋め合わされていることにしているのだと思います。この諸収入は、一般会計のほうから何かの名目で出ているおカネなのかもしれません」

「それは、市が出しているこの報告書から判断できるんですね？」

「推測しうる、という言い方に留めておきましょう」

重森はさらに資料の一枚を取り上げ、視線を落とした。

「ほかに奇妙な点はありますか？」

「奇妙かどうかは市議会の判断になるかと思いますが、観光施設管理委託料が、五億円以上ですね。これは委託料としてはちょっと多すぎるという印象を受けます。これも実質的な赤字補塡《ほてん》ではないでしょうか」

「そのうえ市は、次の議会で緊急に二千万円を貸し付けると提案してくるようです」

「三セクに緊急に二千万？」

「ええ」

「三セクも、それぞれ金融機関とつきあいがあるでしょうに」重森の表情にかすかに不安そうな影が走った。「きっと、深刻ですね」

「じつは、わたしは来週の議会でその点を質問しようと考えているんです。三セクの事業内容、財務状況を明らかにしろと」

「答えてくれそうなんですか？」

「すんなり答えるような市長たちじゃありませんね」

「議会には、それを報告させる権利があります」

「権利なんて言葉を受け入れるひとたちじゃないんです」

重森がホワイトボードの前を離れて、デスクの後ろに戻った。

直樹は、もっと質問しておくべきことはないか、考えようとした。せっかく札幌まで出てきて、公共経済の専門家に会っているのだ。議会まであと五日しかないのだし、いまのうちに聞けるだけのことを、納得できるまで聞いておくべきなのだが。

質問を考えているうちに、重森が言った。

「夕張には、この四年のあいだに三度行って、財政状況を調べてきました。再建団体になって、市民にはお気の毒ですが、どうしてここまでひどいことにしてしまったのだろうというのが、正直な気持ちです。四半世紀もの時間があれば、途中の軌道修正も自主再建もできたでしょうに」

「隣町の市民としても、同じ想《おも》いですよ」

「一度、夕張の市議会のひとたちに、接待を受けたことがあります。あまり偉そうに言いたくはないんですが」

直樹は言った。

「どうぞ、言ってください」

「こんなひとたちが議員だったのだから、夕張の惨状は仕方がなかったのかな、とさえ思うときがあります」

そのあとまだ言葉が続くかと思ったが、重森はそこで口をつぐみ、視線をそらした。要するに、と直樹は重森が言いかけた言葉を想像で補った。連中は知性に欠け、品もなかったということなのだろう。たぶんその接待の席で、重森助教授はセクハラまがいの扱いも受けたのではないか。

市議になった当初、空知《そらち》地方議員懇親会で、直樹もそれに近いことを感じたのだ。いや、夕張の市議会議員に対してだけではなく、そのゴルフと温泉付き懇親会に出席していた三十人あまりの議員のほとんどに対して感じた。彼らの話題は、市議、町議ならとうぜん持っているだろうという見識で語られるレベルのものではなかった。地域振興や医療、教育について話そうとしても、その中身は床屋政談以下だった。いや、それどころかそのような話題そのものを「硬い」と敬遠する議員たちさえ多かった。

彼らが喜んで口にするのは、政局がらみの話題か有力政治家たちのゴシップや人脈のあれやこれやだった。経済や国際問題については、何年前の情報かといぶかってしまうような話を、繰り返すだけだ。彼らの頭の中ではいまだに日本が世界第二の経済大国であり、アメリカは疲弊し、中国は発展途上であり、ロシアは貧しいままだった。

唖然《あぜん》とするような体験もした。幌岡市の議員たちと韓国の旧産炭地再開発を視察しに出たとき、最終日のソウルのホテルで堂々と娼婦《しょうふ》を呼ぶ先輩議員の姿を見たのだ。彼らは公費で女遊びの旅行に出たことをまったく恥じてはいなかった。どうやら幌岡市の視察旅行ではそれが当然の慣習だと知ったときに、そんな視察旅行に参加してしまったことを激しく後悔した。

夕張市も幌岡市も、けっきょくのところそんな連中が市議会の議席を占めてきたのだ。市政に対する監視機能など持ちようがなかった。それを重森が匂《にお》わせたのだとしたなら、屈辱的ではあるけれども同意しなければならないだろう。

直樹は、話題を変えた。

「いまお伺いしたような会計処理は、かなり悪質と言えますよね？　常識的なものではありませんよね？」

重森は答えた。

「一時借入自体は違法ではありません。年度内に処理されていれば」

「手続きは違法ではなくても、表に出てこない借金は増え続けている」

「これを繰り返してきたということは、背任でしょう。債務を議会に報告せずに、ただただ赤字を増やしてきたのだから」

「犯罪と言ってもいいかな」

「背任で告発するひとがいたら、罪に問える可能性は大きいと思いますよ。公文書偽造でも、十分に立件できます」

「そんな処理がなされていることを、北海道庁や国は気づいていないんでしょうか？」

重森は、眉間《みけん》にわずかに皺《しわ》を寄せた。

「夕張に関しては、道庁は気づいていました。というより、黙認していた。でも、強く是正を求めることはなかった。なにか思惑があったのかもしれない。夕張市が強気だったのは、そのせいかも」

「具体的には？」

「わたしの立場では、想像は口にできない」

その答から、直樹は理解した。もしかすると道庁自体も同じ手口で会計処理を行っていたのか？　可能性はある。あんがい夕張市に対してその手口を伝授したのは、道庁の出納関係者か財政部門関係者かもしれない。いつか国による一括救済があるので、その方法でしのげと。あるいは逆か。夕張市の編み出したこの手口を、道庁が真似《まね》たということはありえないだろうか。いずれにせよ財政破綻《はたん》が発覚した当時、夕張市長の後藤健二も市幹部も市議会関係者も、妙に強気だった。救済は道や国の責務だという言い方さえしていた。もしやあの強気の根拠は……。

直樹が黙ったままでいると、重森は言った。

「いまの話は、読ませていただいた決算報告や事業報告から、わたしが想像するにってことです。夕張の例からの類推。幌岡市がそうだと決めつけたわけではありません」

「ほかの可能性はありますか？」

「完全に正しく決算報告がなされている、ということも、ありうるでしょう。夕張市とはちがう種類のひとたちが、市政を引っ張っているなら」

直樹はうつむいて苦笑した。

いま思い出していたばかりだ。幌岡市の市長も市幹部も市議会の先輩たちも、夕張市の連中との差異は見当たらない。いや、この期《ご》に及んでもまだ逃げきれる、財政再建団体への転落は免れると信じているのだ。夕張市の連中に輪をかけた愚か者たちかもしれない。

「どうされました？」と重森が訊《き》いた。

苦笑とは見えなかったのかもしれない。心底ふしぎに思っているという声であり、表情だった。

直樹は微笑しなおして言った。

「うちの町は、夕張市と双子《ふたご》の兄弟です。先生のいまの質問でわかりました。この決算報告が正しいなんてことは、一〇〇パーセントありませんね」

重森薫助教授は、できれば同意したくないという表情で首を振った。

森下直樹は、立ち上がってホワイトボードの前に近づいた。

重森薫助教授が、一歩脇《わき》によけた。

直樹はいま重森からレクチャーを受けた点について、チャートを示しながら繰り返した。

「つまりこの二カ年度にまたがった出納整理期間を使って、うちの町が借金隠しを続けてきたという可能性は高いんですね」

自分が重森の分析を十分に理解したかどうか、それを確認しておかなければならなかった。

重森は、直樹のひとつひとつの確認にうなずいた。

「そのとおりです。そう推測できます」

重森から受けた解説を、自分の言葉でひととおり繰り返してから、直樹はまた椅子《いす》に戻った。

債務を長年にわたって隠し続ける方法があったのだ。いわば夕張方式とでも呼ぶべき、借金のジャンプ処理。隣の町がその方法で財政破綻を隠すことができたのだから、夕張とは双子の市でも、同じ方法は採られてきたにちがいない。市の幹部同士のあいだには、たぶん交流もあったはず。悪党どもは、自分が見込んだ者には喜んで犯罪の手口を伝授するというではないか。

重森は、デスクに戻って指を組み、直樹を見つめてきた。まだほかにご質問は、と訊いているような表情だ。

直樹は、立ったまま重森に言った。

「最後にひとつだけ。来週、わたしは議会で質問することになっています。市の財政の実情をなんとか聞き出したいのですが、うまい訊き方はないでしょうか。助言をいただければぜひ」

重森は微笑した。

「そこは専門外ですが、これまでも市当局は隠し通してきたんでしたね」

「まともに質問に取り合おうとしません」

「でも、来年早々には道からの実態調査が入る。そのときは、市も逃げ通すことはできないでしょう」

「それまでに、なんとかこの事態について、疑義を出しておきたいんです。いまの市長のやっていることを、おかしいと思っている市民もいるのだと」

「ということは、質問の目的は、実態を明らかにする、ということではないのですね？」

「そこまでは望みません。でも、議会全体が現状を容認しているわけではない、ということだけは、調査の入る前にアピールしておきたい。実態が明らかになったとき、市民との連帯責任だなどとは言わせないために」

重森は首をかしげ、少し思案する様子を見せてから言った。

「ずばりストレートに、出納整理期間の問題を突くのは？」

「そこに関心があると知らせてしまうと、証拠隠滅をやられるかもしれないんです」

「証拠隠滅は不可能です。この方法で決算をごまかすことは、すでに脱法行為ですし、犯罪です」

「誰がその手口を思いつき、指示したか。市長がどれだけ関与して、承知していたか。市長の直接の指示か、それとも幹部の提案の承諾なのか。その違いも大きいのですが」

「わたしは、議会や法廷の駆け引きはよく知りませんが、先に十分に嘘《うそ》をつかせてしまうという方法があるんじゃありません？　言うだけ言わせてから、あとから矛盾を突いてゆく」

「そうか。警察の取調べも、そうでしたね」

直樹は納得した。来週の議会は、まだ市長の責任追及の場である必要はない。どっちみちその機会は調査のあとにやってくるのだ。債務の実態が明らかになって、財政再建団体入りがはっきりした時点で、責任追及が始まる。いまはむしろ彼らになお、図々しく嘘を言わせておくべきときか。

直樹は言った。

「作戦が見えてきたような気がします」

重森がもう一度微笑してから、逆に訊いてきた。

「森下さんは、ずっと幌岡市でお住まいなんですか？」

「ええ。生まれて育ちました。父親が、幌岡市で司法書士事務所を開いていたんです。学生時代と、卒業後数年幌岡を離れていましたが、父が死んだあと、十年前ですが、幌岡市に戻っています」

「幌岡も夕張のような再建団体になれば、生活もいろいろたいへんになりますね」

「いまでも十分に」と直樹は言った。「だから心配もしてきたし、わたしは市議になったのですが」

「森下さんのような市議が、早くから出ていればよかったのに」

「おっしゃるとおりです」

重森は口調を変えた。

「森下さん、わたしはこれから出る用事があります。よければ、一緒にそこまで歩きませんか」

きょうの用件は終わった。実り多いものだったと言っていい。切り上げどきだ。直樹は立ち上がった。

「地下鉄ですか？」

「いいえ。街寄りに学生会館があるんですが、そこまで」

「クラーク会館はひさしぶりです」

「大学構内、ご存じなんですか？」

「ここの法学部卒業です」直樹は、軽い調子でつけ加えた。「弁護士を目指したんですが、けっきょく父の跡を継ぎました」

「そうだったんですか。わたしたち、同窓だったんですね」

重森はハンガーからコートを取って羽織り、マフラーを首に巻いた。さらにニットの帽子。

重森は、自分の防寒対策を弁解するように言った。

「静岡の出身なんです。なので、いまだに札幌の寒さに慣れなくて。この季節はいつもこんな格好」

「全体にみんな、薄着になりましたからね。でも、冬は傍目にも暖かく見えたほうがいい」

重森のその気取らない外出着は、好ましいものに感じられた。けっして野暮ではない。北欧かロシアの働く女性ならこうではなかろうかと思えるファッションだった。

重森が肩にかけたショルダーバッグは、赤い革のおおぶりのものだ。モバイルＰＣのほかに資料がたっぷり入る大きさ。重そうだった。

「参りましょう」と重森がデスクの後ろからまわって言った。

直樹は自分の書類鞄《かばん》を持って、ドアへと向かった。

経済学部の校舎を出ると、直樹たちは構内を南北に貫くハルニレの多い道を歩き出した。大学のいわばメイン・ストリートだ。この通りの両側に、各学部の校舎が並ぶ。いまはハルニレを含め、構内の木々の葉もすっかり落ちていた。直樹にとっては、思い出多い、懐《なつ》かしい道だった。

重森が、歩きながら訊いてきた。

「森下さんは、何年の入学でした？」

直樹は答えた。

「八五年でした」

「わたしは六年。一期後輩になるんですね」

「そのまま、ここの大学院に？」

「いいえ」重森は、東京の公立大学の名を挙げた。「そこに行って、修士号を取ったところで、ちょうどお世話になった先生からお誘いがあって、戻ってきました」

「女性で、経済をやって、しかも公共経済が専門っていうのは、かなり珍しいひとなんじゃありませんか」

重森は屈託なく声を上げて笑った。

「かもしれません」

「何か理由でも？」

「ええ。たぶん、高校で短期留学を体験したからかもしれません」

「アメリカですか？」

「ええ。ポートランドの家庭に二カ月、ホームステイして高校に通いました。あのとき、公共経済って学問も面白いかなと思ったんです」

「またどうして？」

ホームステイした家庭が、熱心な民主党の活動家だった、と重森は言った。ちょうどポートランドが市の振興に積極的に乗り出していた時期で、その家庭の夫婦はよく知人たちと集まっては、ポートランドの振興や、連邦政府の政策について議論してい た。そのとき、自治体の財政に詳しい市民や、公共経済学の専門家たちの話も身近に聞いたのだという。もちろんそのころの重森の英会話の力では、専門用語が繰り出される会話やスピーチは、一〇パーセントも聞き取れたかどうか。しかし、そのひとたちが政治を真剣に議論するその姿は、十七歳だった重森を刺激し、魅了したのだ。

「だから」と、重森は少し照れ臭そうに言った。「自分もいずれ日本のどこかで、あのような議論の場に身を置きたくなったんです。それで、大学は経済と決めたんだ、と思います。いまあらためて振り返ってみると」

「どこかの政治学科ということは考えなかったんですね」

「そちらは考えたことはありませんでした。もし別の道を選んだとしたら、法律学科だったでしょうか」

「ひとつ教えてください」

「なんです？」

「アメリカでも、自治体の破産なんてことはあるんでしょうか。市民意識の高い国だと聞いています。夕張やうちの町みたいなことが、アメリカでもあるんでしょうか」

「ないわけじゃありません。カリフォルニア州のオレンジ郡の破産のことは有名ですね。あれは、財政資金の運用に失敗して、郡が破産した例です」

「市のレベルでもありますか？」

「あります。隠し債務を膨らます例はともかく、破産はあります。カリフォルニア州のバレホ市の例がやはり有名です」

「そういう場合は、どんなふうな対策が取られるんです？」

「行政サービスを、州にまかせてしまうのが一般的ですね。行政サービス全部ではありませんが、その一部を。たとえば自治体警察を廃止して、なにか犯罪があった場合は、州警察にまかせる。そうそう、辺地のごく小さな自治体で、警察か消防かの二者択一というところまで追い詰められて、消防を選んだ町もありました」

「そういうことが可能なんですか？」

「可能ですよ。行政サービスを上部自治体に預けてしまうということは、日本の場合でもできないわけではありません」

「夕張市でも？」

「ええ。市から町村への降格については法的な基準はないのです。自治体の規模を一段でも二段でも下げて、必要最小限の行政サービスだけを自治体が責任を持てばいい。

地方交付税交付金は減りますが、自治体としての責務も縮小されます」

「地方交付税交付金が減るということは、独自事業が組みにくくなるということかな」

「身軽になるか、独自事業か、という選択になります。またアメリカの場合、夕張同様に、市が持っている事業を民間に売却することもあります。公共交通機関などですが」

「夕張の場合は、第三セクターを売却するかどうかは、まだ未定ですね。運営委託というかたちになるのかもしれない」

直樹たちはクラーク会館の前にきた。

重森が立ち止まって言った。

「じゃあ、わたしはここで」

直樹は重森に向かい合って訊《き》いた。

「また、アドバイスをうかがいにきてかまいませんか？」

「ええ。わたしでお役に立てるのであれば」

「有益でした。やはり専門家にうかがってよかった」

「お電話をください」

重森はそう言いながら、革のショルダーバッグから、名刺を取り出した。いましがた研究室でもらったものとは、ちがうものだ。肩書がない代わりに、携帯電話らしき番号が記されている。

「直接こちらでもかまいません」

「では、そのときはよろしく」

「議会質問の様子、聞かせてください」重森はふいに不安そうな顔になった。「森下さん、こちらには地下鉄で？」

「いえ、車です。ゲートで許可をもらって、経済学部の駐車場に入れました」

重森は、直樹のほうが恐縮するほど狼狽《ろうばい》を見せた。その小さな顔からメガネが落ちるかと思えたほどだ。

「ごめんなさい。確かめもせずに、わたし、遠回りさせてしまいましたね。わたしが駐車票にサインしなければならなかった」

「かまいません。歩きながら、いい話もうかがえました」

「そう言っていただけたら」

「ひさしぶりに構内を歩いて、いい気持ちでした。若返りましたよ」

「たまには学生気分もいいかもしれませんね」

「さっきはわたし、ほんとに学生気分でした」

重森は、思い当たったことがある、とでもいうような笑みを見せて言った。

「わたしはついつい、教師口調になります」

「面白い講義でした」

「では、また」

重森は軽く頭を下げて、クラーク会館の正面階段へと歩いていった。

直樹は重森薫の後ろ姿を見送った。女性の経済学者ということだけでも十分に驚きだったが、重森のどこか世俗にまみれていないとでも言うべき雰囲気にも意外な想《おも》いがした。経済学者、それも公共経済学が専門という学者であれば、もっとすれていておかしくはないという思い込みがあったせいかもしれない。公共団体のカネの出入りや使われ方を四六時中考えている頭では、顔の造りにもその中身が現れてくるのではないかと。動作からファッションから、現実の世界とシンクロしていると思わせる空気が漂っているのではないかと。しかし重森は、どちらかと言えば理系の研究者のような、どこか浮世離れした雰囲気さえあったのだ。

重森が、クラーク会館正面の階段の上まで上って振り返った。重森はすぐに直樹を認めて、手を振ってきた。

直樹はどぎまぎして手を振り返した。自分が後ろ姿をじっと見つめていたことを、知られてしまった。何か意味ある行為と取られたかもしれない。ただ、人間として興味を抱いたという以上のことではないのだが。

重森はすぐに踵《きびす》を返して、会館の中に入っていった。

彼女は、自分が見つめていると確信して振り返ったのか？

まさか、と首を振って、直樹は自分の車を置いた駐車場へと向かった。

時計を見ると、午後の二時四十五分だった。このまま幌岡に向かえば、午後四時半には事務所に着ける。しかしせっかく札幌に出たのだ。一軒寄ってゆきたいところがある。直樹は携帯電話を取り出した。

5

その集合住宅は、札幌市街地の東側、豊平川《とよひらがわ》をわたってすぐのところにあった。周囲一帯は軽産業エリアで、小工場や卸売業などが集中している。住宅地としては、さほど格は高いわけではないようだ。

それでもその集合住宅は、そのエリアではいくらか高級な部類なのかもしれない。

七階建てで、エントランスもそこそこに品がよかった。管理人もいるのだ。直樹は管理人に、親戚《しんせき》を訪問すると告げて、来客用のスペースに自分の車を入れた。

伯父の森下克己《かつみ》は、ここにひとり暮らしなのだ。一年前に、持ち家を売って、この集合住宅で暮らすようになった。直樹がこの部屋を訪ねるのは、これが二度目だった。

エレベーターで五階へ上った。その部屋のチャイムを鳴らすと、すぐにドアが開いた。伯父が顔をほころばせている。元気そうだ。

「何か頼みごとか」と、伯父は愉快そうに言った。たとえそういう用件であってもかまわない、と、その顔は語っている。

「ちがいます」と直樹は玄関に身体《からだ》を入れながら答えた。「ほんとうに、ご機嫌うかがいだけ。札幌に用事で出てきたものだから」

七十五歳になる伯父は、肥満体を隠すようにゆったりしたパンツを穿《は》き、フラノのシャツの上にニットのスウェーターを着込んでいた。白髪も伸びっぱなしではないし、きちんと髭《ひげ》も剃《そ》っているようだ。一年半前に配偶者を亡《な》くしたあと、ショックで寝込んだりしないかと、親族一同、心配したものだった。しかし、その様子を見ると、さほど落ち込んだりはしていないようだ。日常生活も、支障なくこなしているように見える。ひと安心だった。その肥満だけは、心配されるところであるが。

奥へ通された。部屋は意外に片づいていた。

直樹は応接椅子《いす》に腰をおろしてから訊いた。

「おひとりで、不自由してませんか？」

伯父には子供がなかった。ただし、妻方の兄弟家族が、札幌市の郊外に住んでいる。そちらのほうとは、ひんぱんに行き来もあるはずだが。

「みんな外注してる」と伯父は言った。「掃除も、炊事も、洗濯も」

「運動はどうです？　動いてますか？」

「お前も、かみさんみたいな口をきくようになったな。やってるよ。毎日、豊平川の川岸を三十分ずつ歩いてる。雨の日以外は」

「これから、寒くなります。雪も積もる。散歩もしにくくなりますね」

「そうなったら、室内スポーツだ。じつは仕事仲間から誘われてる。冬のあいだは、ボウリングをやろうかと思ってるんだ。マイボールも持つぞ」

お茶を飲むか、と伯父が訊いた。直樹は断った。長居するつもりはないのだ。伯父の元気そうな顔を見れば、それでよいのだ。

「お仕事のほうは、いまはどうなってるんです？」

「完全リタイアだ。月に一回顔を出して、役員たちと昼飯を食ってる。おれはほんとうにもう仕事から足を洗ったんだ」

伯父は、父方兄弟三人の中では商才に恵まれた男子だった。札幌の私立大学を出たあと、建築資材を扱う会社に就職、三十歳になったときに独立して、事業を広げた。七十歳になるまで現役で、グループ三社それぞれの代表取締役として会社を仕切っていた。

父方兄弟は、もともと小樽《おたる》の出身だった。長男であるこの伯父は札幌で仕事に就き、次男である直樹の父、直司《なおし》は、当時石炭景気に沸く幌岡で司法書士事務所に入った。三男の叔父、哲三《てつぞう》は、岩見沢で国鉄関連の建設会社に勤めた。兄弟の中で成功者と言えるのは、この伯父だけと言っていい。ささやかな成功ではあるが、それでも従業員百五十人以上という企業グループを育てて、このとおりハッピー・リタイアメントを果たしたのだ。

直樹は言った。

「元気そうなんで、安心しました。食事も、問題ありませんよね」

「老人食ってのが、つらいことはつらいがな。医者がうるさく言うし、慣れるしかないだろう」

「何か不自由があったら、電話してください。駆けつけますから」

「もう帰るのか？」

「ええ。土産も持たずに、申し訳ありません」

「子供たちは元気か？」

「ええ。生意気盛り」

「可愛《かわい》い盛りだろう。そういえば」伯父は真顔になった。「まだ議員やってるんだろう？」

「ええ。四年目です」

「夕張がたいへんなことになったな。お前のところは大丈夫なのか？」

直樹は首を振った。

「夕張と似たようなものでしょう。そろそろはっきりします」

「いま、幌岡の人口はどのくらいだ？」

「一万五千」

「お前の親父《おやじ》が幌岡に移ったときは、たしか七万ぐらいだった。お前の商売、その人口で成立するのか？」

「商売敵《がたき》もいなくなりましたから」

「ほんとか？　事業でも同じだけどな。大事なのは、見切りのタイミングだ。どうあがいても無理なときは無理。そういうときは、悪あがきしないで、損切りするんだ。お前の親父にも言ったことがある。幌岡を見切って、札幌に出てこいって。あのころなら、無理のない撤退もできた。お前と一緒に、札幌で司法書士事務所を開けばよかったんだ」

「おじさんがそれを言ったのは、いつごろのことです？」

「大田原が市長になったころさ」

「二十年も前だ。どうしてそれが見切りどきだとわかったんです？」

「炭鉱が完全になくなるんだぞ。従業員とその家族で二万。炭鉱に関連する産業と、その従業員家族で二万。つまり四万人の得意先が消えることになるとわかってた。それまでどおりの商売は続けられない。引き揚げるしかないだろう」

「いろいろしがらみもあったでしょう。父さんとしても、人口が減っても、なんとかやってゆけるという判断だったのでしょうね」

「大田原市長のもとでか？」

「まずい要素でしたか？」

「あんなペテン師を市長に担《かつ》ぐような町に、将来なんてないだろ。直司も、わからなかったのかな」

「大田原市長は、ペテン師ですか？」

伯父は、豪快に笑った。

「夕張の中田鉄治並みだろう。あっちの市長は、けっきょくいくら借りて逃げきったんだ？」

「市の債務は六百三十億」

「尾上縫《おのうえぬい》よりは小粒だな」

「自分で蓄財したわけじゃありません」

「自分の道楽のために、好き放題使ったとしか思えないが。どうちがう？」

答を探してから、直樹は言った。

「雇用を創出したことはたしかです」

「とりあえず市職員の移籍先を作っただけだ。新規雇用を生んだわけじゃない。蓄財のほうだって噂《うわさ》があるんだろう？」

直樹ももちろん、隣町のスキャンダルとして噂は聞いている。真偽のほどはわからないが、元市長はしっかりカネを貯《た》め込んだ、と夕張市民が声をひそめて語っているのは事実だ。夫人が亡くなったあと、あるマスメディアの女性記者だかレポーターに迫ったともいう。おれには貯金がこれだけある、結婚しないかと。

伯父は言った。

「夕張と幌岡が双子町《ふたごまち》なら、中田鉄治と大田原昭夫は双子市長だ。顔つきまでよく似ている」

「おじさんは、大田原市長を直接知っているんですか？」

「テレビのニュースでしか知らない。だけど、ニュースに映る顔を見れば、どんな種類の人間かはわかる。それがわからなければ、商売を長いこと続けられるもんじゃない」

「幌岡では、おじさんみたいに商売してるひともみんな、大田原市長を支持したんです」

「支持したんじゃない。群がったのさ。ひとを判断できない連中が、大枚を彼に張った。最初のうちはいい思いもできただろうが、結果は、夕張の場合は財政破綻《はたん》だ。幌岡がこれに続く」

たしかに大田原市長を担ぎ続けてきた結果がこうだとしても、必ずしもそれは支持者の愚かさに所以《ゆえん》するものではない。夕張の観光開発路線の破綻が明らかになる前、バブル崩壊の前までは、大田原の路線にもそれなりの現実性はあったのだ。だからあの当時、国も道もマスメディアも、夕張の中田市長や、その後追いとしての幌岡の大田原市長の路線を批判してはこなかったのだと言える。

ふと思った。二十年前ころ、公共経済学を学ぶ学生だった重森薫には、夕張や幌岡の生き残り策はどう見えていただろう。自治体の破産など、視野にも入ってはいない時期だったろうか。

伯父が続けた。

「二十年前、世の中にはもう東京ディズニーランドがあったんだ。西武グループも日本中でスキー場、ゴルフ場と大ホテルを造っていた。そんな業界に、なんの経験も持たない田舎役人が、打って出て勝とうとしたんだぞ」

「勝とうというよりは、おこぼれをもらいたいという構想だったんでしょう」

「おこぼれ？　貧相な遊園地や、ぼったくりファミリー動物園、中途半端《はんぱ》なホテル、芝の養生も満足にできていないゴルフ場。そんなところに、どんなおこぼれ客がくる？　ろくにカネも落としてゆかない落ちこぼれ客だ。西武のホテルには泊まれず、東京ディズニーランドに行くこともできない家族連れだ」

「たしかにリッチな客層が対象じゃありませんでしたが、世の中には代替えの何かを必要としている客もいたんです」

「お前は大田原の代弁をしているのか？」

「いえ、きっとそういうつもりだったのだろうという想像です。それに、幌岡にこれまでやってきてくれたお客を、そんなふうに悪く言いたくはないし」

「じゃあ訊《き》くが、そうしてせっかくやってきた客を、幌岡市はきちんとおもてなししたか？　リピーター客はついたか？　チャチなのに高いという評判が広がって、とうとう新しいおこぼれ客もこなくなったんじゃないか？　今年、あの遊園地は一日平均何人の客が入った？」

直樹はもうそれ以上反論するのをあきらめた。伯父の見方は正しい。それは、直樹自身の想《おも》いでもあるのだ。さすが、市職員やほかの事業主の耳に入ることを心配して、おおっぴらに口にしたことはなかったが。

伯父は続けた。

「こんな事業は成功しないと、専門家でなくたってわかる。そういう構想をぶち上げる男がいたら、そいつは阿呆《あほう》かペテン師だと、誰だってわかる。ちがうか？」

直樹は、伯父の克己の顔を見つめた。

まったく言いにくいことをはっきり言う男だった。たしかに直樹自身、伯父が言うように、大田原昭夫市長の容貌《ようぼう》やその口調、なにより身体全体からかもしだされる雰囲気に、伯父が受けるのと似た印象を感じるのだ。阿呆とまでは思わないが、少なくとも誠実さや清廉《せいれん》さを感じることはない。その表情、そのしぐさ、べらんめえな口ぶりのひとつひとつに、自分はいかがわしさを感じてきた。

ただ、田舎の政治家や議員クラスには、この程度にいかがわしい人物はざらだとも言える。大田原だけが特別目立っていかがわしいというわけでもなかった。それに地元の支持者たちはおそらく、あの大田原のいかがわしさを、政治力あるいは実際主義の発現とみなしているはずである。言うまでもなく、それらは地方政治家たちにとっては、けっして否定的に語られる資質ではない。

伯父の克己が、処置なしとでも言うように顔をしかめて言った。

「商売人なら、目端がきかなきゃならない。切った張ったの世界で生き残るつもりなら、おひとよしではいられないんだ。あいつがペテン師だってことを見抜けなかったってだけで、おれはお前の町の商売人たちには同情できんな」

直樹は、とくに皮肉な調子もこめずに訊いた。

「父さんも含めてですか」

「直司の仕事は、純粋な商売とはちがうからな。商売センスは、あまり必要じゃなかった。だけど、二十年前に町を出ていればよかったのにな」

「父さんは、札幌で競争するよりも、あの町でのんびり生きることのほうがよかったんでしょう」

克己はまた鼻で笑った。

「のんびりも、ゆとりも、仕事があってのことだ。仕事がなくて釣りしかすることがないのを、のんびりとも、ゆとりとも言わんぞ」

克己は、応接テーブルの上にある写真を指さした。

「それ、見てみろ」

直樹は克己が示した写真のプリントを取り上げた。家族四人の記念写真だ。東京ディズニーランドで撮られたもののようだが、誰の顔にも見覚えがない。直樹の知っている親族ではなかった。

「誰でしたっけ？」

「うちで働いていた中国人とその家族だ。今年の春節の休みには、日本に旅行にきた。そのときの写真を送ってきたんだ」

「中国人の従業員がいたんですか？」

「工場で、研修生を使ったことがある。そのときのひとりだ。いまは、大連で建設会社経営だ」

「このひとがどうかしましたか？」

「ひとを見る目の話だ。この男が研修を終えるとき、八十万円のカネを貯めていた。大連に帰って、事業を始めると言ってた。おれはそいつに言ってやった。事業を大きくするとき、資本が必要だったら声をかけろってな」

「見込んだんですね」

「よく働く。頭も切れた。ビジネスマンとしてやる男だとにらんだ。一年後に、こいつが電話してきた。五百万円貸して欲しいってな。建設会社を興《おこ》すと言うんだ。おれは五百万用意して大連に行き、そいつに会った。そのときすでにこいつは従業員十二人の会社を作っていた」

「貸したんですか？」

「いや」と克己は首を振った。「出資した。五百万を投資して、大株主になった。九年前だ」

「結果は？」

「こいつは大成功した。いまその建設会社は大連で三番目の優良企業だ。おれはここの株主配当で、去年はハワイに行ってきたぞ」

結論がわからなかった。直樹は伯父の言葉をうながした。

「おじさんの言いたいのは、つまり」

克己は苦笑した。

「おれは何を言いたかったのかな。商売人の目のことか。いや、もうひとつある。おれがもう十歳若かったら、中国でもうひと仕事やるってことだ。会社を作って育てる。もう日本は、全体が夕張みたいなものだ。商売人にとって、面白みのあるところじゃない。ビジネスをやるなら中国だ。日本も見切りどきなんだ」

「それでも日本で生きる日本人が、大部分ですよ」

「選択の余地なくだ。英語か中国語ができて、専門能力のある日本人は、もう出てるさ。十年後には、日本全体がほんとに夕張そのものになるんだ」

「おじさんだってそのとき、日本に生きてる」

「やむなく、だな。そのころには年金なんて、無価値になってる。おれは中国に投資した配当で、かろうじて食っているだろうよ」

直樹は立ち上がった。

「まったくおじさんは、悲観的なんだか、楽観的なんだか」

「どっちでもない。商売人として、必要なセンスを持っているってだけだ」

伯父も立ち上がって、玄関口へと身体《からだ》を向けた。

「正月には、必ず来いよ。お前の子供たちがおれの生きがいだからな。お年玉もそろそろ増額だ」

「ありがとうございます。年始には、揃《そろ》ってうかがいます」

「本気だぞ」と伯父が直樹の目をのぞきこんできた。「お前があちこちに義理立てして生きるのはかまわん。だけど、そのために子供を大学にやれないってなら、おれがそっちの責任を引き受ける」

直樹は伯父の視線を受けとめた。

たぶん伯父には、この自分は生活無能力者と見えているのだろう。衰退する町にわざわざ戻って父親の事務所を引き継ぎ、あまつさえボランティア仕事に等しい市議会議員にまでなった男。つまり自分の情をコントロールできず、理想のために家族を犠牲にする男と。伯父にしてみれば、たぶんおセンチな阿呆そのものだ。

先日までなら、反論もできた。あなたの見方はまちがっていると、自分の思うところについて主張することもできた。あの町に留まる意味、市議会議員になった理由について、胸を張って語ることもできた。でもいまはちがう。財政破綻しているかもしれない町の市長選に立候補することを周囲に約束してしまったのだ。それはつまり、生活が破綻する可能性まで見据えた上で、そちらの道に踏み出したということだ。その根底にある義憤や、地域コミュニティへの責任という概念は、伯父には通じまい。

いや、自分だってそれが正しい決断であったか、吹っ切れていない。多津美裕や江藤昇に挑発され、おだてられ、高畑光男ら友人たちに乗せられただけのお調子者、とさえ、自分は胸のうちのどこかで思っている。

だから伯父の見方は、ある意味では正しい。自分は子供たちの教育費にも苦しむ公人になってしまうかもしれないのだ。自分は妻子を養うこともできないのに、自治体を率いようとする、倒錯した頭の持ち主かもしれないのだった。

玄関で靴を履きながら、直樹は言った。

「そのときは、おじさんが頼りです」

伯父は頬をゆるめた。

6

多津美裕が、約束どおりその週末に姿を見せた。先日事務所に現れたときと同様、仕立てのよいオーバーコート姿だった。

土曜日の午後三時だ。直樹は事務所で多津美と向かい合った。

多津美はコートを脱いで応接セットに腰を下ろすと、脚を組んだ。

直樹は、ここに来いと呼ばれた犬のような気分を少し感じた。この男とは、初対面のときにどうも、序列が決まってしまったようだ。もちろん、彼が上で自分が下、という序列だ。たぶんこれは、年齢の差からくるものではないのだろう。器の差、か。あまり認めたくないことではあるが。

直樹も、多津美の向かい側の椅子《いす》に腰を下ろした。

多津美が訊いた。

「地元の後援会は、どんな具合だった？」

直樹は答えた。

「そこそこ力のあるひとたちが集まってくれましたよ。この町の主流ではないけれど、人望も影響力もあるひとたちが」

「平均年齢は？」

直樹は、先日のあの居酒屋での会合を思い起こしながら答えた。

「やや高めですね。わたしの同級生がふたりいる。あとはみな、わたしより上。七十代もいた。有力農家さんですが」

「この町で、力のある青年組織というと、やはりJCになるな？」

「地区労の青年部。農協にも青年部があります。みんな大田原支持ですが」

「業種別や、社会階層別の組織ではなくて、市民運動グループはないか？」

「映画祭実行委員会がそうかもしれない。政治的には中立です」

「地区単位では？」

「青年グループと言えるものはありません。町内会は、おおむね市行政の補助組織だし」

「ふむ」と多津美は鼻を鳴らした。「選挙戦になったら、青年組織が欲しいところだ。実働部隊が」

「組織らしい組織は、大田原が押さえてきた。なしでやるしかないでしょうね」

「その情勢は変わる」

多津美が話題を変えた。

「重森先生の話はどうだった？」

すぐに重森薫助教授の容貌を思い出した。メガネをかけた、どことなく中性的な印象さえ与える学者の顔。

「興味深いものでした。勉強になりましたよ」

「この町の財政状態を、どう分析していた？」

「破綻《はたん》しているのはまちがいないだろうと。債務隠しの手口についても、こうではないかという解説を受けました」

「債務の規模は？」

「それは見当がつかないとのことです」

「それでも、再建団体入りは確実と言っていたのかな？」

「破綻確実というのは、そういうことですよね」

「債務の額次第では、転落せずにすむ可能性もあるということか」

「ほとんどないでしょう」

「どうした？」と多津美が首をかしげた。「何か心配ごとでも？」

直樹は苦笑した。

「考え始めたんですよ。再建団体ではない町の市長ならともかく、再建団体の市長になることに、何の意味があるんだろうってね。このあいだは、ついあなたと江藤さんの説得にうなずいてしまいましたが」

「再建団体転落は避けられるかもしれない」

「あなたはそう言った。大田原の六選を阻止できれば、町はもう一度死ぬことはないと」

「二度目の死を避ける、という市政への舵《かじ》取りも可能だ」

「でも、財政の専門家さえ、この町の再建団体入りはほぼ確実と見ている。つまり、この町はすでに死を迎えている。ただ生命維持装置がはずされていないだけだ」

「同じ再建団体転落でも、夕張とはちがう事情がある、とアピールできる。事態は変わる」

「アピールって、誰に対してです」

「はっきり言えば、総務省だ」

「総務省だけですか？」

「そうだ。戦略的には、新市長の目標は総務省を懐柔することだ。夕張とちがって、上から下まで一緒になってでたらめをやった町ではないと理解させることだ。それができれば、再建団体転落となっても、再建の道筋はちがってくる。再建策は懲罰的なものにはならない」

「いまの夕張市との交渉を見ていると、総務省は強硬そうですよ」

「いや」と多津美は組んだ脚を戻し、テーブルの上に上体を倒して直樹を見つめてきた。

多津美は言った。

いま夕張市に対して総務省があれほど厳しい再建計画の策定を求めているのは、夕張が行使してきた「政治力」への報復だと言ってよい。夕張では中田市長が地元出身の国会議員を動かし、北海道庁と総務省に強力に働きかけて、不正な会計操作を続けてきた。毎年度末にまず地方交付税交付金を確保することから始める、常態化した操作だ。また道や国に対して、返済などできるはずのない地方債発行を承認させてきた。政治力を利用したこうした制度無視の横暴は、ある時点から脱法行為となり、やがて完全に犯罪へと変わった。上からこの犯罪の黙認を指示された総務省の担当者たちが、どれほどこれを苦々しく思い、夕張を憎んできたかわかる。

それでも中田鉄治市長が六期の長期政権を終えて引退したあと、新市長以下市の幹部は、財政の実態と不正処理について、すべて明らかにすることもできた。財政破綻している事実を公表し、中田市長の責任を厳しく追及することも可能だったのだ。少なくとも四年前のあの時点で処理、再建に取り組むのであれば、債務はまだ百億は少なく済んだはずだ。

なのに後藤健二新市長は、同じ手口によって債務を増加させ続けた。破綻の規模がもはやごまかし通せるほどのものではなくなったとき、地元ブロック新聞がこれをスクープとして報じた。それが今年六月のことだ。北海道庁はなんとか統一地方選挙後まで先送りしようとしていたのだが、この目論見《もくろみ》は完全に崩壊した。

財政破綻が新聞に報じられた直後には、市は職員たちに前年よりも増額のボーナスを支給している。財政破綻など知ったことかと言わんばかりの、いわば大盤振る舞いだった。あれを火事場泥棒のように見た市民も少なくないはずである。

この後藤市長は中田市長の側近だった職員であり、市職組の委員長も務めた男だ。だから市長選挙では、市職組も組織内候補として後藤を支持した。ほんとうなら不正処理を糾弾すべき市職員組合さえ、中田市長のもとで続けられた不正の手口の継承を容認したのだ。市議会もこれを黙認して不正に加担してきた。

財政破綻が地元紙のすっぱ抜きで明らかになった後も、誰ひとり責任者が名乗り出ない。市役所の中に、責任者を追及する動きもない。組合さえも、市長や幹部の責任について沈黙し、不問にしたままだ。

市議会もただの一度もまともに市財政の中身を追及しなかったのだ。市当局とは同罪だ。それどころか、チェック責任を問われた市議たちも、居直るように誰もが言った。

「新法を制定して夕張を救ってほしい」と。

へらへらと、当事者としての責任を感じているのかどうかもわからないような顔で。

つまりあの不正会計処理、債務隠しは、自治体ぐるみで実行された犯罪と見えるのだ。

「政治力」を使って国に犯罪への加担を求め続け、どうにもならなくなってからは救済されるのが当然だと考えている厚顔な自治体。それが総務省の見た夕張市だ。

そんな夕張市に対して、総務省が突きつけた方針がこうだ。

町ぐるみでやったことなら、町全体に連帯責任を取ってもらう。自浄能力がなかったことのつけを、きっちり返してもらう。たとえ年金暮らしの市民の生活が困窮することになろうとだ。中田前市長、後藤市長や、あの市議会議員たちを当選させ続けてきたことの責任は、軽くない。

いま策定中の再建計画が、夕張市の担当者が声を失うまでに厳しいものになっているというのは、こういう理由だ。国にはもう財政破綻した自治体を見逃しておく余裕はないのだ……。

多津美は、そこまで話してから直樹に訊《き》いた。

「ここまでは、同意するだろう?」

直樹は咳払《せきばら》いして答えた。

「夕張に対して少し厳しすぎる見方かな、という印象は受けます」

「いま言ったのは、わたしの見方じゃないぞ。総務省はこう見てるはずだ、という、根拠のある推測だ。だけどあながち間違いではないはず。わたしのネットワークから耳にする情報からしても」

「つまり、うちの町もそうなるってことですよね」

　多津美は首を振った。

「何度も言わせないでくれ。市民がこのでたらめを許さず、きちんと責任者の首を出すなら、総務省はこの町は夕張とは事情がちがうと評価する。悪いことをした覚えはないと全体で居直った町と、責任者追及をきちんとやって、刑事告発も損害賠償請求もやる町とでは、扱いに差をつけないわけにはゆかないだろう」

「差がつくのは不公平だという世論が出てきそうな気がします」

「どうかな。差をつけないことこそ、不公平だという世論が起こるんじゃないか。幌岡の新市長が、夕張とはちがうことを世に訴えられるならばだ」

「世論で総務省は動きますか？」

「地方いじめが自民党政権の命取りになるとわかれば、総務大臣は官僚に方針の変更も指示せざるをえないさ」

「では、そこまでの力が、こんな小さな町の市長にありますか？」

「思うからこそ、あんたに市長選立候補をうながしたんだ。もしかして、弱気になっていないか？」

直樹は、また重森薫の講義の様子を思い起こした。ホワイトボードに目をやって少し考える表情、小首をかしげるポーズ、わかりましたかと確かめるときの目の色。あの彼女が、専門家としての分析ではっきりと、幌岡はすでに財政破綻している可能性が高いと言ったのだ。

直樹は言った。

「市長選立候補まではいい。もし当選してしまったらどうしようということです。財政再建団体になれば、やれることはもういくらもない。しかも給料は全国最低水準になる。この町も、わたし自身もどうなるのか」

「まだ当選したわけじゃない。六選を目指すと内々で表明したボスに対して、対立候補として出ることを決めただけだぞ」

多津美は、脇《わき》のバッグから書類ホルダーを取り出して、応接セットの上に広げた。

「このあいだは、あえて問題にしなかったが、過去五回の市長選のデータだ。大田原の、得票率はずっと八割。共産党の対立候補を圧倒してきた。きみが戦うのは、こういう相手だぞ。当選してからのことは、まだ考えなくていい。対立候補になりうるかどうかさえ、まだわからないところにいるんだ」

直樹はちらりとそのデータを見た。先日、市職員の江藤昇が招集した後援会結成の会合でも回ったデータだった。

直樹は、その中身を思い出しながら言った。

「でも、得票絶対数は、毎回下がってきている。投票率も、第三期に五五パーセントまで下がって、そのあとの二回は五〇パーセントを切った」

「それでも、圧倒的に強い市長であることにはまちがいない。人口一万五千の町で、前回選挙での絶対得票数は四千なんだからな。ふつうに立候補すれば、きみは共産党候補と同様、選挙のにぎやかしの要素にしかならない。数パーセント、投票率は上がるかもしれないが」

「結論はなんです？」

「当選後を憂《うれ》うな、ってことだ。まずは、堂々とした候補になることだ。町の誰もが認める対立候補になることだ。それだって、なかなかに高い目標なんだからな」

「万が一、当選したら」

直樹が言いかけた言葉を、すぐに多津美がさえぎった。

「当選の可能性はずっと高い。万が一、じゃない」

「だからこそ、先のことを準備しておかなければならないし、心配も出てくるんです—

「投票日当日、最初の出口調査で当確と出たら、その瞬間からわたしが動く。きみを、というか、きみの家族をきみの地方政治家生活の犠牲にはさせない」

「女房に、パートの口でも探してくれるんですか？」

「いい手だな。この町に、仕事があれば」

「ぼくはまじめに訊いているんですよ」

「わたしもまじめだ。大田原を破って当選した若い市長を、世間は放っておかない。きみの奥さんが、お子さんたちの給食費の支払いで悩むことはないはずだ」

「夕張の再建計画案を見ると、そうは思えないのですが」

「そのことはいったん吹っ切ってくれ」と、多津美は強い調子で言った。「これから投票日まで、きみには市長の待遇など気にしていないという、おおらかさを見せて欲しい。そんなことは瑣末《さまつ》な問題だという様子でいて欲しいんだ」

「浮世離れして見えて、いいんですか？」

「浮世離れじゃない。清廉《せいれん》さの強調だ。貧しさもあえて引き受けてやるという正義感と、決意の表明だ」多津美は書類ホルダーを引き寄せると、頭を振って言った。「とにかくそっちを心配するのは早い。それより重森先生は、議会質問で何かアドバイスをくれたか？」

「いえ。でも、とにかく嘘《うそ》を答えさせてはどうかと。どうせまともに質問には答えないでしょうから」

「具体的な質問は？」

「これから考えます」

「ディベート技術の基礎などは知っているんだろう？　誰か専門家の助言を仰ぐか？」

「とにかくひとりでやってみますよ。とりあえずは市議を四年近くやってきた。議会でも毎回質問に立つ、全議員の中でたったふたりのうちのひとりですから」

「もうひとりがどこの党の議員かは想像がつくよ」

「ともかく、ぼくはまったく素人《しろうと》というわけではありません」

「心強い」

多津美が立ち上がった。

直樹は驚いた。

「もうお帰りなんですか？」

「ああ。あんたの立候補決定後の表情を見たかった。こういう選挙の候補の中には、立候補するってだけでテンションが上がってしまう者がいる。舞い上がって、振る舞いがいきなりセンセーふうになってしまうのがいる。あんたの顔を見て安心した」

「舞い上がれるはずがないじゃないですか」

「わたしはこのあと、札幌に回る。こんどの選挙のために作っておきたい人脈がある。つぎに来るのはたぶん、選対の発足のときだな。その間、連絡は密にやる。携帯電話とメールアドレス、わたしのアドレスに送っておいてくれ」

おれはあんたの秘書かよ、と言いたくなるところだった。まったくこの男と話していると、立場が逆じゃないかと思えることがしばしばだ。もちろん自分はいまセンセーではないし、多津美にとっては単に仕事のクライアントであるに過ぎない。へりくだったり一歩下がったりする必要もない関係だ。自分たちは対等なのだ。

それが少し癪《しゃく》でもあるが。

直樹はそれでも、できるだけ愛想よく多津美を事務所から送り出した。

その夜も、直樹はうなされた。

悪い夢を見たのだ。場所は市庁舎の中だ。長くて薄暗い廊下を、自分が歩いている。出口へ向かおうとしているのだ。しかし、呼び止める者があった。スーツを着た市職員だ。知っている顔のようでもあり、知らない職員のようでもあった。歩きながら用件を聞くと、決算の報告だという。直樹は邪険にその報告書を振り払って先を急ぐ。すぐにべつの職員に腕をつかまれた。振りほどこうとしたが、職員は腕を離さない。決算書を見てくれという。直樹は無理にその職員から逃れて廊下の先へと進む。またべつの職員が追いついてきて、足にすがりつく。決算を承認しろと求めるのだ。それが延々と繰り返された。廊下を抜けることができない。ふと横を見ると、非常口の扉が開いていた。その向こうにはまぶしいほどの陽光。ここから出たらよいのだ。逃げられる。この市庁舎の外に出ることができる。

直樹は非常口に向かった。何人もの職員たちが、直樹をはがいじめにしてくる。直樹は必死の力でその職員たちを振り払おうとした。ひとり、肩を押さえてくる者があった。振り向くと、美由紀だった。彼女も、直樹を逃すまいとしているのだ。

「離せ」と直樹は言った。「行かせてくれ」

その自分の声で目を覚ました。いま自分は、大きな声で寝言を言ったようだ。目を開けると、すぐ前に美由紀の顔がある。心配そうに直樹を見つめていた。自分たちはいま布団《ふとん》の中だった。美由紀は上体を起こしている。

「大丈夫?」と美由紀が訊いた。「苦しそうだった。うなされていた」

「ほんとうに?」直樹は、自分の身体《からだ》がすっかりこわばっていることに気づいた。

「いやな夢を見ていた」

美由紀のほうに身体を近づけた。

美由紀は身体を横たえ直すと、小さな声で言った。

「ね、お父さん」

「ん？」

「つらいなら、立候補は取りやめればいい。そんなに苦しんでまですることじゃない」

「いや、つらいというか、ただもやもやと不安なんだ」

「財政破綻《はたん》のことが心配？」

「ああ。そしてそんな町の市長に当選してしまうことが」

「あの日、お父さんが立候補を決めた日にも言ったわ。お父さんがそうしたいなら、賛成する。応援する。でも、したくないことを、他人が推したから、ほかにひとがいないから、という理由ですることはないわ。うなされるほど苦しいなら、もうよす、と決めたら、その決断に賛成する。それならそれでいいと思う。大事なのは、お父さんの健康。精神も含めて」

「ありがとう」直樹は美由紀の頭の下に右手を入れて引き寄せた。「うなされたのは、真剣に考えすぎたからだ。体調もどこかおかしかったんだろう。大丈夫だ」

「自分に正直になって。苦しいことを、引き受けることはない。ほかのひとが失望することになってもいいじゃない。考え直してみても、いいんじゃない？」

「そうだな。もう一度考え直してみるか」

「そうして」それから美由紀は、申し訳なさそうな声で言った。「あのとき、ファイト、なんて言ってしまった。けしかけたみたいに。忘れて」

「いや、いいんだ。うれしかった。もう少し考えてみる」

直樹は美由紀の額に軽くキスしてから、目をつぶった。


翌朝、起きると直樹は居間のカーテンを少し開けた。この季節には珍しく、快晴だった。

幌岡の谷に、朝陽が差し込んでいる。冬至も近いこの時期、この陽光は貴重だった。昨日の悪夢は、数日続いた曇天のせいだったかとさえ思えた。冬はどうしても気分がふさぎ、悲観的になるのだ。市立病院の先生の誰かも言っていた。幌岡では冬になると目立って鬱病《うつびょう》の症状を見せる患者が増えると。自分はきっと、その初期症状だった。

「いい天気だ」と、直樹は自分の胸に沈殿するわずかな不安も無視して言った。深夜の件は持ち出さなかった。

続いて起きてきた美由紀も、その話題に触れてこない。

「ほんと、いいお天気」

たぶん美由紀とのあいだで、もう同じ話題が出ることはないだろう。

7

幌岡市の市議会議場は、二フロア分ぶちぬきの天井の高い空間だった。壁も演壇も市当局者席も市議会議員席もみな、木目のはっきり浮き出たブナ材で作られている。席の配置などは明らかに国会議事堂を連想するかたちになっていた。議員席は一列八席、それが三列、段になって議長席や当局側席に向かい合っている。後方、中二階部分に傍聴席があった。

この町が人口七万人の市であったころ、前の市長が市庁舎を新築、市庁舎の中にこの豪華な市議会議場を作ったのだ。

森下直樹に言わせれば、議員数二十四人程度の市議会なら、議場は実質本位でいい。中身ある議論ができるよう、大きな円テーブルを囲むようなかたちの議場で十分なのだ。なのにたいがいの市では、国会を模した議場を作る。議論よりもセレモニーがふさわしい、過剰に装飾的な議場を作りたがる。

たぶんそのような町では、市長も市議もみな、自分を国会議員に擬したいのだろう。だから自分たちの居場所も、国会を真似《まね》たものにする。逆の言い方をすれば、市議会の議場は、国会の真似ごとをして遊ぶための場だ。こと幌岡市に限っていえば、当局と市議たちの二十年間の国会ごっこの果てに、破綻しようとしている。市議会が何の働きもせず、チェック機能を生かしてもこなかったことの結果だ。

いま、議場には、右手のドアから市役所幹部たちが続々と入ってきたところだ。助役に、総務部長、財政課長、商工課長そのほか各課の課長たち。どの顔もごく普通の五十代のホワイトカラーとしか見えない。もっと言えば、凡庸にも見える小市民顔ばかりだ。誰ひとり、ひとつの町を崩壊させるほどの経済犯罪に手を染めた悪党には見えなかった。もっとも、直樹は現実の犯罪者たちがふだんどんな顔をしているのか、その実例をほとんど知らないのだが。

議員席のほうにも、議員たちが入り始めた。六十代が中心で、五十代の議員が五人いる。四十代の議員はひとり。共産党の女性議員だった。三十代の直樹は、市議会最年少である。

いつも思うが、男性の同僚議員たちはみな、じつに高価そうなスーツを着ている。毎日皇族と会う生活でもしているならばふさわしいスーツ。しかしこの衰退した旧産炭地で、これらの高価なスーツは何のためのものなのだろう。どんな役割と立場とを示す衣類なのだろう。しかも襟には、これまた国会議員バッジとよく似た市議バッジ。国会議員と誤解されることを期待している、とでも言っているような身なりだった。直樹自身のスーツは、岩見沢市のスーツ量販店で買った、堅気のユニホームとしてのスーツである。

直樹の席は、三列ある議員席の最前列左端だった。当選一回目ということで、この席が指定されたのだ。当選回数が多いほど、後列に席を占めることができる。この慣行も国会を真似たものなのだろう。隣りに、当選二回目という保守系の議員が腰を下ろした。町の複合企業の二代目で専務、という男だ。ジープを巨大にしたような、大型の四輪駆動車に乗っている。権《ごん》藤《どう》という名の肥満体だった。

権藤が、席に腰を下ろすなり、直樹に言った。

「爆弾質問やるって?」

直樹はとぼけた。

「わたしが触れ回ってるって聞いたぞ」

「はあ？」どこからそんな情報が。浜口明がメディアに流したのだろうか。「面白いことを訊《き》くから、傍聴に来いって触れ回ってるんですか」

「詳しいことは知らんけど、傍聴席はあんたが動員したんじゃないのか？」

「べつに。補正予算案に質問するだけです」

直樹は自分の席で体をひねって、後方の傍聴席を見た。最前列なので、中二階のスロープになった傍聴席をよく見渡すことができた。いつもは十人程度の傍聴人しかいないが、なるほどきょうは多かった。三十人分の傍聴席がほぼ満席と見える。

友人の高畑が、三列ある傍聴席の前側中央にいた。目が合うと、微笑してうなずいてきた。期待してるぞ、という顔だ。

浜口明がいた。ブドウ農家の飯島義夫もいる。元炭鉱夫の町田善作の顔もあった。さすがに市職員の江藤はいないが、先日の後援会発起人メンバーたちが、四人きてくれているのだ。

ほかに、大きな一眼デジカメを抱えた男が四人。地元ブロック紙の記者と、地域紙の編集人、それに全国紙の岩見沢支局の記者が二人だ。

これまで市議会を全国紙の支局が取材するというのは珍しいことだった。爆弾質問がある、という情報が伝わったのかもしれない。もっとも、メディア対策を受け持つ浜口が、爆弾質問という言葉を使ったとは思えなかった。彼はたぶん、森下議員が補正予算案がらみで財政問題を追及する、というような言葉で情報を流しただけのはずだ。それを爆弾質問だと受け取ったのだ。

市議会議長が入ってきた。市議の中での最年長である。七十二歳。地元の工務店の社長で、建設業協会の会長だ。直樹とは逆に、彼は堅気には見えないスーツを好んで着る男だった。きょうのスーツは濃紺にチョーク・ストライプのダブルである。いかにも炭鉱町で商売してきた男らしく、顔だちにはある種の凄味《すごみ》があった。小柄ではあるが、この男とは揉《も》めたくはないと思わせる雰囲気があった。薄い髪にたっぷりの整髪剤をつけていた。

ついで、大田原市長が議場に入ってきた。

丸顔で、わりあい豊かな髪を全部後頭部に流している。メガネには薄くブラウンが入っていた。目鼻だちが大きく、いわゆる「濃い顔」の部類だろう。大田原もまた紺のダブルのスーツだった。シャツの袖《そで》もダブルだ。その袖口からのぞいているのは、市長の給料一カ月分でも買えないはずのブランドものの時計。かつてマルチ商法の主催者でこんな雰囲気の男がいた。新興宗教の教祖にも多いタイプかもしれない。

伯父の言葉が思い出された。

「ひと目見たらわかる。ペテン師だ」

たしかに大田原のこのいかがわしい印象は、山師的と言えそうだった。

議場に、関係者全員が揃《そろ》った。

大田原市長をはじめとする市役所幹部たちと、二十四人の議員。市の議会担当職員たち。傍聴席も、八分の入りだ。大田原はなにごとか隣りの総務部長に言葉をかけている。総務部長が卑屈そうな微笑で応《こた》えた。

森下直樹は、自分の席で背を伸ばし、姿勢を正した。

市職員が議場のドアを閉じた。べつの職員が、プリントを議員たちに配りだした。補正予選案の要旨だった。同じ中身のものは、先週のうちに、それぞれの議員に配られている。

議員たちや傍聴席の私語も静まった。

市議会議長の荒谷《あらたに》が、議場真正面の議長席で、開会を宣言した。

「これより、幌岡市の定例市議会を開会いたします。本日の議案は、市長より提案のありました本年度の市の補正予算案。提案内容と提案理由については、事前に旨示されているとおりです。本議会では、これを討議し、採決します。では、市長、あらためて予算案についてご提案を」

議員席側から見て、市役所幹部たちは議場の左手に並んで、議員たちに向かい合っている。その中から、大田原市長が立ち上がった。

大田原は発言者席に進むと、議員席に向かって深々と一礼した。日頃は尊大な振る舞いで知られている男だが、このような場面では型どおりのことを、必要以上の丁寧さでやってのける。大田原は、森下直樹とはいわば逆の行動様式が身についた男だった。

「お手許《てもと》にありますように」と、大田原は提案を読み上げ始めた。ダミ声だ。選挙演説でつぶれたのかもしれないが、直樹には大田原が自分を大物に見せるためにわざとつぶした声のように聞こえる。

補正予算案では、二件の緊急支出が提案されていた。

ひとつは、市立病院本館の老朽化が進んだために、緊急改修工事をおこないたいというもの。三百四十万円。

二点目は、第三セクターである幌岡興産に対して、運転資金として二千万円の緊急貸し付けをおこなうというもの。市が金融機関から肩代わりで融資を受け、幌岡興産に貸し付ける、という提案である。

「以上でございます」と、大田原は締めくくった。「よろしくご理解と賛成をたまわりたく、お願いいたします」

すでに先週の議会運営委員会で、与党会派は、質疑に立たないことを決めていた。幌岡市の与党とは、商工会を支持母体の中心にした保守系議員たちと、市職員組合中心の地区労、連合系から推されてきた議員たちである。本来なら対立し合うはずのグループであるが、それぞれの支持母体は市長選挙のたびに相乗りで大田原を推薦してきた。また、議員たちは支持母体別にそれぞれ別の会派を作っているが、彼らが予算や条例案をめぐって衝突することはまずない。つまり幌岡市議会は、事実上のオール与党体制である。

この三年余、予算案、条例案に対して、質疑に立つのは、直樹と、共産党の女性議員だけだ。今回も同じである。先週おこなわれた議会運営委員会では、与党は質疑なしを決めた。質疑に立つと志願したのは、直樹と共産党の議員だけだったのだ。きょうは先輩議員である共産党の寺西真知子《てらにしまちこ》が先に質問、ついで直樹。直樹の質疑が終われば、すぐに表決となる。

大田原が席に戻ると、議長の荒谷は質疑に入ることを宣言した。型どおり、質疑ある者として寺西真知子が挙手した。議長は寺西を指名した。

寺西真知子は以前は市職員で、給食センターに勤めていた。現在は、ＮＰＯ法人の役員で、リサイクル・ショップの運営にあたっている。夫は市内の印刷会社の社員である。子供がふたり。歳《とし》は四十代なかばで、いつも地味すぎるほどのファッションに身を包んでいた。髪は染めていないショートヘアで、ほとんど化粧もしていないだろう。保守系の年配議員たちは、寺西真知子をよく「毛布を着ている」とか「ロシア軍女下士官」といった言葉でからかう。民間企業であれば間違いなくセクハラとして訴えられるレベルの言葉を、議場の中で投げかける。

寺西真知子が発言者席に向かうと、早速野次が飛んだ。保守系議員の中の年少組の男性議員からだ。

「真知子さん、待ってました」

「手短かにやってね」

「くどいのはなしよ」

野次を飛ばしたひとりは、隣りの席の権藤だ。

長老議員たちが、その若手議員たちに野次を命じていると聞いている。立派な市議にするための訓練の一環なのだとか。しかし、きょうは野次は控えめにしておいたほうがよい。傍聴席にいるのは、いつもの常連傍聴者だけではないのだ。

寺西真知子が発言者席で真正面を向くと、また野次が飛んだ。

「スーツがお似合いだよ。新調かい？」

「いつもと一緒のことなんでしょ」

「はい、もうおしまい、おしまい」

寺西は、野次を飛ばす市議たちに目を向けることなく、マイクに向かってしゃべり始めた。

「市立病院本館の改修工事に関しては、とくに市長に伺うことはございません。しかし、問題はこの第三セクター幌岡興産に対する緊急貸し付けの二千万円です。これは通常であれば、民間金融機関がやるべきことであって、市が手をさしのべるべき性質のこととは思えません。第三セクターがなぜ市に対して緊急の貸し付けを求めてきたのか、なぜ市が金融機関業務を代行しなければならないのか、この事情を具体的に説明いただかないことには、到底補正予算案には賛成できません」

やや生硬な調子である。アグレッシブにも感じる。年配の保守系議員たちがもっとも苦手とする女性の一典型と言えた。

寺西真知子は続けた。

「市長、この二千万円は幌岡興産の当面の運転資金としての緊急貸し付けとのことですが、この二千万円がなければ、幌岡興産の運営が行き詰まるほどの事態なのでしょうか。どこまで興産の財務状況は逼迫《ひっぱく》しているのでしょうか。金融機関はもしや、幌岡興産に対しての融資を停止と決めたという事情でもあるのでしょうか。夕張の例もあり、市民のあいだには、幌岡は大丈夫なのかという不安の声が高まっていることは、市長もご存じかと思います。とくに第三セクターの経営はほんとうに健全なのかという疑念が、このところわたしの耳には強く入ってくるようになりました。市長、どうか具体的なご答弁をお願いいたします」

また野次。

「いいじゃないか、二千万円ぐらい」

「十億出せって話じゃないんだよ」

「三セクの党員が干上がってもいいのか」

寺西真知子が席に戻ると、大田原が替わって発言者席に着いた。にやついている。

「寺西議員に、資本主義の原理をご理解いただけるかどうか疑問でありますが」

ここで、保守系長老議員たちが笑った。大田原はにやついた目をその長老議員たちに向けてうなずいた。気のきいたことを言う男だろう、と同意を求める表情だ。

大田原は長老議員たちに歯を見せて言った。

「ここは笑うところじゃないんだ。冗談を言ったんじゃない」

議場はまた笑い声で満たされた。議題を考えるなら、いささか不謹慎な笑いだった。

大田原はふいに微笑を消すと、芝居がかった深刻な表情を作ってから続けた。

「ええ、その、本来なら民間金融機関が、というご指摘はそのとおりでございます。ただし、いまはあの夕張が財政破綻《はたん》したために、道内のどこの金融機関も旧産炭地の第三セクターにはきわめて審査を厳しくしている現況でございます。このため、本来ならとうに受けられるべき融資がいますべて、慎重審査になるという状況にございまして、この間にやってくる利息返済の期限を、市が肩代わりして乗り切ろうということでございます。二百十人の雇用のある第三セクターですから、市としてはできる限りの財政的支援も惜しむわけにはまいりません。

もちろん民間金融機関からの融資が打ち切られたわけではございません。現今の言わば夕張問題の波及がなくなれば、幌岡興産はまたこれまでどおり、金融機関との良好な関係の中で、必要な運転資金の調達をおこなってまいることになっております。あくまでも今回の補正予算は、あくまで、それまでのつなぎでございます」

野次っていた若手議員たちが、拍手した。

寺西真知子はもう一度挙手して、発言者席に向かった。

また野次だ。

「しつこいよ」

「まだわからないの」

寺西真知子はこんどは身体《からだ》をひねり、市長の顔を見るように質問した。

「まったく具体的なお答にはなっておりません。幌岡興産の財務状況、経営内容をお答えください。経営は健全なのですか。民間金融機関が二千万円の融資を拒絶する理由はなんなのか、お答えいただきたい」

議長に呼ばれて、大田原がまた発言者席に立った。

「幌岡興産の財務、経営状況についてのご質問でございましたが、幌岡興産も株式会社でございます。市がその財務や経営内容について、この議会で答弁するのはいかがなものかと。わたしには、お答えいたしかねます」

大田原の答弁に、思わず直樹は、えっと声を出すところだった。

第三セクターは株式会社だから、経営内容について語れない？　しかし市はその第三セクターの出資主体のひとつであり、しかも社長は市長である。市が緊急貸し付けをするというときに、経営内容については公表できないという答弁はあるまい。

寺西真知子がまた発言者席に向かって、三度目の質問をおこなった。彼女の持ち時間はもうあとわずかである。

「市長は幌岡興産の社長でもあります。わたしは、市が貸し付ける根拠を質問しているのです。市長は、幌岡興産の経営状況について把握しているはずであり、この貸し付けが必要不可欠なものかどうかを、お答えになる義務があるかと存じます」

野次の声が、いよいよ汚いものになった。

「くどいよ」

「嫌われるよ」

大田原が答えた。

「これが市財政についての質問であればともかく、繰り返しますが、幌岡興産は株式会社であり、別法人であります。別法人の財務状況や経営内容について、この場で市が具体的な数字を公開してお答えすることはできません」

直樹は首を振った。いまの市長の答弁は質問者を愚弄《ぐろう》しているし、答えないことの理由になっていない。あのような答弁が許されるなら、議会は無意味だ。

寺西真知子が、自席で挙手しながら再質問を求めた。

「議長、議長」

議長の荒谷は、寺西の挙手を無視した。

「次の質疑に移ります。森下直樹くん」

しかたがない。

直樹は資料を手に立ち上がった。直樹も、いま寺西真知子が質問したと同じことを訊《き》こうと考えていたのだった。しかし、市長にまともに答弁する意志がないのなら、同じ質問を繰り返しても虚《むな》しい。ちがうことを聞かねばならない。どっちみち、補正予算案は通る。通ってしまうことを前提に、市長から後々有効打になるような答を引き出さねばならない。重森薫助教授が言っていたように、まずは偽《にせ》答弁をさせることだ。

直樹は、発言者席に立つと、最初に傍聴席を見上げて頭を下げた。ついで議員席と市長らに一礼。

そこまで野次はなかった。

直樹は、第二案として用意していた質問を口にした。

「わたしも、市立病院の緊急改修については、とくに質《ただ》したいことはございません。しかしやはり、幌岡興産に対する二千万円の緊急貸し付けについては、市長にお伺いしたいものです。この時期、金融機関からの融資に頼ることができず、当面の運転資金を市からの肩代わり融資で乗り切るという幌岡興産の財務と経営の状況については、わたしも寺西議員と同じ不安と懸念《けねん》を感じております。しかし、幌岡市がたとえば夕張市の第三セクターのような経営悪化企業に、要請がきたからと財務状況も精査せずに貸し付けするとも信じることができません」

ここで野次が飛んだ。

「夕張と一緒にするな」

「夕張を持ち出すことないだろ」

「質問になってねえぞ」

直樹はかまわず質問を続けた。

「そこで市長にお伺いしたい。市長は第三セクターの社長として、経営の内容、実態について十分な情報をお持ちであり、その経営と財務は健全そのものであると認識しているからこそ、市民の懸念にも拘《かかわ》らず、肩代わりの貸し付けを実施されるということですね。その理解でよろしゅうございますか」

大田原は、大見得を切るように答えた。

「そのとおりです。わたしは第三セクターの社長としても、本件に責任のある立場です。第三セクター幌岡興産の経営状況は、夕張市の三セクとはちがう。経営も財務もきわめて健全です。そのことは胸を張って言える」

ならば、財務状況を隠すことはない。隠しつつ、健全だと主張しなければならないのだ。この答弁にはかなりの無理がある。

大田原が自席に戻った。

直樹は議長の指名を受けて、もう一度発言者席に立った。

「ありがとうございます。幌岡興産の経営は健全である、と市長はいま保証してくださった。それでは次の質問です。幌岡興産への二千万円の貸し付けは、運転資金としてとのことですが、この緊急貸し付けが回収できなかった場合、その責任は貸し付けを提案された市長にあるのか、それとも返済できなかった第三セクターの社長のほうにあることになるのか、いかがでしょうか」

こんどの野次は、やや調子の強いものだった。

「余計な質問だろ」

「そんな前提で質問するなよ」

市長の答も、野次に同調するものだった。

「仮定の質問にはお答えしかねます」

つまり、その答からわかるのは、返済不能という事態が想定されている、ということだろう。しかも、保守系の議員たちもどうやらそれに気づいている。いや、内々に保守系議員たちには、実態がほのめかされているのかもしれない。だから、いまの野次が飛んだのではないか？

「では、あらためて第三セクターの社長でもある市長にお伺いします。この二千万円の貸し付けを申し込むにあたって、三セク社長もまた金融機関に対して情報を開示したうえで、交渉をおこなったと存じます。金融機関の側の不安を解消すべく、情報の開示は十分であったか、その点をお伺いしたい。情報開示は十分だったのですね？」

「交渉にはわたしが出ていったわけではないが、情報開示についてはもちろんです」

「ということは、市長は金融機関がいまこの時点での融資を断ったことには、それなりの理由がある、とお考えですか」

「金融機関の判断の理由は、わたしには答えようがない。しかし、夕張のことがあって、時期が時期だということがあります」

直樹はもう一度挙手した。もうひとつ質問するだけの時間はある。

「市長、最後にひとつだけ。市には、幌岡興産に対して、肩代わりで融資を受けて二千万円貸し付けるだけの、財政的余裕はあるのですね？　噂《うわさ》されているような隠された債務もないし、万が一最悪の事態が起こったとしても、返済には何の心配もない財務状況なのですね。市民も気にしております。市民も安心できる答弁をお願いします」

大田原は、うんざりという表情を見せて発言者席に歩き、両手をテーブルにつけて言った。

「大丈夫です」

議長は宣告した。

「森下議員の質疑は終了いたしました。ほかに本案について、質疑ある議員はございませんか」

議会運営委員会で、話はついている。もう質疑に立つ議員はいなかった。

「それでは、本年度補正予算案に対しての表決に入ります。ご異議はございませんか」

また野次担当の若手議員たちが言った。

「異議なし」

「異議なし」

「表決に入ります。本案に賛成の議員の起立を求めます」

直樹と、寺西真知子以外の全議員が起立した。

ほんの少しだけ、傍聴席がざわついたように聞こえた。驚きの声がいくつか出たようだ。傍聴していた市民の誰もが、補正予算案がこんなにあっさりと可決されるとは思っていなかったのだろう。

議長はざっと議場内を見渡してから言った。

「起立多数と認めます。よって本案は承認されました」

議員たちの一部は、拍手しながら着席した。

ほんとうはここで、反対者の確認もしてほしいところだった。反対の者にも起立を求め、その名を議事録に記載させたい。直樹は、二年目に入ったときに、最初の定例議会の前の議会運営委員会でこのことを提案した。反対議員名も記録すべきだと。しかし、長老議員たちはその提案を一蹴《いっしゅう》した。賛否は、会派ごとに決まる。会派による賛否の意志表示がある以上、反対議員の記録は無意味であると。彼らは、あるとき会派やボスの指示に従わぬ造反議員が出ることなど、夢にも思ったことがないのだろう。

そのときは、けっきょく独立系の新人議員の提案は却下されたのだった。

議長は、そそくさと臨時市議会の終了を宣言した。

傍聴席から、こんどははっきりとブーイングが起こった。何人かの傍聴者が、不満をもらしたのだ。

「はぐらかすな」

「答になってないよ」

「株式会社の財務状況を公表できないって、どういう意味だよ。三セクのことだよ」

「あれで答弁になってるのか」

議員たちの耳には、その声も入ったはずだ。しかし、保守系や連合系の議員たちは無視だ。傍聴席を見上げることもなく、互いに談笑しながら議場を退出していった。寺西真知子もやはり不満そうに頰をふくらませている。

直樹には彼女の不満がよくわかった。大田原市長は、彼女の質疑や一般質問に答えるときは、絶対にどこかに侮蔑《ぶべつ》をこめる。まともな社会人として認めていない、という想《おも》いを露骨に示す。きょうは、寺西が資本主義の原理を理解できないだろうとあざけった。あれは寺西真知子が共産党員であることと同時に、女性であることもからかっているように聞こえた。二十一世紀になったというのに、それが許されているのがこの議会だった。

直樹は、書類を持って議場を出るとき、傍聴席を見上げた。友人の高畑光男が口の動きだけで何か言っている。右手が、議場の外方向を指さしていた。外で話そうということだろうか。

議場を出ると、議員控室にはゆかずに、まっすぐ市役所一階のロビーに降りた。すぐに高畑がやってきた。報道関係者をふたり連れてきている。ひとりは知った顔だ。全国紙の岩見沢支局の記者だ。夕張市も担当していると聞いたことがある。長沢《ながさわ》という、三十代なかばの男だった。直樹が初当選したとき、取材を受けたことがある。新聞記者にはしばしばアクの強い男が多いが、この記者にはその雰囲気が薄かった。そのうしろに、放送局の取材クルーらしきふたり。

「どうも」と、長沢は言った。「いまの質疑、聴かせていただきました。少しかまいませんか?」

「もちろんです」

ロビーの応接セットに向かい合ったところで、長沢が訊いた。

「きょうの補正予算案の肩代わり貸し付けの件、森下さんは三セクに対しても、市財政そのものについても、かなりの懸念をお持ちだとわかりました。きょうの市長の答弁で満足されましたか?」

「全然です」と直樹は答えた。「寺西議員が先にかなり重要な部分を訊いてくれましたが、市長のあの答にははっきり言って腹が立ちました。三セクは株式会社だから、財務状況をこの議会では公表できない、なんて、公表しない理由になりますか。また、財務状況を議会に公表できないのに、その会社への融資について議会に承認を求めている。わたしには、理解できるものではありません。市民の多くも同じように感じたことと思います」

横で放送局のクルーのひとりが、カメラをまわし始めた。少し言葉遣いには慎重になる必要がありそうだ。しかし、要点は言い切らねばならないだろう。使い物にならない言葉で答えるわけにはゆかないのだ。

長沢はうなずいて言った。

「森下議員の質問に対しての答弁はどうです？」

「わたしの質問についての答も同じです。仮定の質問には答えられないと、理由にならない理由で答弁を避けた。あの答弁は、むしろ答えられない理由がある、と聞こえました。答えられないのは、それが仮定ではなく、現実の問題であったからでしょう。また、金融機関の判断の当否について自分には答えようがないとのことでしたが、情報を全面開示したうえで金融機関が融資に応じなかったのですから、やはり三セクの経営状況は噂どおりに悪いのではないかと判断せざるを得ません。市長の答弁は、むしろこの貸し付けが危険であることを語ってしまったようなものだ、とわたしは考えます。きょうの議会で、そう確信しました」

「幌岡市の財政も夕張市のように破綻《はたん》しているのではないか、という噂がありますが、どのようにお考えでしょうか」

「わたしは昨年度の決算議会でもこの懸念について質問してきましたが、市長の答弁はきょうと同じようなものでした。健全である。夕張とはちがう、と言うだけ。プリントに示されている簡単な数字以上の内訳は明かされない。市民の不安は、いよいよ深まってきたと思います。本来なら、議会が市長の言葉と行政の監視役にならなければならないはずですが」

「議会は、監視役にはなっていない？」

「きょうの議会の様子を見てください。補正予算案が提案されたというのに、質疑に立ったのはわたしともうひとりの議員だけ。わたしたちふたりがいなければ、誰も何ひとつ質問することなく、市の提案が通ってしまっていたのです。きょうばかりのことではありませんが」

「ところで」長沢が口調を変えた。「来年四月には、統一地方選挙です。大田原市長は六選を目指すのではないかという観測があります」

直樹は逆に訊《き》いた。

「市長は、そのことを正式に発表しました？」

「いえ。何もそのことについては触れていません。観測がある、というだけです。森下さんは、大田原市長の六選については、どうお考えになりますか」

「一般論でしか言えませんが、地方自治体の首長が二十四年間も続くというのは、あまり好ましいとは言えないのではないでしょうか。悪い見本が夕張でした。中田鉄治市長の二十四年間が何をもたらしたかを考えれば、わかることです」

「大田原市長の六選には賛同できないと」

「そうは言っていません。一般論でお答えしました」

「仮定の問題として、もし大田原市長が立候補したとしたら、いかがです」

長沢はそう言いながら微笑してきた。書いて上げるからはっきり言いなさい、と言っているようでもある。

直樹は笑って答えた。

「もしそのようなことになったなら、わたしは幌岡の市民に、少し冷静になろうよ、夕張のことを考えようよ、と呼びかけたい」

「新しい候補を立てますか？」

「それこそ、そのときになってみないとわかりません」

長沢も笑って言った。

「ありがとうございました」

長沢が立ち上がると、すぐにもうひとりの新聞記者が名刺を出してきた。こちらはブロック紙の男性記者だった。年配者である。彼の新聞社は千歳支局がこの幌岡市を担当している。久住《くずみ》という男だ。

質問はいまの長沢と同じようなものだった。二回目なので、直樹は少し余裕を持って答えることができた。最初の答えかたが多少硬い調子であったことを反省し、漢語を控えめにして答えた。

質問の最後に、久住は訊いた。

「きょうの質疑の目的は、市長に、財政は健全だ、ということを確言させることにあったのですね？」

直樹は答えた。

「いいえ、補正予算案に対する素朴な疑問に正直に答えてもらうことが目的でしたよ。結果として、あの言葉だけしかもらえなかったのですが」

「市長は大見得切ってしまいましたね」

「ほんとうなら、幌岡市民としてはうれしいかぎりなのですが」

「でも森下さんは、市長の言葉を信じていない？」

「裏付けについては、語ってくれませんでしたから」

「わかりました。お忙しいところ、どうも」

次いでテレビ局のディレクターらしき男が、マイクを突きつけて質問してきた。

「幌岡市は財政破綻しているとお考えですか？」

ストレートな質問だった。

直樹はその男に顔を向けて答えた。

「三セクについても、市の財政についても、この三年余り、疑問は募るばかりです。懸念《けねん》しています」

「その割には、市民は平静のようですね。あまり深刻に考えてはいないのか」

いっそう答は慎重になるべきところだった。直樹は答えた。

「大田原市長は、超党派的な支持を受けて二十年間市長をやってきたひとです。市長の言葉には重みがあります。多くの市民にとっては、その言葉は疑う必要もない、ということなのだと思います」

「でも、幌岡の観光開発計画も、けっして成功しているようには見えません。何度か取材してきましたが、これでほんとうに事業として成立しているのか、と感じるのですが」

「あのゴルフ場やホテルの様子を見れば、そう感じるのは当然です。それでわたしは、市議に当選以来三年余り、繰り返しこの問題を取り上げてきたのですが、いまひとつ経営の実態がわかりません」

「でもきょうは、市長は健全であると言い切った」

直樹は、いましがたブロック紙の久住に言った言葉を繰り返した。

「ほんとうなら、幌岡市民としてはたいへんうれしいことです」

ディレクターは、マイクを収め、礼を言って離れていった。

高畑が近寄ってきた。いまの取材の一部始終をそばで見ていてくれたようだ。

「事務所に戻るか?」と高畑が訊いた。

「ああ。お茶を飲んでいかないか」

「いいね」

「傍聴席の雰囲気は?」

「大半が憤慨してたよ」

「傍聴したのは、どういうひとたちが多かったんだ?」

「まず常連」

ということは、共産党系の活動家たちがまず挙げられる。それに、無党派の市民活動グループ。グループホームを運営するNPO法人が中心だ。市の福祉行政について一家言のあるグループで、市にはとことんうるさがられている。もしかすると、最後にざわついたのはこのグループの傍聴人だったのかもしれない。

「それに」と高畑はつけ加えた。「映画祭関係者にも声をかけた。実行委員会は、このところ市に不審を抱いてる。理由はわかるだろう?」

承知だ。直樹はうなずいた。

その件については、映画祭が始まってしばらくたってから、流れるようになった噂《うわさ》があるのだ。

映画祭予算に使途不明金がある、というのがひとつ。

もうひとつは、広告代理店にぼられすぎている、というものである。

映画祭は、総予算八千万円。一億の予算の夕張市の映画祭よりも二割がた小規模ということになる。八千万のうち六千万円を市が負担しているが、これは全額、国からの特別交付税交付金である。残りの二千万円は、企業からの協賛金だった。

この総予算をそっくり、一括して東京の広告代理店に支払う。広告代理店と、その関連会社であるメディア・グループは、ここから、ゲスト招待の費用や、広告宣伝費、賞金関連の費用、運営諸経費をまかなう。費用全体のごく一部が地元の映画祭実行委員会にまわって、現地での諸費用の支払いにあてられる。

ただ、このところ、ほんとうにそのように使われたのか、と疑いたくなる部分が増えているというのだ。たとえば映画祭の一部は完全に映画制作会社や放送局のプロモーションであり、彼らの宣伝予算でやっているはずである。これらに支出が発生するはずがない、と思えるプログラムも少なくないのだ。でも、支出の項目には、毎年かなりの額が計上されている。

また、招待されるゲストたちの格は毎年明らかに下がっているというのに、招待費用はほとんど変動がない。近年は、ゲストは日本の若手や中国、韓国の俳優と監督が中心である。映画祭の理念から言って、その路線変更は悪いわけではないが、しかしそれであるなら招待にかかる経費も少なくなっていておかしくはないのだ。なのに、十年前とその額は変わっていない。しかも一括で運営委託しているため、諸経費の明細は示されない。ゲスト出演者にいくら謝礼を支払ったのか、金額が示されることはないのだ。市の側から出している実行委員も、そうした領収書は見たことがないという。

もちろん特別交付税交付金であるから、監査も厳格におこなわれていることになっている。使途不明金疑惑は、あくまでも噂レベルのものでしかない、という言い方も可能であるが。

また、大田原市長をはじめ、市の幹部が東京で映画祭準備に使う金額も馬鹿《ばか》にならない。六本木の一流ホテルの宿泊費や、映画関係者への接待などが総予算の中から出されている。一回の出張で飛ぶ百万以上のカネはほんとうに必要なのか、と実行委員会の一部は問題にしている。その準備のあれやこれやまで、ほんとうは広告代理店におまかせしているのだ。市幹部による関係者接待など、不要のはずである。この支出は、大田原とその取り巻き連中の東京遊興の費用ではないか、と問題にする声がある。

映画祭開催以来十五年間、運営には同じ広告代理店があたってきた。毎年決算報告を精査せずに、運営丸投げがずっと続いてきたのだ。その広告代理店にノウハウの蓄積があることは評価しなければならないだろうが、それでも、市と癒着しすぎているのではないか、という声が出ていることも事実だ。手数料が、個別の支出とトータルと二重取りされていることにも不審の目を向けるひとがいる。

要するに、ボランティアとしてこれを支える市民のあいだでは、映画祭予算の使い方について疑念がふくらんでいる。せめて数年に一回、コンペで複数の代理店にアイデアと予算の割り振りを競わせ、比較してみてはどうかという声が上がっているのだ。

高畑光男が言った。

「だから、映画祭実行委員会の何人か傍聴にきていたんだ。お前の質問が楽しみだったようだ」

「中心メンバーか」

「その一部。実働部隊のひとたち」

映画祭実行委員会の市民サイドは、これまでも運営には不満を持っていた。毎年、運営の細部は広告代理店が決める。ゲストの選定から、祭りの演出まで全部そうだ。市民ボランティアの意見が反映されることはない。ボランティアは、広告代理店が割り振ってきた仕事を無償でこなすだけだ。なのに、明らかに映画祭の予算でおいしい思いをしている連中がいる。大田原がその筆頭だ。お隣りの中田鉄治同様、彼は映画祭の実行委員長ということで、映画人の前ではタニマチ気取りだ。だけど市の補助金で運営されている以上、大田原の個人映画祭であっていいはずはない。実行委員の中でも中心的に活躍するメンバーは、六選問題にも関心が高い。

森下直樹は、首を振りながら言った。

「財政再建団体になれば、夕張同様、この町の映画祭も終わりだからな」

「そのときは、大田原から映画祭を奪える。市民ボランティアが、映画祭を自分たちのものに変えることができる」

「補助金がつかなくなっても？」

「カネは自分たちで集めてもやる、ということなんだろう」

「再建団体にならず、大田原が六選されたら」

「映画祭は、べつの意味で終わりだ。もうボランティアの多くは、広告代理店の下働きがいやになっている。一部のメンバーはそのときこそ手を引くだろう」

「いずれ、連中と映画祭問題で話し合う必要があるな」

「そのときは、場所を設定するよ」

「それほどおおげさなものじゃない」

小さな町なのだ。映画祭実行委員会に参加するメンバーの大半は顔見知りだ。商工会の若手や青年会議所のメンバーが多い。みな大田原の支持者たちだ。でも、委員の一部には、いま高畑が言ったような問題意識の持ち主がいるのだろう。

直樹が高畑とふたりで市庁舎のロビーを出ようとしたとき、ひとり知人と出くわした。小学校から高校まで同級生だった男だ。地元の印刷会社に勤めている。加藤《かとう》という。直樹と加藤とは、お互いにおっと声をかけて立ち止まった。

加藤の父親は炭鉱夫だった。その父親はもう亡《な》くなっているが、加藤の家族はいまでもかつての炭鉱住宅住まいだ。

加藤の顔が、どこか暗かった。何か悩みごとでもあるという様子だ。

どうしたんだ、と高畑が訊《き》くと、加藤は答えた。

「じつは、お前たちには伝えてなかったけれど、町を出ることにしたんだ。転出届を出しにきた」

直樹は驚いて思わず言った。

「どこに行くんだ？」

「札幌」

高畑が訊いた。

「勤め、辞めるってことか？」

「ああ」加藤は暗い顔を高畑に向けてうなずいた。「この春から、給料が減らされていたんだ。若いのがひとり馘《くび》になったけど、次はおれだろう。先回りした」

「札幌で、仕事はもう見つかったのか？」

「なんとか。同じように印刷会社だ。ただし営業。歩合制」

「お前、営業経験なんてないだろうが」

「工員では見つからなかった」

加藤は直樹に顔を向けてきた。そう哀れむな、と言っている目だ。

直樹はあわてて表情をつくろって言った。

「会社、そうとう業績悪いのか?」

「受注は、去年の半分だよ」

高畑が言った。

「思い切ったな」

「このままいても、会社が危ない。町も危ない。いまなら、ぎりぎりやり直せるかと思って」

加藤は子供がひとりいる。男の子だ。たしかもう中学生のはずだ。

直樹はなんとか言葉を探し出して言った。

「そうだな、いい判断かもしれない。うちはもう?」

「見つけた。明後日《あさって》、引っ越す」

「引っ越し、手伝いに行こうか」

「いいよ」

「行くよ。何時に行けばいい。トラックは何時だ?」

「十一時」

「朝に行く」

高畑も言った。

「おれも行くよ」

「申し訳ないな」

「いいんだ」

加藤と別れて、市庁舎の外に歩み出た。

市庁舎は、かつて炭鉱で栄えていた時期の、もっとも繁華だった商店街の裏手にある。大通りから、一本山の手側に入ったところに建っているのだ。庁舎前のゆるい坂道を五十メートルほど降りてゆくと、本町商店街に出る。直樹の司法書士事務所も、この中にある。

交差点まで降りて、直樹たちはいったん立ち止まった。谷に沿って延びる通りが本町商店街だ。この交差点の左右二百メートルほどのあいだに、かつては三十軒以上もの商店が軒を並べた。デパートを名乗る大型の商店もあった。旅館が三軒、映画館も二軒あった。六月の炭鉱祭りの時期には、身動きが取れないほどの人出となった。

いま、この通りは寂れきっている。建物が撤去されて、空き地となっているところも目立つ。まだ営業を続けている店は、五軒だけだ。

高畑が言った。

「お茶を飲もうと言っても、けっきょく『ともしび』に行くしかないんだよな」

高畑の言うとおり、この本町で喫茶店に入ろうと思ったら、四十年の歴史のある「ともしび」という喫茶店に行く以外の選択肢はなかった。十年前までは、まだこの商店街には、五、六軒の喫茶店があって、町の微妙な階層差を反映して棲《す》み分けていた。でもいまは、右も左も、ホワイトカラーも作業員も、主婦も営業マンも、「ともしび」でコーヒーを飲む。ひと休みする。お昼どきであれば、ドリンク付きカレーセットを食べる。

午後三時のその本町通りには、ひとの気配はなかった。宅配便の軽トラックがゆっくりと走っているだけだ。歩行者はいない。

通りの様子を眺めているうちに、外でお茶を飲もうという気も失《う》せてしまった。

直樹は提案した。

「おれの事務所で、お茶にするかい」

高畑が返事をせずに携帯電話を取り出した。ちょうどかかってきたところらしい。

ふたことみこと相手と話してから、高畑は言った。

「仕事ができた。つぎにしよう」

直樹は訊いた。

「きょうのおれの質問、何点だ？」

「八十点」

「二十点足りない理由は？」

「もっと過激に問い詰めてもよかった」

直樹は肩をすぼめた。こちらが強い調子で問うたところで、大田原はどっちみち、さきほどと同じ調子で、まともには答えなかったはずなのだ。

高畑はにやりと笑って言った。

「冗談だよ。あれで十分」

高畑は手を振って、市役所前の駐車スペースに向かって歩いて行った。


その夜、取材を受けた局のローカル・ニュースを見た。

夕張市の財政破綻《はたん》問題が特集されていた。番組のほとんどは、夕張についての映像だった。中田鉄治市長のストック映像が出てきた。

彼は、質問に答えて言っている。

「夕張に貸すってことは、国に貸すってことと一緒だよ。返せるから、銀行も貸すんですよ。そういうことは心配しなくていい」

質問は省略されていたが、財政破綻の懸念《けねん》を、インタビュアーは口にしたのだろう。その質問についての回答が、いまの中田市長の言葉だ。

いつのインタビューなのかクレジットは出てこなかったが、中田市長がまだまだ威勢がよかったときのものだ。しかし、すでにマスメディアも夕張の債務については何かしらの情報を得て、財政破綻を疑っていたのだろう。ということは、十年くらい前か。中田鉄治の市長任期五期目のことだろう。

ナレーションは、夕張市の財政破綻の一因として、中田市長の暴走を議会が止められなかったと示唆《しさ》していた。その中田市長の映像のあと、幌岡市の大田原市政についての話題となった。夕張の双子町《ふたごまち》、同じように旧産炭地であり、観光開発で生き延びることを構想した都市。この町もまた、夕張同様の財政破綻が懸念されているのだと。

幌岡の実情について簡単な要約があったあと、きょうの幌岡市議会での質問が紹介された。大田原市長は第三セクターの経営問題について、実態の開示をしないまま絶対安心と言い切った、と。

テレビを見ていた娘の由香が言った。

「お父さんだ」

直樹のインタビュー映像が映った。直樹の言葉は、ひとこと引用されている。

「三セクについても、市の財政についても、この三年間、疑問は募るばかりです。懸念しています」

息子の弘樹も、大きな声を上げた。

「お父さん、テレビに出てる」

妻の美由紀が言った。

「静かにしなさい」

直樹は黙ったまま、食事を口に運んだ。きょうのインタビューの映像が、もうこの特集に使われていたので驚いた。

自分の顔が、少し緊張ぎみと見えた。それに高畑が言うように、たしかにこの言葉と声の調子では、財政破綻への懸念の強さは伝わらない。自分でも少しいい子すぎるコメントと感じた。なるほどこれでは八十点だ。

次に映ったのは、北海道大学の助教授、重森薫のインタビューだった。彼女は、公共経済学の専門家の立場から、こう言っていた。

「夕張の破綻には、北海道の責任もけっして小さいものではありません。明らかに無謀と思える観光開発投資に対して、これを十分に指導できなかった。声の大きな自治体有力者や国会議員、道議会議員に、いわば押しまくられた結果がいまの夕張です。夕張の市民が、責任は北海道にもあると主張するのも、まったく根拠がないわけではありません」

カメラ・アングルが変わって、重森薫の別カットとなった。

「議会がまったく機能していなかったことも問題です。議会にふつうの感覚があれば、市の暴走を早い段階で止めることができたはずです。各自治体の議員ひとりひとりの資質を高めてゆくことが、第二の夕張を作らないもっとも有効な方策かもしれません」

そして初冬の夕張の谷のロングショットとなった。谷全体がもう雪に覆《おお》われている。わびしくも、また哀《かな》しげにも見える風景だった。数日前の、小雪が降った直後に撮影された映像だろう。

その特集番組の最後は、例のとおり、成り行きが注目される、という決まり文句のナレーションで締められた。

美由紀が、テレビから直樹に視線を移して言った。

「お父さん、期待されてるのね」

直樹は、美由紀の言葉に驚いた。どういう意味で言っている？　おれが先日彼女と会ったことは、とくに話していない。またいまの重森薫の言葉も、とくに幌岡市議に向けられたメッセージではなかった。ただの一般論だ。なのにおれが期待されていることになるか？


美由紀が、重森薫の言葉を繰り返すように言った。

「議員ひとりひとりの資質の向上。それがあれば、この町も死なずにすむ」

「この町のことだけじゃないよ。自治体一般の話だ」

「幌岡については、お父さんってことじゃない？」

「議員全員の話」

「きょうの質問、注目されていたのね」

「市長がどう答えるかが注目されていたのさ」

直樹はテーブルのサラダの皿に箸《はし》を伸ばした。

8

その日、朝の九時に、直樹は加藤裕一《ゆういち》の住む旧炭鉱住宅街に到着した。

そこは、四階建ての箱型の建物が十数棟建ち並ぶエリアで、かつて北炭幌岡炭鉱が石炭を掘っていたころの職員住宅街のひとつだった。北炭が撤退する際、北炭は市に対して、ここを含む住宅群の買い上げを要求した。市は、北炭が前年度の公租公課を支払っていないことを理由にこれを拒んだ。けっきょく北炭は、ほかの施設と合わせ、公租公課分との相殺《そうさい》ということで、これらの不動産を市に残していったのだった。炭住はそのあと市営住宅となり、かつて炭鉱職員だったひとびとがそのまま住み続けている。どのエリアの炭住もすべて、内風呂《うちぶろ》はない。住人たちが高齢化したこともあって、近年はかなり空き家が目立つようになっていた。この地区の炭住総戸数三百五十あまりのうち、いまここに住んでいるのは、二百世帯ほどだという。

加藤裕一が住む棟の前までゆくと、すでに共同玄関の前には、いくつもの家具が運び出されていた。屋外で荷造りを手伝っているひとが七、八人いる。ということは、部屋の中でも何人かが引っ越し作業を手伝っているのだろう。手伝っているわけではないが、なんとなくその場にいる、という様子の近所のひとも、十数人いた。

その場にいるひとにあいさつして、二階の加藤の部屋に向かった。中には加藤の家族のほかに、高畑を含めて六人の男女がいた。高畑ともうひとりの男性が、洗濯機を外に運び出そうとしていた。直樹はすぐにその男性と代わり、その洗濯機を部屋から運び出した。

直樹は、階段を降りながら高畑に言った。

「遅刻だったな。もう始まってるとは思わなかった」

「炭住だからな」と高畑は言った。「こういうときは、すぐに近所のひとが集まる」

「中は片づいたのか」

「あと大きいものは、冷蔵庫ぐらいだ」

直樹たちは、共同玄関の前の空き地に洗濯機を置いた。

脇《わき》のほうで、年配の女性たちが三人で、七輪を前に何か料理を作っていた。豚汁のようだ。その横の木箱の上には、握り飯が用意されている。手伝いのひとたちのために、炊《た》き出しがおこなわれているのだ。

直樹が部屋まで戻ると、こんどは冷蔵庫が運び出されようとしていた。直樹はすぐにまたひとりと代わった。

部屋の奥のほうでは、加藤が言っていた。

「みなさん、どうも。もう大物はありません」

共同玄関を出て冷蔵庫を地面に置くと、年配女性のひとりが直樹に言った。

「森下さん、食べなさい。そんなに頑張らなくても」

食事は一時間前にすませたばかりだったが、ありがたく豚汁を一杯ごちそうになることにした。

引っ越し荷物とは離れた場所に、いくつもの段ボール箱が並べられていた。地面に直接置かれた小物の家具や什器類《じゅうき》もあった。古い自転車とか、家具代わりの白いボックス、ミシンなどがある。それに衣類も、箱の上に並べられている。そうとうに傷《いた》んだものもあるが、まだまだ着られそうなものもないではなかった。それらの品々を、近所のひとたちが熱心に見つめていた。

その場にいた最年長と見える男が、集まっていた近所のひとたちに言った。

「十一時には、トラックがくる。品物をよく選んでくれ。できるだけ多く買って、加藤さんに多く現金を渡してやってくれ。いいね」

町内会の会長か世話人という役割の男のようだ。

「さ、まだ掘り出しものが残ってるよ。目利《めき》きは、早めに唾《つば》をつけるよ。さ、選んでくれ」

いつごろからなのか、この町では誰かが引っ越すとき、不用品を安く売ってゆくのが慣習となっていた。引っ越し先に持っていっても仕方のないような品々を、希望者に譲るのだ。引っ越してゆく家庭のほうで、品物に希望の売価をつける。

リサイクル・ショップのような店もない町だから、引っ越しセールが臨時的なリサイクル・ショップとなる。少し高額の商品や、耐久消費財は、いつも人気がある。こういった品は競売となる。いちばん高い値をつけたものが、その品物を手に入れる。離農農家などでは、農機具や工具、農作業用の消耗品などが大量に出る。その場合は本格的な競売となる。炭住の引っ越しの場合は、きょうのようにごくささやかにおこなわれるのだ。それでも引っ越しのやりきれなさや感傷を、そのセールが少しはなごませてくれる。

年配の男は、広げられた品物の中から、自転車を引っ張りだした。後部に大きな荷台のついた古い実用車だ。前輪がパンクしているように見える。

「まだ使える自転車。最低千円からやろうかね。パンクだけ直せば、五年は乗れる」

つぎに男は、衣類の中から一点を持ち上げた。

「本革のジャンパーだ。男ものだね。革は、古いほうが味が出る。これは三百円からやろうか。よおく見ておいてくれ」

三十代の男が進み出て、そのジャンパーに手を伸ばした。試着したいということのようだ。年配の男はその男にジャンパーを渡すと、つぎに古い鏡台のそばにしゃがんだ。三面鏡になっている。かなりの年代ものだ。

「加藤のばあちゃんの鏡台か。いまどきこういう品物って、古道具屋ではいい値のはずだぞ。とりあえず手に入れておいて、どこかに売るんでもいいかな」

ひとりの中年女性が、その鏡台の前にしゃがみこんだ。

町内会長ふうの男は言った。

「さ、どんどん買ってやりなよ。迷うような値段つけてるわけじゃないんだから」

直樹が豚汁を食べているあいだに、またひとが少し増えた。引っ越しセールは、この季節にもかかわらず、けっこう賑《にぎ》わってきた。何か手伝うことはないかと、声をかけている住民もいる。

やがて、加藤裕一の一家が外に出てきた。部屋の片づけも最後の清掃も終わったようだ。加藤と、その妻、それに男の子に、炊き出しの女性たちが豚汁の椀《わん》を差し出した。

加藤が、直樹のそばに寄ってきて言った。

「すまんな。忙しいだろうに」

「いいんだ」と直樹は言った。「だけど水臭いぞ。どうして黙ってたんだ?」

加藤は暗い顔で言った。

「なんか、逃げ出してしまうように思われるのがいやだった」

「どうして逃げ出すなんて思われる?」

「だって、この町も夕張みたいになるんだろう？　みんな声には出さなくても、思ってるよ。このままこの町にいていいのか、大丈夫なのかって。じっさい、力のある人間は、この十年のあいだにどんどん町を捨てて出て行ったんだ」

「そのひとたちは、町を捨てたわけじゃないだろ。仕事が必要だったんだ」

「それでも、長いことこの町に住んできた」

「この町の住民は、一〇〇パーセントよそから同じ理由で移ってきた。仕事がなくなれば、また出て行くさ。あんたが出るのも当然のことだ」

「町はずっとあるものだと思っていた。たとえ炭鉱がなくなっても、まだ町は残るってね。観光開発が始まったときは、また栄えるんだと信じた。あのころは、いつかこの町から出てゆくことになるとは、夢にも思っていなかった」

「町にも、浮き沈みはある。いまは、きついときだな。とくにうちみたいな旧産炭地は」

「仕事が必要なんだ」と加藤は、自分に言いきかせるような調子で言った。「みんないいひとで、おれが出て行くのはほんとうに申し訳ないと思う。もう歳《とし》だってことで、出たくても出られない家も多いんだし。それで、言い出しにくかったのさ」

「札幌で、がんばってくれ」

「あんたもな」と、加藤は顔を上げて、まっすぐ直樹を見つめてきた。「こんどの選挙、応援できないのが残念だ」

「気持ちだけで十分だよ」

「あんたは、前の選挙のときに、もう立候補しているべきだったよ」

意味がわからなかったが、直樹はとりあえず冗談めかした調子で言った。

「したよ。だからいま市議なんだ」

「市長選のことだよ」

市長選？　直樹は驚いた。加藤が話題にしているのは、市長選のことなのか？

加藤が続けた。

「あんたが立候補して、こんどは面白い選挙になるのにな。正直言うと、おれは三選目までは大田原さんに入れた。だけど、四選目は白票、五選のときは棄権したんだ」

「あんたが言っているのは、市長選のことか？　市議選じゃなく」

「出るんだろう？」

直樹はとまどいつつ訊《き》いた。

「そんな話がどこから出てくるんだ？　おれも知らないのに」

「昨日、聞いたよ。出張所で。新聞の記事を見ながら、きてたひとが話題にしてた」

あの議会での質問の件は、昨日朝刊の掲載だった。どの新聞も、ほぼ同じ調子の記事だ。幌岡市でも市財政と第三セクターの経営実態に疑念の声、というものだ。全国紙の長沢の書いた記事がやや詳しく、直樹の名を出して、市議会でも質問があったと報じていた。でも、そこまでだ。記事には市長選という言葉は出てきていない。直樹の大田原との対決姿勢が、あまり明快でなかったせいかもしれない。

加藤が、意外そうな顔で訊いた。

「ちがうのか？」

心苦しかったが、直樹は否定した。

「そういうことを考える時期じゃないよ」

「来年四月が選挙だぞ」

「誰が言ってたんだ？」

「ロビーで新聞読んでたひとが、この市議さんはつぎの市長選に立候補するんだそうだ、って言ってた」

どこから洩《も》れたのだろう。あの後援会立ち上げのときのメンバーの線か。犯罪の謀議ではないのだから、それが関係者の口から周辺に伝えられてもおかしくはない。いや、その情報を早めに広めたほうがよい、と考えたものがいてもおかしくはないのだが。

「それは、ふつうの市民？」と直樹は訊いた。大田原の後援会とか市役所職員などが言っていたのだとしたら、少々情報の広まりは早すぎるのだから。

加藤は答えた。

「ああ、言っていたのは、年金暮らしのおじいちゃんだった」

「期待をこめて、だったかい？」

「面白くなりそうだ、っていう雰囲気だったな。議会でも、あんたははっきり大田原市長の対立相手だ。昨日の新聞記事も、そう書いてあったぞ」

それは記事の誤読だ。どの新聞も、そこまでは書いていない。でも、新聞がわざわざ若手議員の質問を記事にしたというだけで、たしかに何かしら意味があるように読めるのかもしれない。

直樹は言った。

「大田原さんとは、対立なんてできていないよ。格がちがいすぎる。ぼくは市議一期目の若造だぞ」

「そういうことは関係ないさ。大田原が初出馬したときだって、まだ若手の市職員でしかなかった」

「市の中堅幹部だったよ」

「二十年前の話だ。大田原がこんども選挙に出たら、この町はこんどこそ終わりだ。何にもならなかった投資と借金の果てに、人間で言えば自己破産だ。あっと言う間に町は衰弱して、おれみたいに町を出る人間が、雪崩《なだれ》を打つように増える。この町はせめて十二年前に、大田原を引きずりおろさなきゃならなかったんだ。殿、ご乱心ですっ、とか言ってはがい締めにしてな」

「そうだな。あのひとの路線では、けっきょく新しい産業は育たなかった。印刷業だって、苦しくなる」

「やっぱり出る気があるんだろ？」

加藤の真摯《しんし》なまなざしに、直樹はこんどは答を逃げるわけにはゆかなかった。

直樹は小さく言った。

「そのつもりだ」

それまでずっと暗い顔だった加藤が、かすかに微笑した。

自宅に戻る途中で、携帯電話が鳴った。

車を道路脇に停めてディスプレイを見ると、多津美裕からだった。

直樹は、教師から電話を受けたときの小学生のような気分になったことを意識した。センセイはきょうは何を言ってくるのだろう。

「記事を見た」と多津美は、例のとおり横柄《おうへい》にも感じ取れるような調子で言った。

「テレビのニュースも」

記事は多津美のもとにファクス送信されたのだろう。テレビの特集番組は、動画ファイルとして送られたか。たぶんどちらも、友人の高畑光男が引き受けてくれた仕事だった。選挙コンサルタントである多津美との連絡役は、高畑が買って出てくれたのだ。

「どうでした？」と直樹は訊いた。

多津美は答えた。

「記事を読むかぎり、あまり鋭い質問じゃなかったみたいだな」

「どっちみち、まともに答えないのははっきりしてましたから。だからむしろ嘘《うそ》を言わせる、という作戦だったじゃないですか」

「言ったか？」

「三セクには、財務上の問題は何もないと」

「嘘としてのインパクトは弱いな。けっきょく爆弾質問にはならなかったわけだ」

「痛い質問ではあったはずです。肩代わり貸し付けの根拠を訊いたんですから」

「どうかな。野次の集中砲火はあったか？」

「いえ。わたしの前に質疑に立った共産党議員には、けっこうありましたが」

「負けてちゃいけない。あっち側の議員連中とか傍聴者から、むちゃくちゃに野次られるぐらいじゃないと駄目だ。野次のひと声は十人の支持者を作る、ぐらいのことと思わなければ」

「まるで野次はありませんでしたね」

多津美の溜《た》め息が聞こえた。

「デビュー戦は不発だったかな」

直樹には判断のしようがなかった。

黙っていると、多津美は言った。

「テーブルを叩《たた》いて、財務諸表を示せ、と迫ってもよかったんじゃないか」

「突っぱねられるのはわかっているのに？」

「大田原追及は何のためだ？　あんたの市長選勝利のためのワンステップだぞ。あんたはもっと、市長の敵として印象づけられるべきだった」

「敵、なんですか？」

「支持者じゃない、という程度じゃ弱い。敵になるべきなんだ」

「味方になる以上に難しい」

「懲罰動議をかけられるぐらいが望ましいんだ」

「議員生命が絶たれるかもしれない」

「かまわんさ。身を捨ててこそ、浮かぶ瀬もあれだ」

「どういう意味です？」

「大田原一派に敵として認知されてこそ、対立候補としての資格もできるってものだ。泡沫《ほうまつ》候補じゃなく」

「準備不足のまま対立候補とみなされたら、つぶされる。後援会も切り崩される」

「もはや選挙は動き出しているんだ」

「でも、懲罰動議をかけられるような発言をしていたら、いまの支持者まで失うかもしれない」

「いや、逆だ。破廉恥罪《はれんちざい》で捕まるのとはわけがちがう。対立候補としての存在感が強まるほど、支持者は増える。議会は任期中、あと一回あったな？」

「ええ。一月の定例議会」

「それが最後の、売り出しの機会になる。そのときは、派手なパフォーマンスが必要だぞ」

「パフォーマンスですか」

「政治家にとって、最重要な資質のひとつだ」

「わたしは政治家じゃない。司法書士です。たまたま市議会議員もやっている」

「まさか、自分はただの御用聞きだ、と言っているわけじゃないだろうな」

直樹はもうそれ以上言い返さなかった。この選挙コンサルタントは、直樹がこれまで出会ってきた中では最高クラスのプラグマティストだ。その彼に、書生論で対抗しても意味はない。自分の幼さが意識されるだけなのだから。

「とにかくだ」と多津美が言った。「せっかく注目される機会では、派手に動け。派手に発言しろ。懲罰動議くらいじゃ足りない。名誉毀損《きそん》で訴えると脅されるぐらいがいいんだ」

「大田原を、泥棒野郎とでも罵《ののし》ってやりますか」

「大泥棒でペテン師で、日本全国の市長の中でも最低の阿呆《あほう》だ、と言ってやったらどうだ」

「冗談ですよね」

「本気だ」

「で、きょうの用件は」

「いまの話だ。せっかくの議会質問なのに、インパクトが足りなかった。メディアでの露出の仕方もお行儀よすぎる。せめて大田原は最低だ、と言ってやれば、メディアの取り上げ方もちがったんだぞ」

「面白がって囃《はや》すだけです」

「それでいいんだ。どっちみち、市長選で勝っても議会はオール反対派だ。よい子でいたっていいことは何もない」

「わかりましたよ」

「いいか。市長選立候補を決断したんだ。敵を作りたくないという処世術はもう通用しない。よい子をやめろ。敵を作るんだ」

「無理に作らなくても」

「何度も言わせないでくれ。敵と認知されてこそ、対立候補なんだ」

「立候補表明をしろって意味ですか?」

「それはまだ早い。だけど、大田原一派を動かすんだ。お前さんには絶対に立候補させないと、対策に乗り出してくるまで。妨害や引き留め工作が始まれば、あんたは敵も認めた手ごわい対立候補として、登場できるんだ」

「具体的には何をやればいいんです？」

「挑発。様子を見ながら繰り出せ。向こう側が怒りのあまり、度を失うぐらいに。わたしも東京で仕掛けを考える。じゃあ」

多津美が電話を切った。

直樹は溜め息をつきながら携帯電話を畳んだ。

挑発しろ。敵を作れ。妨害工作をやらせろ。

多津美はあっさり指示してきたが、容易なことではない。大泥棒のペテン師野郎と呼ぶことすら、自分には難しい。

直樹は携帯電話をポケットに収めると、再び車を発進させた。きょうはこのあと家族で、千歳市の大型ショッピング・センターに行くことになっている。ファミリー・レストランにも入ることになるだろう。幌岡市にはファミレスは一軒もないから、何年か前に子供たちを連れていったときは、ふたりとも大喜びしたものだ。とくに姉の由香は、そのあとしばらく、ファミレスのお姉さんごっこに夢中だった。

自宅へ向かう途中に、また携帯電話が鳴った。

同じ町内の工務店の社長からだった。橋本《はしもと》という五十男だ。

直樹はもう一度車を停めて、電話に出た。

相手は言った。「園田《そのだ》の爺《じい》さんが亡《な》くなった。明日通夜《つや》だ。手伝ってもらえるかい」

もちろんだ。市会議員にとって、地元の冠婚葬祭は絶対にパスすることのできぬ行事だった。とくに葬儀は。いまは公職選挙法の規定で、それがたとえごく身近なひとの死であっても香典を出すことはできないが、その代わり葬儀の裏方を務める。そこでかいがいしく働く。もともと地元のつながりの深い町だから、直樹は以前からも地元の住人の葬儀は必ず手伝ってきた。とくに議員になってからはいっそう積極的になっていた。

直樹は訊《き》いた。

「園田さんが亡くなったのは、病院で？」

「ああ」橋本は言った。「末期ガンだった。七十八歳。喪主は、ばあちゃん。息子さん家族が、今夜札幌から駆けつける。葬儀会場は幌善寺《こうぜんじ》。何時から来れる？」

一瞬、答を躊躇《ちゅうちょ》した。娘たちをファミレスに連れてゆくつもりなのだ。帰ってきてからでよいか。

「四時ぐらいに」と直樹は答えた。「ひとつどうしてもはずせない用事があって」

「園田さんのうちにいるよ。そうそう」橋本の声の調子が変わった。「そのときちょっと話もある」

「なんです？」

「いや、そのときに」

思わせぶりな口調だった。なんとなく、市長選が話題になるような気がした。橋本は町内会の役員として、また商工会の理事のひとりとして、無類の選挙好きでもあるのだ。市議会議員選挙から国政選挙まで、選挙となれば必ず町の選挙事務所で雑務の采配《さいはい》を振るのが彼だ。大田原市長の有力後援者でもある。

たぶん、その件だ。


直樹は、午後の四時すぎに園田の自宅を訪ねた。すでに町内会の関係者が十人ばかり集まっていた。

亡くなった園田安治《やすじ》は、かつて幌岡炭鉱の事務員として働いていた男だ。定年まで勤め上げて、そのあとは年金暮らしだった。本町裏手の斜面の中腹に自宅がある。

三人いた子供たちはみな独立し、家を離れていた。二十年近く、夫婦はふたりきりで暮らしていた。直樹の記憶では、園田安治はたしか今年の春ころに幌岡市立病院で検査して、肺ガンとわかったはず。ガンはかなり進行しているとのことで、そのまま入院を続けていた。

家の中に入ると、すでに奥の間に柩《ひつぎ》が安置されていた。その前で、園田安治の妻のミツが、同年配の女性たちに慰められている。手前の茶の間では、近所のひとたちが手分けして年賀状の束をより分けながら、電話で訃報《ふほう》を伝えていた。妙に黒スーツの似合う男は、葬儀社の社員だった。何か書類を広げて、書き込んでいる最中だ。

直樹が園田ミツにお悔やみを言って玄関口まで下がると、さっき電話をくれた橋本が寄ってきた。

「森下くん、ちょっと話せるか」

最近聞いた下ネタを聞かせてやろうという顔ではなかった。その目の色にも声にも、かすかな怒りが感じ取れる。

「かまいませんよ」

直樹は玄関を出て、マフラーを巻き、ジャケットの胸をかきあわせた。

橋本は、職人のような髪の頭にキャップをかぶって出てきた。

「あんた、市長選に立候補するって聞いたが」

すでに広まってしまったことなのだろう。

直樹は答えずに訊き返した。

「どこからそんな話が？」

「ほんとうなのか？」

「考えてはいません」

「裏選対もできたとか。あの江藤がフィクサーだそうだな」

市職員の江藤の名も把握されているのか。

直樹はとぼけた。

「もしかして、一緒にお酒を飲んだことを言ってるんですか」

「それだけじゃなかったんだろ。市長選、出るなら出るでいいが、筋は通せよ」

「は？」

「議員も市長も同じだ。選挙に出るなら、まず地元にあいさつ。それから関係団体にあいさつだ。それ抜きで勝手な真似《まね》をしたら、この町の民主主義はぶち壊されてしまう」

直樹は、橋本の口から民主主義という言葉が出たので驚いた。このひとと自分は、その言葉について、同じ概念を共有しているのだろうか。このひとが言っている民主主義とは、直樹の理解するものと、途方もなく乖離《かいり》があるということはないか。

橋本は続けた。

「選挙ってのは積み上げだ。地元で、そして職場や職能団体や関係団体のあいだで、誰もがこんどはあいつだ、ってことになったときに、立候補するものだ。地元にも、仕事関係にも、何の相談もなく立候補してたら、この町の民主主義は終わるんだ。誰かタレントが落下傘《らっかさん》でやってきて市長になる、なんてことになったら、最悪だろう」

橋本は、本州の自治体のその最悪の例をいくつか挙げた。しかしその自治体の名を聞いても直樹には、そこで民主主義が終わっているとは思えなかった。

橋本は身を縮め、斜面の下の市営住宅街に目をやりながら言った。

「公職ってのはな、なりたいひとがなるんじゃない。やらせたいひとが、引き受けてなるものだ。人望があって、活躍の実績があって、そろそろあのひとだよね、と話題になったところで、なるものだ。そのタイミングは、まわりが決める。本人が決めることじゃない。あんた、まわりで市長をやれという声があるか？　誰もがこんどはあんただと背中を叩《たた》いてくれているか」

事実については言えなかった。町内会や関係団体とは微妙にずれたところから、自分は推薦をもらっているが。

橋本はまた直樹を見つめて言った。

「大田原さんは、アクも強いひとだけど、やり手だ。夕張があんなことになったいま、知事や国会議員と親しい大田原さんしか、市長はできないだろう。夕張が再建団体になったのは、中田鉄治が死んでしまったからだ。その後継で、あの組合の委員長上がり、助役上がりの鈍い男が市長になったからだ」

直樹はようやく反論のきっかけを見つけた。

「夕張の後藤市長も、町中の団体全部が応援しましたね。経済界も市役所も地区労も。人望もあって、期待された市長だったと思いますが」

「ほかにひとはいなかったんだろう。だけど中田鉄治に較《くら》べれば、小物だ。道議会議員ひとり動かすこともできなかった。あんな男が市長じゃ、再建団体入りもしかたなかったさ。うちは、あの轍《てつ》を踏んじゃならない。いまだからこそ、大物の、政治力のある市長が必要なんだ。議会でねちねちと重箱の隅突ついているような男じゃなくな」

「橋本さんの、市長選についての考えは承りました。参考になりました」

橋本は、片方の眉毛《まゆげ》を上げた。

「皮肉か？」

「いえ。人望。人徳。まわりがそろそろと言ってくれるような候補、っていう部分です。そういう人間になれるよう、議員活動、頑張りますよ」

「あんたがこの町の慣習を無視して立候補するようなことになったら、町内会はあんたから離れる。商工会もだ。応援することはない。あんたは供託金を没収されて、事務所を畳んでこの町を出てゆくんだ」

「頭に入れました。ご忠告ありがとうございます」

「出ないんだな？」

「考えていません」

「出ない、と約束できないか」

「橋本さんに約束するようなこととはちがいますが」

「出るのか」橋本の目がいくらか細くなった。「いやなことを思い出したぞ」

「なんです？」

「あんたの親父《おやじ》さんの事故死のことだ。あんなことがなければ、もっと長生きして、この町で事業続けられたのにな」

直樹はまばたきして橋本を見つめた。橋本は皮肉っぽい笑みを浮かべると、後ろを向いて玄関の中に消えていった。

父親の死。先日も江藤から聞かされた。事故死、として処理されたが、あれは自殺だったと。大田原三選阻止に動いた父親に対して、卑劣な情報操作があったのだ、と江藤はほのめかしていた。明るみに出れば、死による解決も選択肢となるだけのことだったようだ。江藤自身は死ぬことはなかったと言っていたが。

つまり、父親が関わったスキャンダルということなのだろう。でも、どんな？　父が自殺を選ばなければならなかったほどのスキャンダルとは、いったいどういうものだ？

江藤も詳しくは教えてくれなかったが、仕事にからんだ違法行為だったという。大田原陣営はみなそのときの裏の事情を知っているということなのだろう。

夕方の園田の家の前で、直樹は立ち尽くした。

父は違法行為で、不正なカネを手に入れたか。

いや、父は清廉《せいれん》な男だった。死んだときに何が残ったかを考えてもわかる。寝室が三つの小住宅と、事務所の備品。釣り以外には趣味もなく、ぜいたくとは無縁に慎《つつ》ましく生きていた。自動車はずっと国産の中古車ばかりだった。カネのはずはない。

では、なぜ父は自殺まで？　その違法行為には、セックスがからんでいたのか？

まさか、と直樹は大きくかぶりを振った。最大限の敬意をこめて思うが、父には浮気したり愛人を作ったりするような甲斐性《かいしょう》はなかった。母が管理していた家計の中からわずかな小遣いをもらい、安タバコを吸って生きていた。あのような生真面目《きまじめ》すぎる司法書士が、いったいどこでどんな女性と関係を持つことができたというのか。

いずれ、と直樹は思った。江藤にきちんと訊こう。もし市長選のあいだにそんなことが蒸し返されるようになった場合、対処の心構えだけはしておいたほうがいいのだ。もっとも、江藤は父の死の真相を知ったうえで、直樹の選挙には影響はないと思ってくれているのだ。大田原一派が期待するほどには、それは大きなスキャンダルではないのかもしれないが。

玄関前に、顔見知りが悔やみを言いに訪れた。直樹は家族に代わって頭を下げた。

その日、葬儀に関わる手伝いが終わったあと、自宅に帰る前に直樹は友人の高畑光男に電話した。

「噂《うわさ》になってる」と直樹は言った。

高畑光男は、すぐに話題を察してくれた。

「市長選立候補のことか」

「ああ。おれが、もう市長選立候補を表明したみたいなことになってるようだ。もうこの情報を流し始めているのかい？」

「いいや」高畑は言った。「ただ、大田原六選反対の話はほうぼうで出ている。そのとき、お前の名前も一緒に出てるのは確かだ」

「立候補するって？」

「対立候補としてどうだろうとか、やる気はあるんじゃないかとか。このあいだ集まった選対チームの面々は、そういう話題になったときはそれを否定していない。おれを含めて」

「直接何度か訊《き》かれた。立候補するんだろうってね。おれは、いまどう答えておくべきかな」

「言下に否定はまずい。含みをもたせて答えるのがいいんじゃないか。ときがきたら考えるとか」

「いちばん苦手な答えかただ。不誠実に聞こえる」

「大事なのは、積み上げだ。周囲からの推薦の声だ。おれがやる、って出てゆくんじゃなく、出てもらいたいって声を背に受けて立候補するのがいいんだ。それが民主主義だ。その声を、後援会が盛り上げる」

いまも似たようなことを言われたばかりだった。直樹は笑った。

「どうした？」と高畑が訊いた。

直樹は答えた。

「そういう演出が必要だってことだな」

「お前は実質的にそういう声に押されて立候補することになったんだよ。演出じゃない。この流れを全市的なものにするためには、多少の演出も必要だろうが」

「のらりくらりと答をはぐらかすのは、戦術としてまずくないか？」

「質問されたら、大田原の六選には反対だ、ってことだけはっきり言えばいい」

「なるほどな」

直樹は、高畑に礼を言って電話を切った。

さて、自分が次にやるべきことは。

車の中で、携帯電話を握ったまま、立候補に向けての段取りを考えた。実務的な手続きは、高畑や多津美にまかせておいてよいが、問題は自分の意志をどれだけそこに向けて高揚させてゆくかだ。決意を強固なものにしてゆくかだった。

重森薫助教授の顔が思い浮かんだ。高畑を含め、周囲には自分の議会質問の評価は芳《かんば》しいものではなかった。重森助教授はどう評価してくれるだろう。それを訊《たず》ねてみたいし、次のアドバイスももらいたいところだった。

来週、札幌に用事を作って、大学をまた訪ねてみよう。

「先生、わたしの質問は落第だったでしょうか？」と。

「そんなことはありません」と重森薫助教授はデスクの向こうで言った。

議会質問から一週間たったウィークデイの昼である。北海道大学経済学部の彼女の研究室だった。

重森薫は、デスクの上で両手を組み合わせ、微笑しながら続けた。

「第三セクターの経営責任は自分にあること。その三セクの経営は健全である、と言わせたのですから、第一段階としては十分かと思います」

その評価に安堵《あんど》しながらも、直樹は言った。

「第二段階では、いよいよ財政の実情について、明らかにしてもらわねばなりません。どうやったら、そこまで市長や役所を追い詰めることができるか」

重森薫が言った。

「大田原さんは、次の市長選にも立候補する予定でしたね」

「いえ、たぶんするだろうと話題になっているだけです」

前回会ったときも市長選は話題にしなかった。あくまでも財政破綻《はたん》を憂《うれ》える一議員として、レクチャーを請《こ》うたのだった。でも、幌岡市の財政を話題にするなら、市長選を話題にするのは自然な流れだった。告示はおよそ四カ月後に迫っているのだ。

重森薫は言った。

「じつは、多津美さんから森下さんにアドバイスして欲しいと頼まれたときに、想像がついているんですが」

「はあ」と、直樹は一応はとぼけた。

「森下さんは、市長選に立候補されるんですね？」

直樹は困惑した。さあて、いまこの質問にはどう答えるべきか。幌岡市の市民が相手なら、大田原市長の六選には反対です、と答えて、自分自身の意志は明らかにしないという手もある。しかし、いまは重森薫が質問しているのだ。

直樹は答えた。

「市長選に立候補を考えています。正直なところを言えば、多津美さんに強く説得されたんですが」

「支持層も広がっているとか」

直樹は、あの日集まってくれた選対チームの面々の顔を思い起こしながら言った。

「まだまだです」

「大田原市長も、対立候補が森下さんとなれば、財政問題については、もうはぐらかしはできません。次の議会では、財政問題について、かなり正直なところを言わざるを得なくなります。そうなると、これまでの答弁との整合性が問題になってきます。

先日の答はやっかいな足かせになったはずです」

「嘘《うそ》をついたということで?」

「ええ。辻褄《つじつま》合わせが難しくなる。来年早々には道庁の実態調査も入ることですし、大田原さんは、自分を袋小路に追い込んでしまったのでは? つまり次の議会では、ストレートに財政破綻の理由と責任について問えばよいかと思います」

そうだろうか。

直樹には、大田原がそれほどやわな政治家とは思えなかった。これまで二十年も、北海道庁や道議会議員、国会議員たちを相手にしたたかに立ち回って、大物首長としての権勢と名誉を守ってきた男だ。財政が破綻しているからといって、直樹のような青二才の前で口ごもったり、冷や汗をかいたりする男ではない。

直樹は言った。

「もうひとつ疑問なのはそこです。先生はこの前、幌岡市も財政破綻はほぼ確実とおっしゃった。なのに、大田原市長はなぜ次の選挙にも立候補することを否定していないのだと思います? わたしなら、自分が財政破綻させた町からはいち早く逃亡する。責任追及されないうちに、遠くに行きたくなりますが」

重森薫は小首をかしげ、少し考える様子を見せてから言った。

「もしよければ、場所を変えません？　きょうは次の用事が札幌駅前なんです。途中、どこかでお茶でも飲みながら」

　直樹は腕時計を見た。午後一時二十分だ。

「失礼しました。お忙しかったんですよね」

「いえ、まだ三十分くらいは余裕がありますけど」

　札幌駅近くの喫茶店に行くことにして、直樹たちは研究室を出た。

　大学の広い芝の庭の脇《わき》を歩きながら、重森薫が言った。

「再建団体入りは動かないとしても、まだ市長を続けるうまみがあるということなのでしょう。夕張よりはずっと赤字額が少ないのかもしれない。だとしたら、市長の給料は減額されても、そこそこいい職業だとは言えるかもしれません。あるいは、赤字率が再建団体認定の線をぎりぎりで下回っているか。まず、その可能性は低いと思いますが」

「解釈の幅のレベルということですね」と直樹は言った。「でも、もし財政破綻ということになれば、リコールとか、不信任があるかもしれない。うまみも、具体的にはイメージできないんですが」

「再建団体になっても、最低限の公共工事はあるでしょうし、発注仕事はある。支持者や支援企業にとっては、再建団体になればなったで、絶対に手放せない利権なのかもしれません」

「うまみが、ありますか」

「いまのご時世では、とりあえず役所から仕事がもらえるというだけでもありがたい、という企業は少なくないでしょう。そういう企業からは、当然大田原市長になんらかの見返りも出るのでは？」

直樹は大田原の後援団体や、市議会議員の顔を思い起こした。たしかに彼らは、それぞれに深く役場利権と関わっている。ろくな産業もなくなった幌岡市では、最大の産業が市役所なのだ。その下請け仕事を確保し続けるためには、財政破綻が懸念《けねん》される将来こそいよいよ大田原を必要としているのかもしれなかった。言葉を変えれば、大田原の六選は、大田原ひとりが望むことではなくなっている。大田原自身も自分の意志では決められない、ということか。

大学の正門を出て、西五丁目通りを札幌駅方面へと歩いた。

重森薫は、話題を変えてきた。

「多津美さんも、森下さんを市長にと説得するなんて、かなり熱が入っていますね」

「まったくです」と直樹は同意した。「市議一期目なのに」

「でも、幌岡市一万五千人の中では、次の市長候補は森下さんしかいなかった」

「いえ、ほかにもいるはずですよ。ぼくよりも行政に対して理想を持っているひとが。人望も人徳もあるひとが」

「現職議員という立場は、重要な要素です。前回お目にかかって、なるほど多津美さんが説得にかかるひとだと思いましたわ」

直樹は先日のテレビの特集を思い出した。重森薫は議会に期待するという意味のことを言っていたが、そのとき念頭にあったのはやはり自分のことだったか。妻の美由紀が解釈したように。直樹は自分の頬が少し赤らんだことを意識した。

直樹は言った。

「じつは、多津美さんのことは、あまりよく知らないのです。重森さんとは、以前から?」

「ええ。十年ぐらい前から。九州のある自治体の財政破綻が問題になったとき、現地でシンポジウムがありました。そのとき、会場でお目にかかった。あちこちの選挙のことを調べても、よく出てくる名前でしたね」

やはり、と直樹はあらためて納得した。多津美はただの選挙コンサルタントというだけではなかったのだ。地方自治にもかなり詳しく、十分なネットワークを持っている男ということのようだ。

北八条通りに折れたとき、重森薫が言った。

「このホテルで用があるんです。一階に喫茶店があります。そこで少しお茶でも」

「ええ」

歩道からホテルのエントランスに折れるとき、直樹は一瞬、歩道の先に見知った顔を見たように思った。男。中年男。たしか幌岡の住人だ。

直樹はその顔を確かめなかった。札幌駅前なのだ。幌岡市民がこの近所にいても、まったくおかしくはなかった。直樹は重森薫についてガラスの自動ドアを抜けた。

9

森下直樹は、振り返ってその車に目をやった。

黒塗りのセダンが一台、この市の本町、市役所に続く道を走ってゆくところだった。

そのうしろには、放送局のロゴタイプをペイントしたワゴン車が四台、さらに四台の乗用車が続いた。乗用車のうちの一台は、先日自分を取材した全国紙の新聞記者が運転している。

市役所で何か重大発表でも？

そこまで考えてから気づいた。

調査だ。市役所に北海道庁の実態調査が入るのではないか！

あの黒塗りのセダンは、道庁の役人たちが乗るものだ。マスコミの車は、この日調査があることを知っていて待機、関係者が動き出したので追ってきたということではないだろうか。

調査が入るのは、もう数日先のことだと思っていた。市職員の江藤は年明けだと言っていたが、松の内明け早々にやってくるとは。

何らかの理由で早まったのだろうが、その理由とはなんだろう？

直樹の司法書士事務所のあるビルのエントランスだった。直樹はきょう、朝の八時にこの事務所に着いて、昨夜積もった雪を除《の》けていたのだった。積雪は十センチほどだったけれども、車一台分のスペースを作っただけで、もう汗をかいてしまった。

年が明けて、平成十九年一月八日、月曜日だった。

直樹はスコップを玄関脇に立てかけると、腕時計を見た。午前八時三十五分だ。ちょうど市役所の業務が始まった直後だ。あの車が道庁の実態調査のためのものだとしたら、道庁の役人たちは近所で車を停めて、このタイミングで監査にかかれるように時間調整をしていたのかもしれない。

そのとき、防寒ジャケットの内ポケットで携帯電話が鳴った。直樹は手袋を脱いで、携帯電話を取りだした。友人の高畑光男からだった。

「いま、道庁が入るぞ。知っているか？」

直樹は、言った。

「いま、それらしい車が通っていた。年明け早々とはな」

「やると決めたら、早いほうがよかったんだろう」

「だったら、去年のうちでもよかった」

「たぶん道庁は、自分たちの失態の隠蔽《いんぺい》工作を終えたんだ。だから、幌岡市の調査にかかった。これから明るみに出ることは、全部幌岡市役所の責任だってことだろう」

高畑は口調を変えた。「おれもこれから市役所に駆けつける。お前も行ってくれ。メディアがマイクを突きつけるはずだ」

「その段取りでもしてあるのか？」

「いいや。予測するだけだ。行けるか？」

「ああ」

携帯電話を切って、ビルの二階の自分の事務所に入った。

事務員の沢島恵子が、室内を清掃中だ。直樹は、市役所に行ってくると告げて、鏡でネクタイを直した。そこにまた電話があった。

多津美裕からだった。

「きょう、北海道庁の調査が入る」

「いま市役所に向かいましたよ」と直樹は言った。「もう多津美さんにも連絡が?」

「ああ。きょうは、一日じゅう、北海道のメディアはこの話題で持ちきりのはずだ。きょうは、過激に顔を出してくれ。官僚コメントは絶対不可だぞ」

「取材を受けろということですね」

「そうだ。市議やら市職員で、あんたより面白いコメントを出す人間が出るかもしれん。そうなったら、せっかくの機会をふいにする。もう選挙戦は始まったというつもりでいてくれ」

「わかりました」

はい、ボス、という言葉も付け加えたくなったが、かろうじてこらえた。

市役所前に行くと、マスコミ関係の車が駐車禁止のスペースまで占領して停まっている。記者やカメラマンたちが大勢、エントランス前に集まっていた。ライブなのか録画なのか、レポーターが原稿を読み上げているチームもあった。

地元ブロック紙の記者が近寄ってきた。久住だ。

直樹は久住に訊《き》いた。

「実態調査が来たんですか？」

久住は答えた。

「ええ。道庁の企画振興部長がじきじきに」

「マスコミが来たってことは、事前に予告があったのかな？」

「いえ。だけど、きょう何かありそうだなっていう予兆があったんです」

「うちの市役所の連中は知ってたんだろうか」

「どうでしょう。助役や総務部長は、心底驚いたような顔をしていましたが」

「債務の額は、どの程度？」

「まだ発表はありません。はっきりした数字が出るのは、数日あとじゃないでしょうか。市役所があっさり認めない場合は」

背後で、車の急停車の音が聞こえた。直樹が振り返ると、セダンの後部席から降りてきたのは、市議会議長の荒谷だった。ダブルの濃紺のスーツのボタンをはめながら降りてきた。オーバーコートは着ていない。

地元ブロック紙の記者を含め、マスコミの関係者は荒谷のもとに殺到した。

マスコミ関係者たちは、荒谷にマイクを突きつけて、怒鳴るように訊いている。

「調査が入りました」

「ひとこと」

「どういう状態だと思いますか？」

「財政破綻《はたん》は確定ですか？」

荒谷は、皺《しわ》の深い顔を不愉快そうにゆがめ、ひとことも発することなくエントランスに入っていった。その尊大な様子は、まるで国務大臣か与党実力者を連想させた。とても財政破綻が懸念されている小都市の議会議長のものには見えなかった。

彼のあの尊大さの根拠はいったい何なんだろうと、彼を見るたびに直樹は感じるのだった。地元の実業家とはいえ、社長を務める地元の工務店は売り上げが二億に満たないし、市議会議員として何か日本中に誇りうるような実績を上げてきた人物でもない。前回の市議選での得票数は六百少々。どう考えても、彼が大物議員然として振る舞うことには無理があった。

久住がまた戻ってきた。

「森下さん、もし財政破綻がはっきりした場合、議員としてどのように対処されます？」

直樹は確かめた。

「取材ですね？」

「そうです。公表を前提にしてお答えいただきたいんですが」

「当然責任追及です。市長には臨時議会で、ことの経緯を一切合切明らかにしてもらいます」

「議会はこれまで二十年間、大田原市長の決算報告を承認してきましたが」

「もしいま破綻しているとしたら、ある時期から、決算報告がでたらめだったのでしょう。一義的な責任はでたらめな決算報告を提出した市当局にあるけれども、これを流し素麺《そうめん》みたいに右から左へ認めてきた議会にも問題がある」

「森下さんも、市議のひとりですが」

お前にも責任がある、と言われたのだろう。そう指摘されたら、たしかにそうなのだ。反論することはできない。

直樹は答えた。

「一期目の市議会議員として、ぼくは財政問題にはかなり食い下がってきました。ただ、いつも答をはぐらかされてきた。力足らずだったという忸怩《じくじ》たる想《おも》いがあります」

そこに、テレビ・カメラも集まってきた。

レポーターのひとりが、いまの記者と同じ質問を繰り返した。直樹は、いま初めて問われたことのように、同じことを答えた。

三つ四つの質問のあとに、そのレポーターが訊いた。

「大田原市長が、次期市長選にも出馬するという観測があります。市議のおひとりとして、どう対応されます？」

直樹は答えた。

「それは耳にしておりませんが、もし立候補するなら、財政破綻の責任をどう考えているのかと問いたい。どうみてもはやらない観光事業に莫大《ばくだい》な投資を続けてきたのは、ほかならぬ大田原市長なのですから」

「大田原市長の六選には反対されるということですね」

「反対です。たとえ財政が破綻していないとしても」

「理由は？」

「同じ市長が二十四年間も続いたら、行政はよどみます。幌岡市にはもうそろそろ、新しいリーダーが必要だ」

「大田原市長が六選出馬した場合、森下さんが対抗馬として立候補するということはありえますか」

きた。この質問だ。ここで、ごまかしてはならない。逃げてはならない。前回、臨時議会のあとの受け答えは失敗だったのだ。

直樹は、意識的に明瞭《めいりよう》な発音で答えた。

「わたし自身が立候補することも、考えなければならないでしょう」

「その勝算は？」

「計算する段階じゃありません。でも、勝算がなくても、対立候補は必要です。市民には選択肢がなければならない。大田原市長は、ずっと事実上の無投票当選だった。これは、健全な地方自治のありようとは言えません」

「ありがとうございます」

直樹はマスコミ関係者から離れ、市役所の中に入った。

一階のフロアはどことなく落ち着かない。額を寄せて小声で何か語り合っている職員たちがいる。課長職の面々も、数人ずつ固まっていた。みな一様に緊張した顔だ。

直樹は、通りかかった議会事務局の若い職員に訊いた。

「調査は、どうなってるの？」

その職員は二十八歳だが、男性では下から四番目の若さだ。この五年あまり、職員の新規採用は滅多になくなっていたのだ。職員のこの年齢構成を見ても、市財政の窮迫は明らかだった。市にはもう、新しい職員を採用している余裕はないのだ。

その職員は直樹に逆に訊いた。

「どうなってると言いますと？」

「どこにいる？　帳簿を押さえたりということか。それとも、関係者に事情聴取というこどだろうか」

「さあ。道庁の企画振興部長が直々におでましです。市長室にいます」

若い職員は、一礼すると直樹の前から去っていった。

帳簿を押さえにきたわけではない。市長と会談中。

監査とはちがい、きょうは実態調査なのだ。その程度のことしかしないのかもしれない。

また携帯電話が鳴った。

市職員の江藤昇からだった。彼はいま、市役所本庁舎から十五キロも離れた、ゴミ処理施設にいる。

「道庁が入ったそうだ。聞いているか」

「ええ」と直樹は答えた。「いまわたしも市役所に来ているんですが、企画振興部長が市長と会談中とか」

「道庁は去年のうちに、役場の財政課長たちをひそかに呼びつけていたそうだ。実質的な調査はもう終わってるんだろう」

それは初めて聞く情報だ。江藤の道庁コネクションが、彼に伝えてくれたものなのだろう。

「では、きょうの用件は？」

「引導を渡しにきたってことのようだ」

「引導？」

「自主再建は不可能だと、大田原を説得しているんじゃないか。財政再建団体申請をしろと」

「やっぱり再建団体申請ですか」

「振興部長が来た理由は、それしかない」

すっと市役所の中の照明が落ちたような気がした。思わず天井の蛍光灯の列に目をやったが、照度に変わりはない。たぶん自分の意識が、一瞬落ち込んだだけだ。財政再建団体申請。そして再建団体になれば、それは北海道庁と総務省に財政の自由を完全に奪われるということである。夕張市が押しつけられた再建計画は、全国最低の行政サービスを、全国最高額の負担で、という原則のものだった。幌岡市にも、その原則が適用されることになるだろう。教育にせよ福祉にせよ、ありとあらゆる補助金が削られ、市民の負担額が増える。市民が負担しきれない場合は、市立の施設の多くは閉鎖されるか統合されることになる。

市財政のうちの一〇パーセントあるいはそれ以上の額が、債務の返済にあてられ、債務の額次第では、それが向こう十年以上も続くことになるだろう。夕張市の再建計画では、十八年だ。十八年。あの再建計画は、再建を目指すというよりは、夕張市を自然死させる計画だと評されるゆえんだ。

江藤が言った。

「動き次第で、今夜か明日にでも、後援会を集めなければな。心づもりしておいてくれ」

わかりました、と直樹は答えた。

そのあと、直樹は十五分ほど市役所の中を歩いたが、状況がどうなっているのか、把握することはできなかった。少し遅れてやってきた高畑も、知り合いの職員たちに片っ端から質問したというが、何もわからないという。たぶん職員たちは、嘘《うそ》をついてはいないのだろう。直樹はいったん自分の事務所に戻ることにした。

お昼に、事務所で弁当を食べているとき、高畑からまた電話があった。

「市長が午後二時から緊急記者発表をするそうだ。いま、マスコミに連絡がいった」

直樹は飯粒を呑《の》み込んでから言った。

「午後二時から？」

「ああ。道庁の企画振興部長との会談はいましがた終わった。いま、課長級以上の管理職が市長室に集まっている」

「二時、場所は？」

「二階大会議室」

「マスコミだけ？」

「市議なら入れるだろう。質問はできないだろうけど」

「おれは行くよ」

「おれも、出る」

高畑の声は、いくらか沈んだ声音に聞こえた。もしこれが予想どおり、財政再建団体申請の発表だということになれば、高畑だって穏やかではいられないのだ。なにより自分の一族の家業に影響する。この町に生きることが厳しいものになる。彼の家族にだって、直接的な影響が及ぶ。市長選勝利の見通しが出てきたということなどでは、埋め合わせようもないくらいに、それは幌岡の町の生活から魅力を奪うのだ。潤《うるお》いを消し飛ばすのだ。夕張の再建計画を見れば、それは容易に想像がつくことだった。

携帯電話をデスクに置いてから、直樹は一瞬考えた。

やはり市長選に立候補するよりも、大田原にまかせたほうがよいのではないか。この状況下で、せっかく六選を目指すと言っているのだ。ありがたいことではないか。

いや、と考え直した。

再建団体になれば、市長の給料も減額される。自由に使えるカネもなくなる。豪勢な東京出張もできなくなるだろう。なのに彼は、再建団体入り不可避と知っていながら、なぜ六選を目指す？　なぜ市長の座を保持しようとするのだ？　前からの疑問だが、来年度以降のこの町の市長の地位に、それほどのうまみがあるのか？　自分はいま、当選した場合の子供たちの教育費のことまで心配しているというのに。

大田原が期待しているもの、それはいったいなんだろう？

その会議室は、小学校の教室ほどの広さだった。ただし、教室ほどには天井は高くない。ホワイトボードの前には、教壇もなかった。会議用テーブルがふたつ、並べて置かれているだけだ。テーブルの上にはマイクが林立している。ふたつのテーブルと向かい合うかたちで、マスコミ関係者がテーブルに着いていた。テレビ・カメラも何台も並んでいる。朝よりも、その数は増えたかもしれない。

直樹は高畑と共に、その会議室の後方のテーブルに着いて、大田原市長による緊急記者会見の始まるのを待った。

やがて、会議室に四人の男が入ってきた。大田原市長、助役、総務部長、財政課長の四人だった。ストロボが立て続けに発光した。

四人はいったん椅子《いす》に腰掛けたが、ストロボが収まったところで助役が立ち上がった。

「ええと、重大発表がございます。始めてもよろしゅうございますか」

助役の白川《しらかわ》は、大田原が市の企画課長だったときの部下だった男だ。最初の選挙のとき、裏選対でかいがいしく働き、その後大田原に可愛《かわい》がられるようになった。前の助役が七年前に定年退職した後、いまのポストに就いた。助役の座を狙《ねら》って運動している時期は、休日も大田原の屋敷の庭の草むしりに精を出したという。頭が薄く、細い声を出す童顔の中年男だった。

会議室を見渡してから、白川は言った。

「質問は発表のあとでまとめて受けます。それまで質問はしないようにお願いします。それでは、市長の大田原から」

大田原が立ち上がった。いつもの精力みなぎった顔が、きょうはこころなしか青ざめて見えた。表情はどこか不服そうにも見える。

白川が横からさっとマイクを差し出して、大田原の口の前で止めた。

大田原は、真正面の壁のやや上寄りに視線を据えたまま、しゃべり始めた。

「幌岡市はこれまでこの長引く不況下で財政の再建に努めて参りましたが、きょう自主再建を断念、地方財政再建促進特別措置法にもとづいて、財政再建を進めるべく、財政再建団体申請を市議会に提案すると決定いたしました。承認された後は、監督官庁である北海道庁ならびに総務省のご指導をいただきつつ、再建計画の早急な策定にあたり、一年でも早く財政再建を果たして参りたいと考えております」

大田原が着席すると、最前列に陣取った全国紙の長沢がすぐに質問した。

「債務の総額はいくらですか」

助役の白川が、大田原の顔をうかがった。大田原は横柄《おうへい》そうにうなずいた。お前が答えろ、とでも指示したのだろう。

助役が一枚の紙を取り上げ、いったん目を落としてから言った。

「まだ調査が終わっていない状態のため、確定的な数字を申し上げることはできません」

「おおよそでけっこうです」

「道庁から発表の許可をもらっておりません」

「その数字がわからないのに、再建計画が策定できるのですか」

「わたしどもは承知しております。いずれ発表の機会を持ちます」

「申請に合理性があるのかどうか、まずは額を報道しなければなりません。言ってください」

「道庁の許可を得たうえで、発表できる段階になったところで、申し上げようと思います」

「これまで、幌岡市の決算はただの一度も赤字になったことはないと記憶しております。それがなぜ突然、再建団体申請なのでしょうか」

白川はまた大田原に目をやった。大田原がうなずいた。

白川は言った。

「会計処理をめぐって、やはり道庁からご指摘をいただきました。わたしどもは適正な会計処理のつもりでやってきたのですが、財務の処理の方法について解釈の違いがありまして、昨年度の決算も赤字として修正するよう、ご指導をいただきました」

「たった一年で、黒字決算から財政再建団体転落ということでしょうか」

「いえ、赤字は累積《るいせき》しておりました」

「いつから始まったことでしょうか」

「具体的には、再精査してみないことには」

べつの新聞の女性記者が手を挙げて、指名を待たずに訊《き》いた。

「債務の額は、夕張市以上でしょうか。以下でしょうか」

大田原が、怒鳴るように言った。

「夕張と一緒にするな」

白川が答えた。

「夕張ほど巨額の債務ではありません」

「六百三十億以下ということですね?」

直樹はあらためて白川や大田原の顔を凝視した。六百三十億円という数字は、夕張市の粉飾決算が明らかになったとき、債務の総額として報じられた額だ。ただし、最終的に夕張市が返済しなければならない債務の額はおよそ三百億となった。それでも、標準財政規模が四十五億円という夕張市にとって、途方もなく巨額の借金であることにはかわりはない。

白川が答えた。

「夕張市の債務の額、三百億以下ということでございます」

「百億以上でしょうか、以下でしょうか」

「いま現段階では、申し上げられません」

という答から推測できるのは、百億以上ということだ。百億以下なら、白川はいま胸張って、以下ですと答えることができたのだから。

長沢があらためて質問した。

「再建団体転落の理由は何なのでしょうか」

白川がまた大田原を見た。こんどは大田原が立ち上がり、ぎろりとマスコミ関係者たちを見渡してから答え始めた。

「ひとつには、長引くこの不況であります。金融機関による貸し渋り、貸しはがしが増大しており、本来なら問題なく処理できるはずの債務を、繰り上げ返済、一括返済しなければならなくなりました。このため、健全であった財政が瞬時にして赤字に変わったのであります」

長沢が大田原に質問した。

「赤字が以前から累積していたと、いま助役は答弁されていますが」

大田原は、長沢をひとにらみしてから返答を続けた。

「ふたつ目に、バブル崩壊以降、とりわけ九〇年代の失われた十年のために、わが幌岡市の観光開発事業を支えるはずの基本的な経済情勢が、きわめて不安定なものになったということであります。このため、観光開発事業は毎年、予測を下回る売り上げとなり第三セクター幌岡興産の経営が厳しいものになったのであります。しかし雇用を守るためには、幌岡市は第三セクターにも、厳しい市財政の中から支援を続けなければなりませんでした」

大田原がいったん言葉を切って、手元のお茶のペットボトルに手を伸ばした。ストロボがまたいくつか発光した。

大田原は続けた。

「さらに、小泉前総理によるいわゆる三位《さんみ》一体《いったい》の改革によって、地方交付税が大幅に減額され、公共工事もそれ以前の三分の一の水準にまで落ち込みました。このため、ただでさえ厳しいところにあった幌岡市の一般会計も、大打撃を被《こうむ》ったということであります。地方債の発行、金融機関からの借り入れは不可避でありました」

つまり、と直樹は大田原の言葉を自分で要約した。彼は、幌岡市の財政破綻《はたん》はすべて、経済情勢と国家政策の結果と言っている。自分には何の責任もないのだと。

べつの男性記者が訊いた。

「以前から、幌岡市も夕張市同様、観光開発に過大な投資をしているのではないかと不安視する声がありましたが、そのこととこのたびの財政破綻との関係はいかがでしょうか」

「ちょっと待て」と、大田原は声を荒らげた。「財政破綻という言い方はないだろう。幌岡市は、再建団体申請すると発表しているんだ。破綻したなんて言っていない」

「再建団体申請というのは、破綻しているということではないのですか」

「自主再建か再建団体入りかを天秤《てんびん》にかけて、より市民のためになる選択をしたということです」

「破綻はしていないと」

「そう呼びたければ呼んでもかまわないが、自治体に破綻なんてあるのか？　株式会社じゃないんだ。倒産も解散もない自治体に、破綻なんてことはない。債務が国の定める基準値を上回ったというだけのことだ。法律上、再建団体になる道を選ぶことができる条件が整ったので、申請したということです」

条件が整ったから申請した？

直樹は呆《あき》れた。いまの大田原の言い分では、財政再建団体申請はまるで望ましいことであったように聞こえる。

ブロック紙の久住が訊いた。

「再建まで何年かかるのでしょうか」

大田原が答えた。

「まだ再建計画は策定されていません。何も申し上げられません」

「夕張市は十八年かけて、債務を返済することになっていますが」

「夕張市は夕張市です」

全国紙の女性記者が訊いた。

「再建団体転落の責任者は誰になるのでしょうか?」

大田原はその女性記者に顔を向けて、低い声で言った。

「国のエネルギー政策転換の責任者は誰なのか、という質問でしたら、わたしにはお答えしかねる」

「幌岡市に於《お》ける財政再建団体入りの直接の責任者は誰か、という質問です」

「さっきも申し上げたとおり、再建団体申請の遠因は、日本の長引く不況と、政府の三位一体改革の結果であります。いまここでの責任者探しは、建設的ではありません」

「市長は二十年間、幌岡市のトップでした。その二十年のあいだに、自主的な財政再建は不可能だったのですか？」

「二十年間、懸命にそれを追求してきたのが、わたしであります」

「再建団体になると、多くの行政サービスが削られたり、公共料金が値上がりするだろうと予想できます。こうした市民への影響をどのようにお考えですか」

「再建計画策定の中で、市民への影響を最小限度にとどめようと努力するつもりです」

「具体的には？」

「北海道庁、総務省との共同作業の結果となります。いまここでは何も申し上げられません」

そこまで言ってから、大田原は隣りにいる白川の顔を見た。

白川はすぐに立ち上がって宣言した。

「以上で、緊急の記者会見を終わらせていただきます」

新聞記者たちが、一斉に声を上げた。

「質問！」

「市長、もう一点」

「助役、質問があります」

大田原たちはそれらの声には耳を貸さず、ざわつく大会議室を出ていった。新聞記者たちも、手帳を手にしたまま市長たちを追いかけていった。テレビ・クルーたちも同様だ。

高畑は言った。

「予想どおりだったな。再建団体転落だ」

直樹は言った。

「債務の総額がわからない。百億以上、三百億以下」

「自然に積み重なるような額じゃない」

直樹は大会議室に残ったひとびとを見渡した。全部で三十人ほどの市民が、いまの発表を観察していたらしい。

大会議室を出たところで、議会事務局の若い職員が近づいてきて言った。

「議長が、全員協議会を招集しました。きょうの六時、議会の委員会室で」

直樹は訊《たず》ねた。

「臨時議会もあるんだろう?」

「きょう、それが協議会の議題になるんだと思います」

この事態だ。臨時議会の招集は当然だった。そこでは、質問に立たねばならないだろう。財政破綻の実態とその経緯の解明、そしてその責任の追及のために。

希望者は多いだろうか。共産党の女性議員が質問に立つのははっきりしている。しかし、市長支持派の議員たちはどうだろう。質問して市長の責任追及などするはずもない。むしろ市長を激励するかのような、見え見えの八百長《やおちょう》質問をやってくる可能性のほうが高い。

いずれにせよ、明日自分は、これまでになかったほどの過激さで市長を糾弾、財政破綻の責任を糺《ただ》すことになるだろう。

議会の全員協議会は、夕方六時から始まった。

委員会室に入って、直樹は大田原支持派議員たちが、さほど動揺もしていなければ、沈鬱《ちんうつ》な表情でもないことに気づいた。談笑している者たちもいる。

彼らは、この事態をさほどの危機だとは思っていないのか？　あるいは、きょう初めて耳にしたことではないということか？　直樹には判断がつかなかった。

議長の荒谷が部屋に入ってきて、面白くなさそうに協議会の開催を宣言した。

荒谷は言った。

「さっき、道庁の実態調査が入り、市は財政の自主再建を断念した。マスコミ発表があったとおりだ。市長から市議会に対しても、再建団体申請を提案すると申し入れがあった。明日、緊急臨時市議会を開催するが、どうだ？」

市長支持派の議員たちが賛同した。

「では、明日臨時市議会開催。十時、市議会議場。質疑に立ちたいという希望者は？」

直樹が、寺西真知子と同時に手を挙げた。しかし荒谷は、市長支持派の長老格の議員に顔を向けた。

「石黒さん。こういう重大事だ。あんたが質問に立つべきだろうな」

石黒は、市議として七期連続当選してきた男だ。七十近い年齢のはずである。もともとは農家だったが、ある時期から不動産業と土建業を営むようになった。似たような経歴ながら、議長の荒谷がいかにも田舎政治家然としているのに対し、石黒は見るからにその業界のたたき上げ社長という様子があった。禿頭《とくとう》で、ダークスーツ姿だ。

「立つよ」と石黒は言った。「質疑はおれひとりでいいんじゃないか」

荒谷が言った。

「では、幌岡自由クラブから、石黒さんが立つと」

直樹はもう一度手を挙げて言った。

「わたしも」

寺西も続いた。

「わたしも質問します」

荒谷は直樹たちには視線も向けないままに言った。

「ほかには？」

直樹はほかの議員たちの姿を眺めた。誰も挙手していない。この非常時、町の再建団体転落が明らかになったというときに、市に対して何の質問もないという議員ばかりだ。もっとも、連中は連中で事前に誰が質問に立つか、決めたうえでこの全員協議会に出席してきたのかもしれないが。

「決まり。質問者は三人」荒谷が、手元の紙に何かメモしながら言った。「石黒さん、森下くん、寺西さん、この三人が質問する。では、きょうの全員協議会はこれまで」

荒谷は立ち上がった。ほかの市長支持派の議員たちもあとに続いた。

議員たちの大半は、また談笑している。直樹は激しい違和感を抱きつつ、委員会室を出た。最後に委員会室を出たのは、寺西真知子だった。彼女もどこか釈然としない表情だった。この場で、再建団体転落が話題にもならなかったことに、納得がゆかないのだろう。

財政再建団体申請はすでに承認されたも同然だ。しかし、自分はこの事態を認めるわけにはいかない。絶対にだ。

市役所を出て自分の事務所に向かうとき、携帯電話をチェックした。多津美から電話が入っていた。きょうの動きを伝えねばならない。

その翌朝である。

直樹は配達された地元ブロック紙の一面を見て、仰天した。大きな活字で、こう記されていたのだ。

「幌岡市、再建団体申請へ。

債務総額は百二十億円」

金額が出た。この数字が、スクープなのか、それとも道庁側からのリークなのかはわからない。どうであれ、議会ではこの数字についても質問することになるだろう。

記事をざっと読んでから顔を上げると、妻の美由紀が心配そうに直樹の顔をのぞきこんでいる。

美由紀は、ちらりと直樹の持つ新聞に目をやってから言った。

「たいへんな借金ね」

直樹は、思わず言った。

「早めに逃げておくべきだったかな。子供たちのためにも」

ちらりと、先日引っ越しを手伝った加藤裕一のことが思い出された。彼は賢明だった。いいタイミングで町を出た。

10

森下直樹は自宅を出ると、まず事務所に向かった。

臨時市議会は午前十時からだ。質問の準備をしなければならなかった。新聞報道にあった市の債務金額百二十億円という数字を前提に、質問の中身を変えなければならない。昨日の時点では、大田原市長は債務の具体的数字については発表していなかった。自分はまず、この報道に出てきた数字が正確かどうかを問うべきだろう。

駐車場で車を降りたところで、携帯電話が鳴った。高畑光男からだった。

「新聞記事、見たよな？」

「ああ」と直樹は答えた。「道庁からのリークなんだろうか?」

「わからない。数字をどう思う?」

「どうしても夕張の六百三十億と比べてしまう。意外に少なかったなと思ったんだけど、うちの財政規模では、やはりとんでもない額だ」

「夕張よりはまし、ってのが、たぶん大田原一派の言ってくることだろうな。同じような性格、同じような財政規模の自治体なのに、うちはこれだけの債務で抑えたんだと、大田原ならむしろ自慢しかねない」

「いや、たぶんその通りの言葉でくると思うぞ。きのうのマスコミ発表の態度は、そのまんまだった」

「おれはきょうは早めに議場に行くよ。たぶん傍聴席は、満員札止めになる。後援会の面々も何人か行くはずだ」

その通話を切って事務所の中に入ると、こんどは多津美裕からだった。

彼は例のとおり、あいさつもそこそこに言ってきた。

「債務の額がリークされたそうだな」

「ええ。百二十億」

「臨時市議会があるんだろう?」

「十時からです。わたしも質問に立つ」

「こんどこそは、過激なぐらいな言葉で大田原を攻撃しろよ。きょうはあんたが、次期市長候補として、市民に認知される日だ」

「たぶん一両日中に、どっと候補者が上がってきますよ」

「どういうことになるのか、楽しみにしている。財政再建団体入り確定ってことで、わたしはこっちでマスメディア対策にかかる」

その電話を切ってから、直樹はこれまでの市の決算報告書のファイルを取り出し、議会報告書も合わせて、クリアホルダーにひとまとめにした。

質問項目を整理しているときだ。また携帯電話が鳴った。北海道大学の重森薫助教授からだった。

重森薫は、ブロック紙の名を出して訊《き》いた。

「朝刊、もうご覧になっていますよね?」

「はい。債務が百二十億」

「意外に多いという数字でした。でも」

「でも?」

「夕張の債務も、一時借入金の三百五十億は短期貸し付けということで道庁が置き換える措置を取りました。幌岡市の場合も、純粋な地方債部分だけが再建過程で返済する額となる可能性があります。北海道庁の企画振興部がそれを懸命にはかっている、という話を耳にしました」

「幌岡市を気の毒に思って？」

「というか、こんな会計処理にはやはり、道庁の指導か、少なくとも黙認があったということでしょう。降りかかる火の粉をできるだけ小さくしたい。だから、幌岡市に代わって道庁が関係方面や金融機関と水面下で交渉に入っているのだと思います」

「やっぱり、そうですか」

「いえ、これは耳にした話というだけ。この件は、追及材料にはしないほうがいいと思いますが」

「そうします。じつは、きょう臨時市議会なんです。わたしが質問に立つ」

「では、これまでの答弁との整合性を突くべきです。この事態の責任を、きちんと名指ししてやってください」

重森薫のけしかけるような言葉に、直樹は笑った。

「どうしました？」

「いえ、重森先生も過激なことを言うなあと思って」

「犯罪者は、うんと叩《たた》いてやりましょうよ。これから長い期間、苦しむのは市民なんですから」

「そうしますよ」

電話を切ってから思った。多津美の叱咤《しった》よりも、いまの重森助教授の言葉のほうが、自分の闘志を燃え立たせてくれる。自分はきょうの議会で、徹底的に大田原の敵としての自分をアピールしてやる。

開場直後に、議会の傍聴席は満員となった。議場の外の廊下にも、ひとがあふれている。五、六十人はいるようだ。

年配の男性が、議会事務局の職員にくってかかっている。

「こんな大事な議会だ。有線のテレビがあるだろう。ロビーかどこかで見られるようにしろ」

そういう設備はないと、若い職員は困惑の態《てい》で頭を下げていた。

考えてみれば、直樹が市議になって以来この四年間、傍聴席が満員になったことなど一回もなかった。三十人ほどが座れるはずだが、財政破綻《はたん》の懸念《けねん》がかなり現実的なものになっていた前回の臨時市議会のときだって、傍聴席にはまだ少し空席があったのだ。

傍聴席の高畑光男と目が合った。彼は、しっかりなという表情でうなずいてくる。その隣りには、映画祭実行委員会の浜口明や、ブドウ農家の飯島義夫、元採炭夫の町田善作の顔も見えた。ほかにも、知っている顔がいくつもある。市民団体や市議会野党の政党の関係者の顔もあった。ほんとうなら江藤昇や恩田由美子も来たいところだろうが、彼らには仕事がある。きょう職場を離れるわけにはゆかない。

十時直前には、二十四人の議員全員が議席に着いた。またすぐに市側の幹部たちも議場に入ってきて、議員たちに向かい合う格好でそれぞれの席に着いた。

議長の荒谷が臨時市議会の開会を宣言し、大田原市長からの報告があることを告げた。

大田原がいつになく気難しそうな顔で演壇に立つと、たちまち傍聴席から野次が飛んだ。

「赤字じゃないって言ってたろ」

「誰が作った借金だ」

「お前が返せ」

議長が声を荒らげて、傍聴席の野次をとがめた。事務局職員がふたり、傍聴席の中に入っていって、野次を飛ばした市民を注意した。それでも、つぶやくような野次はまだしばらく続いた。

大田原は、演壇で議員席を眺め渡してから、手元の原稿に目を落として発言を始めた。

「まずご報告申し上げます。昨日、北海道庁よりご指導と助言をいただきまして、幌岡市は地方財政再建促進特別措置法にもとづき、財政再建団体となることを申請すると決定いたしました。市議会で承認をいただいた後は、監督官庁である北海道庁ならびに総務省のご指導をいただきつつ、再建計画の早急な策定にあたり、一年でも早く再建を果たして参りたいと考えております」

また野次が飛んだ。こんどの野次はいっそう激しいものだった。

「誰が作ったんだ！」

「責任者は誰だ！」

「カネはどこに消えたんだ？」

野次を飛ばした傍聴人の数も、一気に増えたようだ。いや傍聴席のほとんどの市民が何か怒鳴ったように聞こえた。

「静粛に」と、議長がまた傍聴席を見上げて言った。

野次がひととおり静まったところで、大田原は続けた。

「本日、一部では、幌岡市の債務額は百二十億円と報じられておりますが、これは正確ではありませんし、道庁が確認した数字でもございません。債務についてはいま我が市関係部署と道庁とのあいだで精査しているところでありまして、議員諸兄ならびに市民各位におかれましても、こうした根拠のない風評の数字に過度に動揺することなく、冷静に、道庁そして総務省とも一体となりました我が幌岡市の財政再建計画を支えていただきたいと願うものであります」

また野次。

「じゃあ、いくらなんだ?」

「新聞記事には、根拠がないのか?」

大田原は続けた。

「ご承知のように、北海道の地方自治体、とりわけ旧産炭地をめぐる経済情勢はこの四半世紀、悪化の一途をたどっておりました。わが幌岡市でも、北炭幌岡炭鉱の撤退による基幹産業の消失という事態に陥って以来、新規産業の創出、企業誘致、雇用確保のための第三セクターの設立等、懸命の市再建の努力を続けて参りました。これまで北海道からもまた国からも多くの支援を受けて参りましたが、昨今の経済情勢の著しい悪化により、この数年幌岡市の財政は急速に平衡を崩し、ついに北海道のご指導を受けて財政再建をはかる道を選択するに至ったわけでございます」

また野次が飛んだ。

「ひとごとみたいに言うな。誰のせいだ！」

大田原が発言をやめた。

「静粛に」議長の荒谷が、傍聴席に視線を向けて言った。「すでに二度注意いたしました。いまの妨害発言者を傍聴席から退場させてください」

事務局職員ふたりが、野次を飛ばした男の席へと進んだ。野次ったのは、福祉NPO法人の職員だった。三十代の男だ。

事務局職員が男に退場をうながすと、男は大声で怒鳴った。

「発言させろ！　議員があてにならないから来てるんだ。発言させろ！」

その場が騒然となった。直樹が見ていると、傍聴席の横のドアが開いて、濃紺の制服姿の警備会社の職員が入ってきた。

その警備員が男の肩に手をかけた。男はその手を振り払ってから立ち上がった。

「みんな」と男は、警備員に背中を押されて進みながら叫んだ。「議会なんて、グルだ。議員はみんな共犯だ。市長に好きなことやらせてたのは、議会だぞ」

その男は、騒然とする傍聴席から連れ出されていった。

議長が木槌《きづち》を叩いて、また議場が静かになった。

大田原が、報告を再開した。

「ご承知のとおり、北海道の、なかんずく旧産炭地の自治体は、夕張市の例を引くまでもなく、財政が軒並み逼迫《ひっぱく》している現況でございます。幌岡市だけがとくべつに赤字が著しいというわけではありません。幌岡市の場合は、その厳しい環境下でなんとか自主再建を果たすべく、わたしが市長に就任いたしました二十年前より、懸命の自主再建努力を続けて参りました。しかし、北海道庁よりのご指導をいただくようになったいま、いたずらに自主再建にこだわることは、かえって幌岡市の財政を窮迫させ、ひいては町そのものを衰退させるという恐れが出て参りました。わたしは、ここに至ってはむしろ、根源的な再建計画の着手を先延ばしすることはかえって幌岡市の未来を危うくするものだとの判断に至っております。いろいろご批判はあるかと存じますが、わたしは市長として、この機を逃すことなく、財政再建団体を申請することが、責任ある解決策だと信じ、苦しい判断ではございますが、本日ここに申請を提案する次第であります」

大田原が演壇で一礼すると、与党の議員たちは拍手した。

直樹は、仰天する想《おも》いだった。いまの大田原の報告では、財政の悪化は二十年前に顕在化しており、しかも大田原は自主再建のために二十年間努力してきたと聞こえるではないか。いや、聞こえるのではない。まちがいなく彼はそう主張しているのだ。

拍手にまじって、また野次が飛んだ。

「いつから再建を始めてたんだ?」

「財政は健全だと言い続けてたじゃないか」

「お静かに」と、また荒谷が傍聴席を注意した。

拍手の中、大田原は演壇を降りて市長席に戻り、神妙そうな顔で議員席に視線を向けた。

荒谷が言った。

「ただいま、大田原市長より、幌岡市が地方財政再建促進特別措置法にもとづき財政再建団体を申請する旨《むね》の提案がありました。この提案について、質問を希望される方があれば」

すぐに議員席から大声があった。

「議長。質問がございます」

市長支持派長老格の石黒だ。

荒谷が指名した。

「石黒くん」

石黒は、自席で立ち上がると、ダブルのスーツのボタンを留め、ファイルを持って演壇に向かった。

石黒は身体《からだ》を少しだけ斜めに向け、視線を市長に向けて質問を始めた。

「ただいま市長から、財政再建団体申請の苦渋のご決断を伺いました。わたしは市長の就任前から幌岡市の歴史を見守ってきた議員のひとりとして、二、三、確認の意味で質問をさせていただこうと思っております」

大田原が、石黒の視線を受け止めてうなずいた。

「まず第一点。市長をはじめ、市の関係部局が幌岡市の財政再建のためにこれまで骨身を削って奮闘されてきたことは私たちも十分に承知しております。議員として、市民のひとりとして、その労を多とするものでありますが、いまこんにち、財政再建団体申請以外には再建の道がまったくないのかどうか、ほかにどんな再建の方策が検討され比較されたのか、という点をお尋ねしたい」

傍聴席がざわついている。

直樹は、大田原と議会与党とのあいだで、きょうの議会についてどんなシナリオが書かれたかを理解した。市長は、まるで財政悪化は二十年前から明らかにされていた事実であったかのように語り、財政再建団体入りを、もっともましな解決策のように主張している。その道を選んだことはむしろ、自分の政治的判断力の優秀さの証明であり、評価されるべきことなのだと。

石黒の質問も、大田原の言い分を前提にしている。まるでこの議会で、大田原が逐一財政の状況をつぶさに、正確に報告し、議会もそれを理解していたと聞こえるではないか。しかし、直樹の知る限り、というか市民一般にとって、噂《うわさ》としてはともかく、財政破綻は昨日初めて知らされた事実だ。大田原が財政の再建のために奮闘してきたなんて話は聞いたことがない。財政は健全であると言い続けてきたのが大田原であり、赤字とはただの一度も報告されたことのない決算書を承認してきたのが、議会なのだ。

「二点目でございます」と石黒が続けた。「昨日北海道庁からも指導が入って、財政再建団体入りを決めたとの報告でございましたが、本日の新聞によりますと、債務の額が百二十億円と報道されておりました。こういうときのマスコミの常で、ニュースソースを明らかにしない関係者への取材から出てきた数字なのですが、市長はこの数字を明快に否定されました。であるならば、わが幌岡市の債務総額はいったいいくらなのか、その正確なところをですね、監督の諸官庁との関係もございましょうが、いまお答をもらえるのであればお答え願いたい」

その点は直樹も訊《き》くつもりだった。この質問は、まっとうだ。

「三点目ですが」と石黒は、いったん演壇の水を飲んでから続けた。「地方財政再建促進特別措置法のもとでの市財政の再建となれば、これは北海道庁、総務省をはじめとする監督の諸官庁と密接に連絡を取り、幌岡市が持つ固有の事情等を十分に理解していただいたうえで、法律の杓子定規《しやくしじようぎ》の運用ではない柔軟な再建計画が策定されなければならないと考えます。夕張市のように、いわば無条件降伏というかたちでですね、巷間《こうかん》言われております最大の負担で最低の市民サービスとなるような再建計画とされることだけは、絶対に避けねばならないでありましょう。特別の立法措置による救済も必要かと存じます。その場合、行政に豊富な経験と知識を持ち、必要なところに十分なネットワークがあって、その主張を計画策定や計画遂行そのものに反映させることのできる責任者が必要かと考えます。いや、財政再建団体申請となれば、これまでにも増して力のある人物が市政の責任者とならねばならないと考えますが、この点で市長のお考えを聞かせていただきたい」

直樹は、石黒を見つめた。いまの三点目の質問は、じつは質問ではない。大田原擁護の論陣であり、市長選立候補を促す、応援演説そのものである。

石黒がファイルを手に演壇を降りると、荒谷が市長の答弁を促した。

「大田原市長」

大田原が再び演壇に立った。書類サイズのメモ用紙を手にしている。いま質問内容を書き留めたというよりは、シナリオの必要部分を持ってきたということのようだ。

大田原は、石黒に小さく一礼してから、答弁を始めた。

「石黒議員からただいまご質問がありました三点について、順にお答えして参ろうと思います。

まず、ほかに財政再建の方策としてどんなことが検討されたかということでありますが、当然ながら自主再建、市行政と市役所職員が一体となって、徹底的に無駄を見直し、不要不急の施策をぎりぎりまで切り詰め、つまり行政のスリム化を徹底したうえで、同時に民間金融機関による借り入れの早期返済を追求して参りました。こうしたいわば受け身の財政再建策に加え、第三セクターによる起業、雇用創出、さらに企業誘致による法人税の増収等、いわば積極策もとって参ったことは、議員もご承知のとおりであります。これらの施策は、いっときは財政の健全化に大いに寄与したものではあり、幌岡市がこの路線による財政再建を目指したこと自体にはほんの少しの誤りもございませんでした。

しかし、いわゆる失われた十年と呼ばれる不況、日本経済の不振のためもあり、いつしかその積極策がむしろ足かせとなるという事態に至ったのであります。わたしどもといたしましては、行政のスリム化、行政主導による産業創出という自主再建と、地方財政再建促進特別措置法にもとづいた再建と、そのふたつの方策のどちらが市民のためになるか、それを十分に検討してきたというのが、この数年間でありました。議員の質問の一点目については、これでお答の代わりとなるのではないかと考えております」

大田原が水を飲んだ。

直樹は、唖然《あぜん》とする想いでいまの答弁を反芻《はんすう》した。つまり大田原は、因果関係を完全に逆転させて、財政破綻《はたん》を語っている。財政破綻から脱出するための、観光開発？第三セクター設立？

ちがう。市民の見るところ、財政破綻はむしろ観光開発への過大投資の結果だ。何のノウハウも持たない素人《しろうと》が観光開発に参入して成功すると夢を見、観光事業のために第三セクターを作って過大な投資をし続けたことで、市財政は窮迫したのだ。そもそも大田原が立候補した二十年前は、まだ財政破綻は市の課題ではなかった。炭鉱の撤退後、どのように町を振興させるか、と問題は立てられていたのだ。大田原が市長選立候補にあたって、自分は財政破綻を救うために立候補した、などとはひとことも言っていなかったはず。むしろ積極投資で町の衰退をくい止めるると、夕張の中田市長を真似《まね》た大風呂敷《おおぶろしき》を広げていたのだ。そしてその結果がこの財政再建団体への転落だった。

直樹はそっと振り返って、傍聴席を見た。傍聴席の市民の大半の顔は、呆《あき》れているように見えた。眉間《みけん》に皺《しわ》を寄せ、ぽかりと口を開けている者も少なくない。高畑光男は、苦笑していた。冗談にしてもひどすぎる、という想いなのかもしれない。

大田原が続けた。

「ふたつ目は、幌岡市の債務の総額は、報道どおりなのか、というご質問でございました。昨日もマスコミ発表の際に申し上げたとおりでございますが、いま北海道庁が市財政を精査している最中でございます。微妙な解釈の範囲に収まる点もあり、現時点でわたしどもがその数字を明らかにするわけにはまいりません。北海道をはじめ、監督官庁から許しが出た時点で、正確な数字を発表することになるかと思います。ただ、ひとつだけ申し上げられるのは、百二十億円という数字は誤りであります。正確ではありません。幌岡市の債務は、この数字に達してはおりません」

傍聴席がざわついた。議員席のほうでも、何人もの議員がひそひそと何ごとか口にしている。

直樹は手元のファイルに、手早くメモした。

債務は百二十億円未満。

しかし、一円でもこの数字に足りなければ、あの数字は誤り、それ以下である、と強弁できる。いまの大田原の言葉から、報道よりも二割三割低い数字を想像してはならなかった。

「三点目であります」大田原が胸を張った。「財政再建団体となることを申請する以上、今後行政には自由裁量の部分はなくなり、わたしどもの給与も大幅カット、行政サービスにも大鉈《おおなた》を振るって削減することが、監督官庁より求められます。いま夕張市では、向こう十八年かけて債務を返済してゆく、最初の十年間は市財政の二五パーセントを返済に充《あ》て、十一年目から四〇パーセントをこれに充てるという、過酷な再建計画が策定されようとしております。

しかし石黒議員のおっしゃるとおり、このような非常時なればこそ、行政のリーダーには経験と、大胆な実行力と、そして幅広いネットワークを持っていることが求められると考えております。そうでなければ、再建計画の策定作業は机上の空論を弄《もてあそ》ぶことで終わってしまうのであります。言ってみれば、夕張のこんにちの惨状は、前の中田市長が病に倒れて、経験浅い現市長の双肩《そうけん》に財政再建という大課題が課せられてしまった、その結果であるとも考えられるわけであります。

もちろん夕張の現市長も懸命に努力なさったことは承知しておりますが、前の中田市長がここにありせば、という想いを夕張の市民誰もが持っていることをわたしも承知しております。財政再建団体入りという非常時こそ、より強い責任感と使命感、そして経験と実行力とを兼ね備えた人物が、この難局に立ち向かうことは、ごく自然であり、また必然であろうと考えます。わたしも石黒議員のお考えに、全面的に賛同いたします。

また、旧産炭地・幌岡市のような特別の事情のある自治体に関しては、特別立法による救済もあってしかるべきでありますし、そのようなお考えの閣僚や国会議員も多いこともまちがいのない事実であります。今後の幌岡市の市政運営につきましては、なおのこと中央とのパイプをいっそう太いものにし、連絡を密にして政府による救済を一義的に追求してゆくことが最重要課題になるかと考えている次第でございます」

大田原が頭を下げると、議員たちの多くが拍手を始めた。

「そうだ」という声が議員席で上がった。

「特別立法だ」

「立法措置」

「素人がどうこうできる事態じゃない」

「行政のプロが必要だ」

大田原が席に戻ったところで、荒谷が言った。

「ほかにご質問は？」

共産党の寺西真知子が手を挙げた。

「議長」

「寺西くん」

寺西真知子は、大部の資料ファイルを抱えて演壇に向かうと、議員席、傍聴席に一礼してから、質問を開始した。

「ただいまの市長の提案と答弁では、財政破綻はもう二十年も前から公表された事実であったかのように聞こえました。でも、わたしは市議会議員となって三期目ですが、市財政が赤字であるという決算書は、これまでただの一度も見たことがございません。決算書を見るかぎり、市財政は健全そのもの、いっさいの債務はなかったと記憶しております。幌岡市は、いったいいつから赤字決算となり、財政再建が求められるようになったのでしょうか。この年からであると、その年の決算書を示したうえで、赤字の具体的な理由、内容について、詳細を明らかにしていただきたい。わたしども市民は、いま突然、幌岡市が財政破綻していた、と知らされたのです。寝耳に水です。財政赤字は、いったいいつから始まったことなのでしょうか。お訊きしたいのは、まずその点でございます」

前回の臨時市議会のときと同様、寺西にたいしては議員から野次が飛んだ。

「誰もが知ってたことだよ」

「知らないなんて、鈍すぎるっしょ」

「議員なら、予想はついたんじゃないの？」

寺西は、その野次を無視して、質問を続けた。

「もうひとつ、この二十年間、財政再建のために取り組んできたと市長はおっしゃった。でも、第三セクター設立と観光開発の開始は、十九年前、市長の二年目のときからとなります。ホテル、ゴルフ場、遊園地の開発が、財政破綻の引き金となったことは明らかです。そして第三セクターによる観光開発を推進したのは市長自身であり、市長が第三セクターの社長を務めてきたのです。カネ食い虫のような観光開発にドブに捨てるような投資をしてきたのは市長、あなたではありませんか。あなたは財政再建の旗頭ではない。あなたは幌岡市の財政破綻の張本人です。そのことを指摘するとともに、市長のこの観光開発路線に終始一貫して反対してきたのは、わが党だけであることを、みなさんに思い起こしていただきたいとも思います」

こんどはいっそう野次が大きなものになった。

「そんな言い方はないだろう」

「ドブに捨てた、なんて名誉毀損《きそん》だ」

「言っていいことと悪いことがあるぞ」

「質問になってないぞ」

野次はしばらくやまなかった。ドンドンと、拳《こぶし》でテーブルを叩《たた》く者もいた。

荒谷が寺西議員に注意した。

「寺西くん、質問は整理して要領よく」

寺西はうなずいて質問をし直した。

「二点目の質問はこういうことです。財政破綻の原因は、むしろ市長の進めた観光開発そのものだ、という認識はないのかどうか。十九年前、つまり一九八八年の時点で、すでに全国のリゾート開発は飽和状態になっており、日本の人口が四倍なければどこも採算がとれないとは、専門家や有識者が指摘していたことであります。なのに市長はあえて観光開発を推進していった、そのことが財政破綻の直接の引き金ではないか、ということであります。当初から、市長の進める観光開発路線と、過大な投資については、その危険性を指摘する声は多かったのであります。この点についての市長のお考えを聞かせてください」

「大田原市長」

大田原が、いかにも不愉快そうに顔をしかめて演壇に立ち、ちらりと寺西議員を見てから答弁した。

「ご承知かと思いますが、二十年前、わたしが市長に就任した時点で、すでに北炭は幌岡炭鉱を閉山して撤退、幌岡市の基幹産業は消えて、人口は二年間で一気に一万五千が減っておる状態でした。前の市長のときの決算報告がどうであれ、財政はこの時点ですでに破綻しておったのであります。このときは、国による旧産炭地への交付税交付金での優遇措置がありましたが、新規産業の創出、雇用の確保は喫緊の課題でありました。寺西議員は因果関係を完全に取り違えておられるようですが、観光開発は炭鉱閉山、つまり法人税収入の根本部分の消失という事情を含めて、法律上はともかく、市財政が破綻の危機にあるという時点から採られた方策であります。市民が、そして議会がこの観光開発路線を強く支持されたのだということを、想起していただきたいと願うものであります」

寺西が、自分の席で叫んだ。

「わたしたちは、反対しました」

大田原は、こんどはぎろりと寺西をにらみつけて言った。

「市民の大多数は、支持したのです。いいですか、寺西議員のご指摘のような疑念なり批判なりは、日本のどこかであったのかもしれませんが、一九八八年の時点ではすでにリゾート法は成立、観光開発による地域振興は国家的な施策であったのであります。北海道でも、多くの自治体が、観光開発による振興とサバイバルを目指して競争状態にあった。わが幌岡市も、財政再建と市民生活の防衛のためには、このトレンドから降りることはできなかったのであります。観光開発による幌岡市再建という基本方針を市民が選択したということについては、あの時点では何の誤りもなかったと言えるのではないでしょうか。ただしその後の、大蔵省による金融引き締め方針によって、それまで上昇を続けていた景気が急失速、いわゆるバブルの崩壊という事態が起こり、その後はさらに失われた十年ともよばれる未曾有《みぞう》の不景気がやってきて、結果として観光開発路線が行き詰まったことは事実であります。しかし、あの時点でそれを見通すことができなかったからといって、あのときの市民の判断を責めることはできないのではありますまいか。べつの言い方をするなら、観光開発路線による地域振興と再生を目指したすべての自治体が、同じような窮地にいま陥っているのでありま す。もっとも成功した例と見られていた夕張でさえ、あの事態でありますどこも逃れることのできなかった災厄について、それが来ることを見通すことができなかったからといって、関係者を責めるというのは、いかがなものかと感じる次第でございます。それはいわば後出しジャンケンのようなものであり、いまならいくらでも言えるという類《たぐい》の主張ではありますまいか」

直樹は小さく溜《た》め息をついた。このひとは、徹頭徹尾、市の財政破綻《はたん》を他人の責任にしようとしている。昨日は国のエネルギー政策の転換をその原因に挙げたし、きょうは観光開発路線を選択したのは市民自身だと言ってのけた。あまつさえ、大蔵省による金融引き締めさえなければ、と強弁している。

彼にはそれが真実の糊塗《こと》、あるいは詭弁《きべん》という認識はあるのだろうか。大田原の表情や口調からは、彼はもしかするといまは本気でそう信じているのではないかとさえ感じられる。

寺西真知子が、憤然とした表情で挙手したが、荒谷は無視して言った。

「森下くん」

直樹はファイルを手にとって席を立った。

落ち着かねば。

直樹は演壇へと歩きながら、呼吸を整えようとした。自分はここまでのやりとりで、激昂《げっこう》している。切れかけている。

直樹は演壇に立ち、まず傍聴席を見上げた。いましがたひとり強制退場になったとはいえ、傍聴席は事実上の満席である。そこに激しい感情が渦巻いているのがわかる。

ついで直樹は議員席を眺め渡した。自分と寺西以外の議員はみな与党であり、大田原市長の翼賛団体であるという議会。保守政党はもちろん、大田原がかつては市職員組合の委員長であったという理由から、市職組は大田原を五回の市長選挙すべてで組織内候補として応援した。その市職組が中心となっている幌岡市地区労も、その上部団体としての連合幌岡支部も、大田原の二十年間の市政を一貫して支持してきた。つまりこの町には事実上、大田原市長を批判する勢力はなく、大田原市政がもたらすうまみを、有力団体すべてが享受《きょうじゅ》してきたのだった。議会は本来あるべき市政の監視機関ではなかった。でたらめの追認機関でしかなかったのだ。その追認の見返りがどんなものであったかについては、直樹は詳細を知らない。視察という名目の大名観光旅行は、見返りのごく些細《ささい》な一部でしかないはずである。

議員たちの敵意のまじった視線を受けて、直樹は口を開いた。

「昨日きょうと、市民にとっては衝撃的な事実が明らかとなりました。あえて申し上げるまでもなく、幌岡市の財政が破綻していたこと。その債務の総額が百二十億円近いものであるとわかったということです。しかし、ただいま同僚寺西議員も指摘されましたとおり、幌岡市はこの二十年間、もちろんそれ以前からも、一度として赤字決算が報告されたことはありません。赤字が報告されたことがなく、大田原市長も市財政は健全であると言い続けておりました。なのにある朝目覚めたら、債務百二十億円。市財政は破綻していたという話です。にわかには信じられない話であります。わたしも寺西議員同様にお訊《き》きしたい。いつから赤字決算は始まり、どのようにして債務は膨れ上がっていったのか。これが今日まで隠蔽《いんぺい》されてきた理由は何か。この点を明らかにしていただかなければなりません」

直樹はいったん言葉を切り、水を飲んだ。議員たちは、多くが顔に冷笑を浮かべて直樹を見つめている。

直樹は続けた。

「さきほどの寺西議員への答弁の中で、市長は観光開発が行き詰まったとおっしゃった。その原因はバブルの崩壊と、失われた十年のせいであると。しかしですね、思い起こしていただきたい。わたしは先月の補正予算案の質疑の際にも、第三セクターの経営実態について、不安はないのかと質問しております。市長は、何の問題もない、順調であると答えられた。覚えていらっしゃるかと思います。そしてこの第三セクターの経営についての責任者は自分であり、自分は経営責任者として、経営が順調であることを保証できるとおっしゃっていたのです。ただし、経営の具体的な数字については、株式会社なので勝手に公表するわけにはいかないと。

しかしきょうは、観光開発は外的な原因で行き詰まっていたのだと発言されました。まず、観光開発を定款《ていかん》とする第三セクターの経営は行き詰まっているのかどうか。行き詰まっているとしたら、ひと月前のあの答弁は虚偽であったということになります。もしあのときまでは経営が順調であったのなら、行き詰まった理由としてバブル崩壊や失われた十年を持ち出すことは無理なのではないでしょうか。市長、ひと月前の補正予算案審議のとき、市長は虚偽の答弁をされたのですね？」

傍聴席から野次が飛んだ。

「そうだ！」

「嘘《うそ》つき野郎！」

「お前が責任者だ！」

直樹は議場に一礼すると、いったん演壇から降りた。

荒谷が言った。

「大田原市長」

大田原が演壇に立ち、直樹を見つめてきた。憎々しげに、とまでは表現できないにせよ十分に「にらんだ」とは言えそうな目の色だった。その大きな目には、怒りがある。青二才のくせに、とでも思っているのだろう。生意気な野郎と。

大田原は、直樹から視線を長老議員たちに向けると、鼻から荒く息を吐いて答弁を始めた。

「まず、何度も言いますように、債務は百二十億円ではありません。これより少ない。数字は監督諸官庁の許諾を得ないことには発表できませんが、百二十億という数字は誤りであります。これより少ない」

「嘘つけ！」とまた野次。

議長の荒谷が、不快そうに傍聴席を見つめた。

大田原は、また答弁を始めた。

「幌岡興産の経営は健全と答えたではないかというご質問については、わたしは経営責任者として、金融機関との関係を第一義と考えたためのやむを得ない方便であったとお答えしたい。いいですか、企業の経営というのは、行政とはまたべつのシステムによって動いておるのであります。企業がよしんば傾きかけた、危険な水準に近づいたとしても、それを公表するわけにはいかない。企業を存続させ雇用を守るためにも、経営は順調、財務は健全と主張し続けなければならない。もし、不振とか危ないとか、うっかり口を滑らせようものなら、金融機関はたちまち融資を停止、債権の即時回収にかかってくるでしょう。そうなれば確実にその企業は倒産、社員たちはたちまち路頭に迷うことになるのです。

いまは申し上げられる。補正予算を組んだときは、たしかにすでに第三セクターの財務は悪化しており金融機関も融資を渋っていた。それだからこそ市が補正予算を組んで迂回《うかい》融資を行ったのであります。貸し付けというかたちの迂回融資があったということから、議員のみなさんには第三セクターの経営状態を理解していただきたいという含みがあった。幌岡興産を守るためには、あの答弁以外の答えかたはありませんでした」

こんどは議員席から野次。

「そのとおり！」

「わかってるって」

「あうんの呼吸だろう」

大田原は続けた。

「最初のご質問に対して、お答えいたします。これも、先般の補正予算の質疑のときと同じ事情により、絶対に赤字決算を公表するわけにはゆかなかったということであります。北炭の撤退により基幹産業が消えた自治体で、もし赤字決算を一度でも認めたならば、金融機関は幌岡市と幌岡興産に対してどのように対応してくるか、容易に想像がつくことではありませんか？　幌岡興産は市の後ろ楯《だて》があるからこそ、事業資金、運転資金の借り入れもできたし、継続的な設備投資の原資も確保できたのであります。もし市が赤字決算を真っ正直に議会に報告しておれば、その瞬間に幌岡興産の資金繰りはショート、不渡りを出して、二百十人の従業員全員が失業することになったのであります。また、たとえ千円の赤字決算でも一回やってしまえば、工業団地への誘致運動、工場用地の販売にも影響が出る。上水道をはじめ、市が約束していたインフラの整備は計画通り実行されるのか、優遇策の約束は反故《ほご》にならないかと、企業経営者が考えることでしょう。幌岡市自体のイメージも落ちる。幌岡の第三セクターの経営や、企業誘致、雇用創出という視点からも、赤字決算はできませんでした。

それに、上には監督官庁があることを想起していただきたい。市は勝手に決算報告書を作るわけにはゆかなかった。いまはまだ財政について調査が入っている段階でありますから詳しいことは答弁できませんが、この一連の赤字決算については、市当局にだけ責任があったわけではございません」

大田原は、書類を手元に引き寄せて演壇から離れた。

直樹は自分のメモに目を落とした。彼は大事なことを言っている。赤字決算報告については、隠蔽は意図的なものであり、しかも監督官庁の指導か少なくとも黙認を得てのことであったと。

「議長」と、直樹は挙手した。

「森下くん」

直樹は、もう一度演壇に立った。持ち時間を考えると、この質問が最後だろう。もし答をはぐらかされても、再質問はできなかった。

直樹は身体《からだ》をひねり、大田原に視線を向けて再質問した。

「幌岡興産の経営は順調という市長の答弁は、意図的な隠蔽であり、虚偽報告であったと認められた。ひらたい言葉で言いなおすなら、市長は公的な場で嘘を繰り返して、市民や議会を騙《だま》し続けてきた。ふつうの日本人は、このような人物をイカサマ師と呼ぶということを、わたしは思い出します」

議員席から激しい野次があった。

「なんだ、その言い方！」

「無礼だぞ、森下！」

議長の荒谷が言った。

「森下くん、言葉には気をつけるように」

直樹は荒谷に微笑して黙礼してから言った。

「失礼しました。イカサマ師という言葉は、市長に対して言い過ぎであったかもしれません。いま、べつの言葉に置き換えようと、詐欺師《さぎし》とか、ペテン師とかという言葉も考えてみたのですが、適切とは言えません。公職にありながら二十年にわたって公的な場で嘘をつき通し、結果として町を財政破綻させた人物のことをいったいなんと呼べばよいのか、浅学《せんがく》にしてわたしは適切な言葉を知りません。ここでは、常習的虚言症体質を持った人物と言うにとどめたいと思います」

議場は騒然となった。

「もっと悪いだろ！」

「懲罰動議だ！」

「議長、止めろ！」

議長が、苦々しげに言った。

「森下くん。不適切だ。発言を取り消しなさい」

直樹は頭を下げてから言った。

「取り消すのは、どの部分でしょうか。イカサマ師という表現は取り下げました。詐欺師？　ペテン師？　それとも常習的虚言症体質という部分でしょうか。どの言葉は市長にふさわしく、どの言葉は似合わないのでしょうか」

「森下くん、いい加減にしなさい」

「わかりました。イカサマ師、詐欺師、ペテン師、常習的虚言症体質という言葉を取り消します」

視界の隅で、傍聴席の高畑光男が見えた。彼は笑顔で、音を立てずに拍手していた。

直樹は親指を上げて応《こた》えたいところだったが、それはこらえた。

「質問を続けます。決算については、市長は監督官庁の関与をほのめかされておりましたが、率直にお答え願いたい。ではその意図的な隠蔽、虚偽の決算報告の責任者は、市長なのか、監督官庁なのか。財政破綻《はたん》に対して責任を取らねばならないのは市長なのか、それとも監督官庁なのか、それをお答えいただきたい」

直樹はいったん言葉を切って、メモを確認した。

この質問についての返答は、大田原にとって難しいものであるはずだった。責任は逃れたいだろうが、その場合は道庁もしくは総務省に責任をおっかぶせることになる。事実だったとしても、相手の不興を買う。かといって、この傲慢倨傲《ごうまんきよごう》な男が、すべてわたしの責任だと頭を下げることも考えにくい。ジレンマで大田原は苦しんでいるだろう。

直樹は質問を再開した。

「また、債務が昨日とつぜん膨らんで市財政が破綻したわけではないはずです。赤字が毎年積み重なり、ある年、再建団体入りの指標である標準財政規模に対する実質収支赤字比率二〇パーセントを超えた。本来なら、市長のおっしゃるような千円の赤字決算が出た時点で、財政再建の方策を徹底的に議論すべきでした。さらに、二〇パーセントの赤字という指標を超える直前で、自主再建か再建団体入りかを議論すべきところであったと考えます。市長が長年、議会も、市民も欺《あざむ》き続けてきたことはいまわかりましたけれども、最初に赤字となった年はいつなのか、そして赤字比率が財政規模四十五億円前後の幌岡市でついに二〇パーセントに達したのはいったい何年度なのか、それを明らかにしていただきたい。とくにわたしが気になるのは、平成十一年度、幌岡興産が『ゲンゴロウの動物王国』施設をオープンさせるために増資、市が四千万円を出資した年でありますが、このときすでに市財政は赤字だったのではないかということ。もうひとつ、平成十四年度、市長以下助役、総務部長、商工課長の皆さんがカンヌ、モンテカルロ、ヴェネツィア等、リゾート地観光地視察旅行にいらっしゃった年であります。視察旅行の総費用は、一千七百万円であったと報告されておりますが、この年は赤字であったのかどうか。赤字であったとすればどれほどの額であったのか、それをお示しいただきたい」

議員席からまた野次。

「正当な視察だろ！」

「とっくに終わった話だぞ！」

「未来志向でやれよ」

直樹は野次を無視してあらためて市長に目を向け、再質問をしめくくった。

「いまの二点について、正確かつ誠実にお答えいただきたいと存じます」

こめた皮肉は、もちろん市長にも伝わったことだろう。

立ち上がった大田原の顔は赤かった。侮辱された、と感じているようだ。たしかに自分はいま、これまで大田原が言われたこともない言葉を使って、彼を罵倒《ばとう》してやったのだ。取り消すことは、想定内だ。それでも、傍聴人やメディア関係者には、直樹が何を言ったかを強く印象づけることができた。

大田原は、こんどは直樹に視線を向けることなく立つと、答弁を始めた。

「わたしは、わが幌岡市がこと財政再建団体入りを指導されましたこの段階で、ここまできた責任は誰にあるのかと問うことが建設的なこととは思えません。幌岡市がこの未曾有《みぞう》の危機にあるとき、とにかく再建に向けてわが幌岡市は全市一丸となり、市民ひとりひとりが危機感を持って、再建に取り組まなくてはならないのであります。それはけっして容易なことではなく、また短期間に解決できることでもありません。なのにいま、ことさら過去にこだわり、いつから、誰がと、再建に取り組む人々の背後でそのようなことを問題とすることは、問題の解決に果たして寄与するでしょうか。いま幌岡市に求められているのは、前向きの建設的な議論であります。わたしは家が火事になったときに必要なことは、有限の手立てを使ってとにかく消火し、家族揃《そろ》ってのサバイバルの道筋を探し、すみやかに避難することであると考えます。森下議員のように、燃え盛る火を前に誰かを汚い言葉で罵倒し、責任者は誰だ、誰の不始末かと問うことに、何か意味があるとは考えません。まずこれが最初のご質問に対する回答であります」

議員席から拍手があった。

直樹は苦笑した。なるほど、このような答え方があったか。これではまるで、財政破綻の張本人のほうが、責任感のある立派な人物と聞こえる。責任の所在を問うた直樹のほうが悪人だ。

大田原は続けた。

「次に、赤字決算となったのはいつの時点か、赤字比率が市財政の二〇パーセントを超えたのはいつか、というご質問でございますが、議会でいったん承認された決算を、いまここでわたしが、あれは間違いであったと言うことはできません。議員一期目の森下議員はご存じないかもしれませんが、例年決算報告は議会に於《お》いて徹底的に吟味され、質疑がおこなわれ、市が答弁し、そうした市の説明をすべて了解されたうえで承認されてきたものであります」

議員席で寺西真知子が野次った。

「いつもシャンシャンだったじゃない」

大田原が締めくくった。

「何年度の決算がじつは間違いであったと、いまわたしが言うことは、そのときの議会を咎《とが》めること、非難することとなってしまいます。回答できない、という立場をご理解いただきたいと思います」

直樹は失笑した。大田原は、こんどは債務隠蔽《いんぺい》の責任は議会にもあると言ったのだ。議会との連帯責任である、と。もちろん到底承服できる回答ではない。

大田原が直樹に目を向けてきた。直樹に対して何か言おうとしている顔だ。直樹は大田原を注視した。

大田原は言った。

「質問へのお答として、最後に森下議員に呼びかけたい。いまはもう、罵《のの》りあいや過去の粗探し、あるいは責任者追及といったことはやっている段階じゃないんだ。不毛だし、後ろ向きだし、非建設的だろう？　ここは議会もまた市と協力しあい、全市一丸となった再建に取り組んでゆくべきではないか？　森下議員にもぜひ協力をとお願いしたい」

その瞬間に野次だ。

「お前が言うな！」

高畑光男の声だった。ほとんど同時に、議員席では拍手が始まった。盛大な拍手だ。大田原の最後の呼びかけに全面的に賛同する、という意味なのだろう。

大田原は、長く続く拍手の中、市長席へと戻った。

もう時間切れではあるが、直樹は手を挙げた。

「議長。もう一度質問です」

荒谷は、直樹を一瞥《いちべつ》したが、再々質問は認めなかった。

「それでは時間となりました。質問ももうないようでありますから、ただいま市長より提案がありました財政再建特別措置法にもとづく再建団体申請の提案について、表決いたします」

直樹は叫んだ。

「議論なしじゃないか。拙速だろう」

「採決いたします。財政再建団体申請の提案に賛成の諸君の起立を求めます」

直樹と寺西を除く議員全員が立ち上がった。まるで一度練習していたかのように、ひとりも遅れることのない一斉起立だった。

荒谷は言った。

「起立多数と認めます。よって提案は可決されました。本日の臨時市議会はこれをもちまして閉会いたします」

大田原以下、市の当局者たちが自席で立ち上がり、深々と議員席に向けて頭を下げた。

「何よ、これ」という声が傍聴席から聞こえた。

「こんなに簡単に決めることなの？」

「議員さんたち、これでいいのか？」

大田原たちが、退席を始めた。大田原の顔には、笑みが浮かんでいる。切り抜けた、という想《おも》いなのだろう。議員たちも立ち上がった。

直樹は傍聴席に目をやった。カメラを構えていたメディア関係者も、傍聴席の出入り口を慌《あわ》ただしく出てゆくところだった。大田原を追いかけるのだろう。

寺西真知子が、直樹に声をかけてきた。

「イカサマ師でも言い足りないでしょ。あいつ、二十年間議会を騙し続けてきたのよ」

「いや」と直樹は首を振って言った。「市長の言うとおりだ。議会はずっとあのでたらめ決算を承認してきた。議会も同罪だ」

「森下さんも、毎回承認してたじゃない」

「ああ。おかしいとは感じても、数字は合っていた。虚偽報告だと見抜くだけの力はなかったから」

「うちは、終始一貫、反対してきた」

「ご立派だ」

「市長、まだやる気満々ね。再建団体の市長って、そんなにおいしい？」

それは直樹の疑問でもあった。再建団体となれば、おそらく市長の給料はいまの八十万円の半分、いや、それ以下に抑えられるかもしれない。専用車も廃止だろう。あのぜいたく好きの大田原に、耐えられるか？　いや、それより、再建団体の市長という、これまでとはまるで違った立場での激務に耐えられるか？　体力でも、能力でも。ふつうなら、責任回避でさっさと引退し、この町から消えて、ひそかに貯《た》めたカネでのんびりハッピー・リタイアメント生活を送るほうがよいと思うのではないか？

直樹は、ほかの議員たちに混じって議場を出ながら思った。

いや、それとも彼は、市財政を自由に弄《もてあそ》んだけれども、蓄財だけはやってこなかった？　あるいは引退できるほどの隠し資産は作っていないということか？

議場を出ると、高畑光男が近寄ってきた。

「よかったぞ。申請承認はむかつくけど、質問はよかった。胸がすかっとした」

直樹は言った。

「徹底して逃げまくられた」

「答えられないぐらいの質問だったのさ。傍聴席の雰囲気、気づいていたろう。大田原の回答に、みんな頭から湯気を立ててた」

「議員たちは拍手だった」

「同罪だってことを認めてしまったようなものだ」高畑光男はＩＣレコーダーを取り出して言った。「質問と答弁、録《と》った。これを起こして、お前のホームページにすぐアップしよう」

「文字にすると、大田原の言ったことはそれなりに筋が通っているように見えないかな」

「お前が注釈をつけてもいいんじゃないか」

もうひとり、後援会のメンバーが近づいてきた。町田善作だ。

彼も愉快そうに言った。

「大田原の顔は見物だったぞ。真っ赤になって、まるでタコだった。イカサマ師、は効いたな」

「それでも、答弁はそつがなかった。あの論理でくるとは思っていなかった」

「おれも啞然《あぜん》とした。財政破綻させておきながら、危機には全市一丸となって、とはな。責任者を出せという議論は不毛、ってとこで、おれはのけぞったよ。まるであんたが再建の足を引っ張る厄介者という言い方だったものな」

高畑光男が言った。

「イカサマ師の居直りだった」

直樹は、少しだけ反省しながら言った。

「おれは、その手のボキャブラリーが不足だ。もっといい呼び方があったかもしれないな」

「おれはもう少しきついのを思いついたけれど、議場では口に出せない。あれで十分だ」

「それにしても」直樹はきょうの議会の全体を思い起こして言った。「大田原は、議会で事実上の六選出馬表明をしたようなものだ。議員連中もすっかりその気だった。選挙戦は動き出したな」

後援会のひとり、浜口明が言った。

「西町公民館、今夜空いてる。押さえた。緊急市政報告会をやれるぞ。どうだ?」

「やろう。質疑内容はプリントする」

高畑光男が言った。

「大田原市政二十年の簡単な年表を作ろう。どれだけ無駄なことにカネを使ってきたか、あらいざらい書いてやる」

「決算報告の要旨も、まとめたい」

「これから図書館に行く」

「役場の資料室でもいいだろう？」

「職員に、何をやってるか知られたくない」

「もう見え見えだ。隠すことでもないさ」

そこに、メディアの関係者が数人近づいてきた。長沢や久住たちだった。市長のコメントを取らないのだろうか？

全国紙の長沢が直樹に訊《き》いた。

「いま話せます？」

「市長に取材しなくていいんですか？」

「きょうは取材お断りだそうです。道庁とのすりあわせが終わっていないので、余計なことは言えないからと」

そこにさらにメディアの関係者たちがやってきた。市長に取材を拒否されたので、やむなくまた議場の外廊下に戻ってきたようだ。直樹が記者と話しているのに気づくと、みなカメラを構えて小走りになった。

直樹は、長沢に訊いた。

「きょうの再建団体申請の決定、どう感じました？」

長沢は苦笑して言った。

「絶対に承認できることじゃありませんが、ほかに道はないのでしょう。自主再建の道があるなら、市長はそうしたかったはずだ」

「市長の答弁はどうです？」

「自分は財政破綻《はたん》の張本人じゃなくて、財政再建のリーダーなのだという言いっぷりでしたね。事実上の六選立候補表明も意外でした」

「どういう記事になるんです？」

「事実を書きますが、整理のほうではどんな見出しをつけるかな。大田原市長、責任問題には触れず、か、再建に意欲、か」

直樹のまわりには、メディア関係者のひとだかりができた。さすが昨日財政破綻がはっきりしたということで、メディア各社は札幌から取材陣を多く送り込んできたようだ。まったく知らない顔のほうが多かった。マイクやＩＣレコーダーが、直樹の顔の前に突き出された。

ブロック紙の久住が、手帳を開いて言った。

「再建への協力を求められていましたが」

直樹は久住のほうに顔を向けて言った。

「格好だけでしょう。というか、再建の先頭には自分が立つから、足を引っ張るなという意味だと思いますよ」

「きょうの問題点とご感想は？」

「これまでの虚偽決算報告を、町のためにやむを得ずと詭弁《きべん》で答えられた。破綻の経緯も明かされない。責任の所在については、議論そのものを封じられた。無内容で、保身に終始した報告だったし、答弁でしたね」

「かなり厳しい言い方をされていましたが」

「二十年間市民を欺《あざむ》き続けてきた市長に、ほかに言ってやる言葉がみつかりませんでした。しかもなおそれを正当化したのですから」

「議員席からも、森下さんに対して野次が飛んでいました」

「あんなものでしょう。議会は、市長とグルになって財政悪化を隠していたのだとわかりましたよ」

「グル、と書いてもいいですか」

「かまいません」

「イカサマ師とも発言されてました」

「市長がなお市長を続ける意志を見せたからです。あなたにはその資格はないと言ってやったつもりでした」

「では、どんなひとが、この厳しい状況で市長にふさわしいんです?」

「隠蔽《いんぺい》や破綻に責任のあるひとたちは、論外です。つまり、市の幹部や職組の幹部は駄目です。議会も長年、隠蔽と破綻を黙認してきたようなものですから、ベテラン議員たちにも資格はありません」

「かといって、まったく市政に関わってこなかったひとというのも、無理でしょうね」

「そのとおりです。市政や行政について、多少の経験と知識があって、なにより幌岡市の未来についてビジョンのあるひと、それを実現しようという強い信念のあるひとでなければなりませんね」

「森下さん自身は、立候補は考えられていますか?」

来た。こんどは明言しなければならない。

「もし大田原市長が立候補するというなら、わたしも対立候補として出ようと思います。二十年かけて町を財政破綻に追い込んだ人物が、もう一期やっていいはずはない」

「立候補されるのですね」

ここで、条件を口にしてはならなかった。きょうから、選挙戦は始まるのだ。

直樹は言った。

「はい」

シャッター音が激しく鳴った。久住と長沢の肩ごしに、高畑光男と浜口明の顔が見えた。ふたりは、それでいい、とでも言うように、直樹に微笑を向けてきた。


西町公民館の緊急市政報告会は大盛況だった。

直樹は、市政報告会自体はこれまでにも年に二回程度開いてきた。しかし、いつでも参加者の数は二十人以内だった。八人しか来なかったこともある。しかしきょうは、公民館のホールが満杯だ。パイプ椅子《いす》は八十脚以上並べたはずだが、もうひとつの空きもないのだ。床に直接座りこんでいるひとも、五、六人いた。

参加者の年齢層は、やや高めだった。半分以上が、たぶん六十歳以上の市民だろう。もともと幌岡市は、炭鉱がなくなってから急激に高齢化の進んだ町だ。六十五歳以上の人口が四割を超えているのだ。その人口比を反映している、というよりも、きょうのこの盛況ぶりはやはり、再建団体となったという事実に不安を感じたひとが多いということだった。医療や行政サービスの料金、高齢者向けの施策などがどうなるのか、それを知りたいということなのだろう。

あとは、町内会の親しいひとたち、そして前の選挙のとき直樹を応援してくれた友人たちだ。

裏後援会の面々も全員来ていた。市職員の江藤昇も、農家の飯島義夫も、もと採炭夫だった町田善作も。保育園の恩田由美子は、会場入り口で、プリント類を参加者に配ってくれている。

七時を五分すぎたところで、直樹は立ち上がって言った。

「では緊急の森下直樹市政報告会を開催いたします。ご承知のとおり、幌岡市は昨日、財政破綻していることがわかりました。法律に基づいて、財政再建団体となり、北海道庁、総務省の指導監督のもとで、借金を返済してゆくことになります。市議会は再建団体申請を承認しました。心配されてはいたことですが、第二の夕張となったわけです」

話し始めたときはざわついていた会場が、すっと静まっていった。

最前列にいた老人男性が、怒鳴るような調子で言った。

「いつからこんなことになってたんだ？　何も心配ないって市長は言い続けてたじゃないか」

少し耳が遠いのかもしれない。会場全体に聞こえるだけの音量だった。元炭鉱マンのはずだが、直樹には彼の名を思い出すことができなかった。

直樹はその老人に笑いかけてから言った。

「あとで、わかった範囲のことをお知らせします。まずきのうのニュースのコピーと、きょうの議会での報告、そして質疑について詳しく紹介させてください」

高畑光男が、パワーポイントで資料を作ってくれていた。直樹は、会場の明かりは消さないまま画像をスクリーンに写して、説明を始めた。

昨日の市の発表の内容。きょうの報告。そして質疑と答弁。

隠蔽の理由と責任の所在についての大田原の答を伝えると、参加者たちから怒りの声が漏れた。若者が多い集会であれば、ここではブーイングが起こったところだ。

最前列の老人が言った。

「そんな言いぐさってあるかい。責任者はあいつだろう」

うしろのほうで、べつの老人が手を挙げて言った。

「二十年間、議会は何も気がつかなかったのかい？　決算報告見たら議員さんたちにはわかるんじゃないの？」

直樹は答えた。

「市長の答弁に拍手があったところをみると、議員たちは前から薄々気づいていたのではないかという気がします。わたしもこの四年間、決算報告が出るたびに疑問を出しましたが、数字に誤りはないと突っぱねられてきました。全部でたらめだったわけです」

最前列の老人が言った。

「それって、犯罪じゃないのかい？　やっていいことじゃないだろ」

直樹はうなずいた。

「そうだと思います。ただ、市長は監督官庁の指導があったとほのめかしていました。となると、法律的には微妙な線なのかもしれません」

直樹はさらに、夕張市の再建計画についての新聞記事をひとつひとつ示しながら解説した。夕張市の財政破綻発覚は去年の六月、標準財政規模四十五億円の自治体が、六百三十億円の債務を隠していたのだ。手口は出納整理期間のあいだに金融機関からの借り入れ、返済を繰り返すことで、一見毎年の決算には赤字が出ないと装《よそお》うというものである。しかし、基幹産業が消えた町では借金を滞りなく返済してゆけるはずもなく、市民が知らないあいだに債務は雪ダルマのようにふくらんだ。そしてけっきょく、どうにもならなくなったところですべてが明るみに出てしまったのだ。夕張市の場合、その手口も債務の額も、道庁は把握していたと言われている。いや、手口の指導さえおこなっていたとも報道された。おそらくは幌岡市でも同様の事情であったろう。

その結果、夕張市の再建計画策定は総務省主導で進められることになった。総務省の方針は容赦のないものだった。債務のうちのおよそ三百億を、十八年かかって返済する。最初の十年は、平成十八年の財政規模を基準にすると、その二五パーセントを返済にまわす。十一年目からは、割合は四〇パーセントになる。そのためには、市職員の数を三分の一近くまで減らし、公立学校を統合、市の施設、機関の大半を廃止して、各種の公共料金も大幅値上げ、市立病院も閉鎖するのである。「最低水準の行政サービス」というのが、総務省による再建計画の基本方針だった。結果としてこの再建計画は、夕張市安楽死計画とも呼ばれるほど、市民にとって過酷なものとなった。夕張市が債務を返済し終わるころには、夕張市は自治体としての実体もなくなっているだろうとさえ予想されている。この計画が策定されたことで、夕張市からは人口流出が勢いを増すと予想されるし、人口が減れば十年後には計画どおりの返済も不可能になる。周辺市町村に吸収合併されないことには、小学校ひとつ維持できなくなるのではないかと言われているのだ。つまり、自治体としての寿命が尽きるのである。

幌岡市は、債務の額自体は夕張市の五分の一であるものの、再建団体入りが決定した。つまり、行政サービスの水準は、夕張市並みとなるのだ。

それをひとつひとつ説明してゆくと、会場内には次第次第に悲痛な吐息が満ちてきた。

夕張市の再建計画を説明し終わると、最前列の老人男性が直樹に言った。

「大田原は、まだ市長やる気なんだって?」

直樹はうなずいた。

「その意志表示をしているようです」

「やらせちゃ駄目だよ。二十年かけて町をつぶしてきたひとだよ。もう変わらなきゃ」

そしてその老人は言った。

「森下さん、あんたが市長になれよ」

高畑光男と視線が合った。

この瞬間を待っていた、と彼の目が言っていた。

その夜、直樹は市職員の江藤昇を訪ねた。

「父の死の詳しい事情を教えてください。立候補をきちんと決める前に」

江藤は、自宅の座卓の前で少しのあいだ直樹を黙って見つめてから、話し始めた。

「親父《おやじ》さんは、生活保護の受給手続きで、ときに不正に手を染めた」

父の仕事を考えると、それは推測できることだった。直樹は確認した。

「私腹を肥やすために？」

「ちがう」江藤はきっぱりと首を振った。「福祉課の杓子定規《しやくしじようぎ》な対応に、対抗手段を取ったということだ。大田原の二期目の終わりころだ。市の財政はかなり危なくなっていたんだろう。だから大田原は、ちまちまとした緊縮策を取り始めたんだ。いちばんラクな手法は、生活保護の申請には問答無用でノーと応《こた》えることだ。九州の旧産炭地では、生活保護の申請用紙すら渡さないところがあるとか。同じことを、大田原は始めた。親父さんは、もう亡《な》くなったある医師とはかって、福祉課も無視できない診断書を作成、何人かのひとが生活保護費を受給できるようはかった」

「それが、スキャンダルということですか？」

「大田原たちに言わせれば、犯罪ということだった。公文書偽造。詐欺《さぎ》。親父さんは、その事実を市役所から突きつけられ、追い詰められて、自殺したんだ。市立病院の大友さんを市長選に担《かつ》ぎ出そうとしたことへの報復だった」

江藤は心配そうに直樹の顔をのぞきこんできた。

「ショックか？」

「いえ」直樹は首を振った。「父らしいと感じます。法を犯してでも、この町の貧しいひとたちの生命を守ろうとした。なんとか助けてほしいという期待に応えようとした。父ならやったにちがいない違法行為です。父らしい犯罪です」

直樹は江藤に深く頭を下げて彼の家を辞した。

11

前夜からの積雪はもう三十センチ以上だろう。谷を覆《おお》い尽くした雪雲から、雪はひたすら音もなく湧《わ》き続けている。

森下直樹は、事務所のあるビルの駐車場を除雪していた。これだけの積雪となれば、もう機械を持った業者に頼んだほうがいい。人力ではとても、積雪の勢いに追いつくものではない。しかし、町全体がこの大雪なのだ。業者も、小さな企業の駐車場の除雪はあとまわしにする。一部の除雪機械は、市役所関連の施設の除雪を最優先にしているかもしれない。となれば、少しでも自力の手作業で除雪をしておいたほうがいい。

直樹は除雪用のスコップを持つ手を止め、荒く息を吐いた。十分間スコップをふるっただけで、もうけっこうな疲労だった。雪が湿っていて重いのだ。二月終わりの雪らしい雪だった。

幌岡市の再建計画が正式決定となるのはきょうだった。財政再建団体入りは、この一月の臨時市議会で可決されている。そのあと、市と総務省、北海道庁の三者で、再建計画の策定が進められてきた。計画はまず市役所内部で原案が作られた。これを市に派遣されてきた総務省と北海道庁の職員が検討、甘い、と突っ返しては再検討を命じてきた。その繰り返しがもう一カ月以上も続いていたのだ。一昨日、ようやく総務省、北海道庁の担当者が了解する計画案となり、大田原はその計画案を持って上京した。形式的には、総務大臣がこれを了承して、正式決定となる。大田原は今朝一番で、総務大臣から了解をもらったはずである。

午後、大田原が東京から戻り、市役所で財政再建計画を発表することになっていた。すでに市役所には、東京のメディアを含めて三十人以上の報道陣が待機しているらしい。

この計画案の詳細は、市民や直樹たち議員はもちろん、市役所の幹部たちも知らない。最初は夕張市並みの厳しさと言われ、市民だけではなく、職員たちのあいだからも猛反発の声が上がった。しかし総務省側は、十日ほど前から関係者に箝口令《かんこうれい》を敷いた。詳細がまったく漏れてこなくなった。

新聞などが独自の分析として書いている計画案はこういうものだ。まず債務の総額は百二十億円。これを、十二年で返済する。夕張市の場合は三百億の債務を十八年で返済する再建計画だから、夕張と同じ財政規模の自治体としては、厳しさは夕張ほどではないと言えるのかもしれない。

市役所職員の数は三年以内に半減、給料は夕張市役所よりはいくらかましという水準。小学校、中学校はひとつに統合。最低限の行政サービス以外には、いっさいの事業に補助を廃止する。議員定数は四分の三の十八に。議員報酬も大幅減、市長給与も現行月額八十万円から大幅減、いまや重荷以外の何ものでもない観光施設は、売却または運営の委託、というようなものだとか。新聞もそれなりの情報源にあたっているだろうから、きょう正式決定される計画案は、これとかけ離れたものではないはずだ。

直樹は腕時計を見た。午後の二時十五分になっていた。大田原はそろそろもう千歳空港を出たというところか。一応、メディアには、記者発表は午後三時からと伝えられているという。

除雪作業を中断してビルに入ろうとしたときだ。表通りを、黒塗りの車が三台、続いて走っていった。

一台は、シルエットだけでわかる。市長の公用車だ。二年前に買い替えられた、国産最高級のセダンだ。二十年前から、大田原市長はこのタイプの車をずっと市長公用車として使ってきた。市長としての体面を保つためには必要とのことで、北海道の首長の公用車としては最初に自動車電話を搭載したはずである。きょうは千歳空港まで大田原を迎えに行っていたのだろう。いま大田原は、総務大臣に再建計画案を認められて、この市に帰ってきたというわけだ。残念ながら、この雪の中では、後部席にいるはずの大田原の顔は見えなかった。悄然《しょうぜん》としているのか悔恨にうつむいているのか。それとも、夕張市よりはましと評価されるだけの再建計画案をまとめ承認させて、意気揚々としているのか。直樹には判断ができなかった。

大田原の公用車のうしろを、地元の二台のハイヤーが追いかけて市役所方向へと走り去っていった。こちらの車には、助役に総務部長、そしてその部下たちが乗っていたのだろう。彼らは例年、陳情の折にはいつもかなりの格の高級ホテルを使っていた。もっとも便利ということで、国会議事堂や議員会館に近いホテルだった。ビートルズやマイケル・ジャクソンも泊まったというあの有名ホテル。しかしたしかあのホテルは、建て替えのためについ二、三カ月前にクローズしたのではなかったろうか。今回はどこに泊まったのだろう。財政再建計画案を大臣に承認してもらうための出張でまた性懲《しょうこ》りもなく高級ホテルに泊まったようなら、それだけで厳しい非難に値する。しかしあの見栄《みえ》っ張りで贅沢《ぜいたく》好きの大田原が、まさかビジネス・ホテルに泊まったとも思えない。大田原と部下たちは別々だったのだろうか。

直樹はふと、日高の馬産地で開業している司法書士の友人の言葉を思い出した。競走馬の牧場というのは、いわばそのビジネス・モデル自体が博打《ばくち》である。自分のところで産ませて育てた競走馬にいくらの値がつくか、毎年毎年、彼らは鉄火場で大金を張っているようなものだという。ギャンブルだから、当然ながらほかの自営業者と比較して、多すぎると言えるぐらいの破綻者《はたんしゃ》が出る。その友人の司法書士の話では、彼らは自己破産の相談にやってくるときでさえ、ベンツに乗ってくる、というのだ。その点で、牛を飼う牧場の経営者の生活態度は百八十度ちがうのだとか。大田原も、考えてみれば馬産地の軽種馬育成牧場の経営者とメンタリティは一緒だったのかもしれない。借金して設備投資し、バブルが終わったことすら認めないままに、ある日またやってくるかもしれない好景気に賭《か》けたのだ。この谷のいささか貧相なリゾート施設に、ふくらんだ財布を持って大勢の観光客がやってきてそれぞれの施設の前に長い列を作る日がくると、その期待に大金を張ったのだ。

そこまで考えてから、直樹は顔をしかめてドアを閉じ、事務所に通じる階段を上がった。

自分の司法書士事務所でも、けっこう多重債務や自己破産の相談には乗ってきた。弁護士のいない町だから、こうした問題では直樹がいわば弁護士代わりとなったのだ。直樹の事務所で扱う自己破産者は、日高ほどには特徴が絞れるわけではなかった。年金生活者もいれば、若い勤め人もいるし、主婦もいた。ただし、二割か三割程度の割合ではまちがいなく、「ベンツに乗って自己破産の相談にくる」というタイプのクライアントがいた。

無邪気な楽天主義と、強い虚栄心。借金のことを家族の誰にも相談できないほどの人間関係の貧しさ、周囲の人間への不信、孤独。

そうか、と直樹は合点がいった。あの豪傑タイプとも見える大田原は、じつは周囲の誰をも信用できず、自分が信用され信頼されているという確信も持てない、哀れで孤独な見栄っ張りというだけなのか。彼はたまたま幌岡市役所に就職したために、自分の事業ではなく、自治体とそこの市民の生活を担保に大博打ができたということか。司法書士の視点で言い換えるなら、社会的性格破綻者である。自治体の首長など、やっていい人間ではなかった。いや、公務員になることすら、遠慮してもらわねばならない男ではなかったか？

ふと多津美裕の顔が思い出された。彼は最初から大田原の人間性については辛辣《しんらつ》すぎるコメントを発していたが、話題をそちらに向ければ、以前よりもいっそう鋭い調子で言うのではないか。

そうだよ、幌岡市は、性格破綻者の暴走を止められずに破産したんだ。もっと早くに止める手立てもあったろうに、と。

事務所に入ると、固定電話が鳴った。市議会事務局の職員からだった。

「本日、全員協議会があります」と、相手は言った。「議長は全議員に出席を求めました。緊急ですが、午後五時から。出席可能ですか？」

「出ますよ」と直樹は答えた。

通常、二月か三月の議会は、予算議会と呼ばれる。来年度の予算案が市当局から示されるのだ。この予算案に対する質疑があり、賛否が問われる。しかし財政再建団体となった幌岡市は、もはや自主的に予算案を決める権利を持たない。総務省が予算編成権を制約するから、極端に言えば今後は鉛筆一本の購入まで、総務省にお伺いを立てなければならなくなる。こんどの議会で出される予算案、つまり財政再建計画に対して、事実上議会が反対することは不可能だった。いや、今回に関して言えば、予算議会があるかどうかもわからないというのが現状だ。きょうの全員協議会は、予算議会はない、ということを伝えるものになるのか。

午後三時十分前になって、市職員の江藤昇から電話がかかってきた。

「いま、課長職以上が会議室に集められていると聞いた。市長から、財政再建計画の発表が行われているそうだ。想像以上に厳しいものらしいぞ」

直樹は確認した。

「もう情報が？」

「箝口令が、事実上解かれたからな」

「もしかして、市役所はパニックですか？」

「絶望的になってる中堅幹部は多いんじゃないか。あんたは、記者発表にゆけるのか？」

「入れてもらえるなら、聞きたいと思っています」

「記者に発表する場に、議員がいちゃまずいってことはあるまい。おれは職場を動けないが、大田原の態度を観察してきてくれ」

「ええ。そのつもりです」

「もう一つ、気になることがある」

「なんです？」

「裏後援会の情報が漏れている節がある。おれがあんたたちと会合を持っていること、筒抜けだ」

「細かなところまで？」

「そうなんだ。あんた、尾行なんて気づいていないよな」

「そこまで神経質になる選挙じゃないでしょう。本州の田舎じゃあるまいし」

「会合がばれたからといって、どうってことはないけど、話題には注意しよう」

「たとえば？」

「多津美さんのことは、集まりでは話題にするな。わたしとあんたが知っていればいい。多津美さんの指示の中身もだ」

「それって、仲間うちに、通報してる誰かがいるってことですか」

「その可能性がある」

「気をつけます」

「汚い戦術の話題も避ける。公職選挙法違反に引っかかるような話題は、厳禁だ」

「了解です」

電話を切ってから、江藤の懸念《けねん》について考えた。あの後援者メンバーの中に誰か、大田原陣営に情報を流している者がいる？　本心を隠してメンバーになった者がいるということか。それとも大田原側に抱き込まれた者が出たのだろうか。もし後者だとしたら、それは大田原陣営が直樹の選挙戦を恐れ始めたということになる。悪い兆候ではない。

記者発表は、午後三時を十五分ほど過ぎたところから始まることになった。市役所本庁舎二階にある大会議室が、その会場だった。財政再建団体申請を発表したときにも使われた部屋だ。教室の教壇と生徒席という格好で、テーブルと椅子《いす》が並べられている。最前列から三列目までは、記者やスティル・カメラマンたちで埋まった。会議室の左右には、三脚を立てたテレビ・カメラマンたち。直樹がこれまでまったく見たことのない顔もある。東京のキー・ステーションから派遣されてきたカメラマンやレポーターたちかもしれない。

地元幌岡市の市民は十人ほどだ。議員はもうひとり、あの寺西真知子だけ。直樹は、最後部の椅子に腰を下ろして、二十分前から、発表が始まるのを待っていたのだった。

三時二十分ちょうどになったとき会議室のドアのひとつが開き、助役と総務部長、それに市長の大田原の三人が入ってきた。ストロボが立て続けに発光し、シャッター音が連続した。すでに直樹にもなじみとなった既視感のある光景だが、きょうは規模がこれまでとはまったくちがう。この町にこれだけのマスメディアが集まったことは久しぶりだろう。たぶん第一回の国際映画祭開会式以来だ。

大田原は、左右に部下を従えて真正面のテーブルの前に進むと、妙に謹厳そうな顔を作った。

彼は視線を記者たちの頭の上あたりに向けた。記者たちの視線をほんのわずかだけかわす格好だった。

彼は、悔しそうな声で言った。

「まず幌岡市民のみなさまに、力及ばず、幌岡市が財政再建団体入りしてしまったことを、お詫《わ》び申し上げます」

目には涙さえ浮かんでいるように見えた。一瞬だけ直樹は、これまで自分は大田原に対して手厳しすぎたかと思った。

「二十年前、市長となって以来、なんとか自力で財政再建を果たし、豊かな、活力ある郷土を作ろうと文字通り粉骨砕身、力を尽してまいりましたが、ご承知のようにおよそ二カ月前、いわば刀折れ、矢尽きて、再建団体入りを決断いたすに至りました。

それ以来、監督する立場にある総務省、それに北海道庁と共に再建計画案策定にあたってきたわけでありますが、本日、最終的に総務大臣の正式のご承認をいただき、再建計画が決定いたしました。この計画に基づいて、市当局は来年度よりいっそう身を引き締めて幌岡市の再建に当たることになった次第でございます。数字等の細かなことは、これからお配りいたしますペーパーに記した通りでございますが、まずは計画案承認のご報告をいたすとともに、わたしの力不足によりこの事態を招来したことに対して、深くお詫びする次第でございます」

大田原は、いったん気をつけの姿勢をとってから、あらためて深々と頭を下げた。高級料亭の女将《おかみ》が大臣でも送り出すときにするほどにおおげさなお辞儀だ。上体を六十度は傾けたことだろう。これに合わせて助役と総務部長も、同じ程度に深く頭を下げた。また激しくストロボが発光し、シャッター音が響いた。

大田原たちが顔を上げたところで、直樹はいましがたの自分の受けた印象を打ち消していた。いま大田原の表情には、もう誠実さも殊勝さも見当たらない。これで謝罪は十分だろうと居直っている顔だった。

市の若い職員が、A４サイズの書類を記者たちに配り始めた。職員は市民たちの前までやってくると、一瞬ためらいを見せた。これはメディア向けのペーパー、ということなのだろう。直樹が手を差し出すと、職員は仕方がないという表情で手渡してきた。三枚の書類がホチキスで留められていた。とくに表紙も裏表紙もなかった。

助役の白川が、椅子に腰掛けたままで言った。

「まず最初に、幌岡市の債務の額について、発表いたします。債務は百六億二千二百五万円であります」

直樹は、ペーパーのその部分に目を落として確認した。なるほど、大田原が前回の議会で、百二十億という数字よりも少ないと胸を張ったのは嘘《うそ》ではなかった。しかし、報道よりも、十四億弱少ないだけだ。夕張市の六百三十億、最終的に返済義務のある債務額三百億に較《くら》べれば、ずいぶん少ない印象を受けることはたしかだが。

白川は続けた。

「この債務を、十年計画で返済してゆきます。そのため、人件費、事業費などを徹底的にスリム化し、年間十二億円の支出を削減、さらに市民のみなさんには若干の負担増をお願いして、年間一億一千万円の増収をはかります。これらをすべて債務の返済に回し、夕張よりも八年早く、十年で再建をなしとげようという計画であります」

記者たちが一斉に声を上げた。

「質問。質問」

総務部長の植田が言った。

「質問は後ほどまとめて受けますので、最後まで説明させてください」

助役が続けた。

「まず市長給与は、六〇パーセント削減の月額三十二万円といたします。また議員定数を現行二十四人から二五パーセント削減の十八人とし、議員報酬も四五パーセント減の月額二十五万といたします」

市長給与は月額三十二万円。予測よりは高い金額だった。夕張市の再建計画では、市長給与は二十六万円である。幌岡市の市長給与額は、懲罰の意味はさほど強くない数字と言ってよいのではないか。しかしそれでも、この金額では事業を営むのでもない一般勤労者では、立候補しにくい。市長ともなればフルタイムで働くことが要求されるのだ。勤めは辞めなければならない。事実上、一般のサラリーマンは立候補できない。資産家か、年金生活者以外には市長になることは難しくなったのだ。

六選立候補を事実上表明した大田原は、この給与と決まってもなお立候補は断念しないのだろうか。とすれば、いよいよその動機が謎《なぞ》めいてくる。幌岡市には、彼が無私の気持ちでボランティアをやるのだと信じている者はいない。支持層の中にさえ。

白川は言った。

「さらに市職員が率先して痛みを引き受けるという意味で、職員の人件費も大幅にカットいたします。給与は二八パーセント減、特別職給与は五〇パーセント減、特殊勤務手当廃止。定員そのものも、現在の三百人から四年かけて段階的に百四十人まで削減いたします。退職金は、四年後には全廃です」

記者たちは、聞きながらペーパーに何か書き込んでいる。

直樹は小さくうなった。厳しい。市職員の給与カットは、夕張の場合、三〇パーセントだった。その給与体系だと、一般職員の四十一歳モデルで、年収は三百七十万円である。幌岡市の場合は、それをほんの数万円上回るというところか。夕張の場合は、懲罰的に全国最低水準の給与体系が総務省から押しつけられたが、幌岡市に対してはそれよりは多少配慮してやったという言い分なのかもしれない。

白川はさらに続けた。

「市民税の均等割は四百五十円増。所得割では〇・四パーセント増。固定資産税は、〇・四パーセント引き上げ。軽自動車税も、四〇パーセント引き上げます。下水道使用料、市立保育園の保育料は五〇パーセント引き上げといたします。いずれも、夕張市よりは抑えられた数字であります」

市民の数人が、失笑をもらした。この二十年間、大田原はことあるごとに夕張を引き合いに出し、負けるな、あっちを上回れ、凌駕《りょうが》しろと言い続けてきたのだ。いまは、夕張市よりも悲惨の程度がわずかに低いことが自慢らしい。

白川はさらに続けた。

「三カ所にある市の出張所は廃止し、ひとつ連絡所を新設します。公共施設は、養護老人ホーム、図書館、郷土資料館を廃止いたします。市立温泉、市立プールも廃止。市立病院は縮小し、診療所とします。さらに、全部で六校ある小中学校は、それぞれ一校に統合します」

市民がざわついた。住民がもっとも強く懸念していたのもこの公立学校問題だった。幌岡市は細長い谷の中に三つの集落があるが、公立学校が統合されると、集落間の格差がはっきりする。学校のなくなる集落は衰退に拍車がかかり、高齢者比率が多くなって、急速に限界集落化するだろう。

白川が顔を上げたところで、全国紙記者の長沢が訊《き》いた。

「市の補助事業の削減計画は、詳細が示されていません。補助事業を全面的に見直した、しか書かれていないのはなぜですか」

白川は、総務部長と大田原の表情を窺《うかが》ってから、答えた。

「細かすぎるものですから、列記しませんでした」

「詳細を」

「ええと、全廃する補助事業を申し上げますと、高齢者敬老パス、ホームヘルパー派遣、子育て支援センター助成、農業振興対策全般、中小企業育成対策、防犯灯の設置・維持助成、交通安全対策などであります」

「それらの補助事業は、再建計画が終了した時点で、復活するのでしょうか」

「なんとも申し上げられません。そのときの市民の判断によるかと思います」

長沢が訊いた。

「この計画は修正は可能なのでしょうか。予算議会でという意味ですが」

大田原が答えた。

「いや、これが最終決定。修正の余地はございません。それに議会は、再建団体入りを承認した。監督官庁主導による計画案、予算案を受け入れるということです」

たしかに、そういうことになるのだろうが。しかし、この計画を受け入れることは、市民感情としてできない。市財政の監視に責任のあった議員の身としても、受け入れがたかった。

また長沢が訊いた。

「この計画では、十年後の幌岡市の人口をどのように想定しているのですか?」

白川が答えた。

「平成二十九年度末で、人口は一万二千と予測しています」

「この厳しい負担増で、人口減はそれで収まりますか?」

「総務省の分析と予測でも、その数字です。それに厳しいとおっしゃるが、夕張市に対して総務省が示した、全国最高水準の負担で最低のサービスという計画よりは、はるかに軽いものです。夕張のような、急速な人口流出はないだろうというのが、わたしどもの予測です」

ブロック紙の久住が訊いた。

「夕張市よりはるかに軽い負担とのことですが、財政再建団体入りしたことも、軽い事態なのでしょうか。そのように聞こえましたが」

白川が、大田原に視線を向けた。

大田原がうなずいて、代わりに答えた。

「もちろん、二十年かけて財政を健全化できず、再建団体入りを余儀なくされたのです。夕張市よりも軽い負担とはいえ、とくにお年寄りやお子さんのいる家庭には、ずしりとくる負担増となったことはまちがいない。しかしだね、この厳しい経済情勢下で、わたしどもはとにかく無節操な借金は厳にいましめてきた。だからこそ、北海道の産炭地が軒並み再建団体入りするかしないか、きわどい状況にあって、再建団体入りによる思い切った再建の道さえ選べずにいるとき、わたしどもはぐずぐずと結論を先延ばしすることなく、再生に向けて一歩を踏み出すことができたんだ。先延ばししなかったことで、想像できるより深刻な事態は避けられた。傷口も浅く、再建も夕張の半分の時間で可能なんだ。けっして軽くはないが、それを誰よりも痛感しているのはわたしだ。しかし、市民のみなさんには理解してもらえる範囲の負担増だと信じている」

直樹は呆《あき》れながら思った。財政破綻《はたん》の発表以来、彼は自分にはその責任がないことを主張し続けており、むしろ破綻の程度をこのレベルで収めた功労者のような口ぶりだ。この論理は、もしかするとけっこう市民のあいだにも浸透しているのではないだろうか。最近は、居直りだ、という評判さえ聞かなくなっているのだから。

またべつの記者が質問した。

「おっしゃるとおり、幌岡市の再建計画は夕張市のものと較べて市民負担には配慮された、いわば温情あるプランと感じられます。この計画案をまとめて総務省の承認を得るために、市長をはじめ市当局にはかなりご苦労があったかと思うのですが、そのあたりのお話を聞かせていただけませんか？」

どこの記者だ？　と直樹は思った。大田原の自己宣伝を誘導するこんな質問、議会であればわかるが、マスメディアの中から出てくるとは。直樹の位置からは質問したその記者の顔が見えないのが残念だった。

大田原は、表情をゆるめることもなく、その記者に向かって語りだした。

「そのとおりです。わたしは夕張市のような過酷な、いわば自治体いじめのような再建計画にさせられることだけは、許しませんでした。わたしの経験と人脈のすべてを使い、産炭地である幌岡市が財政破綻のやむなきに至った事情を総務省にご理解いただき、この事態が幌岡市民に責任はないこと、幌岡市民の負担を最小限にして再建を果たす方策があるはずであることを繰り返し訴えました。その結果、政府、与党のみなさまにもご支援をいただいて、この計画となった次第なんだ。この危機にあたって、わたしが自分の経験、人脈を総動員した。それを役立てることができて、喜んでおります」

記者の数人が、手を挙げて質問しようとした。白川はもう一度、いま提灯《ちようちん》質問をした記者を指名した。

記者は、用意されていたかのような調子で訊いた。

「ということは、これからは幌岡市にはいっそうその力が必要とされますね」

大田原は言った。

「そう思う。そのとおりだ」いつのまにか、完全にふだんのべらんめえ口調だった。「こんどの再建計画案策定の一連の作業に関わってきて、むしろ幌岡市にはいっそう、行政経験と実績の豊かな、関係各方面からも信頼されているだけの人物が必要かと思った。この場で言うのが適切かどうかはわからないが、おれは自分の責任から逃げるつもりはないし、自分が持つ力をなお幌岡市のために使えということであれば、喜んで差し出す」

あらためての立候補宣言だ。でも、疑問はいよいよ募る。なぜ？　何に惹《ひ》かれて？　何が目的で？

もうひとつ、自分からは口にしたくないこと。もし自分が市長選に勝ったら、年収三百八十四万円ということになる。子供ふたり抱えて、この年収で市長の激務が務まるかどうか。市長職ではいくら遅くまで仕事をしたところで、残業代がつくわけでもないのだ。もちろん、四十一歳の市役所職員と較べれば、ほんの少しだけ楽ではある。職員にその給料で働いてもらうのだ。市長もこの程度の薄給となるのはやむをえないと言えばやむをえないのだが。

また久住が手を挙げた。

「どうぞ」と助役。

そのとき、直樹の携帯電話が震えた。胸ポケットから取り出して相手を確かめると、多津美からだ。たぶん急用である。直樹は携帯電話を耳に当てて、記者発表が行われている会議室を出た。

廊下の奥へと歩いて、直樹は言った。

「いま、再建計画の記者発表です。きょう、総務大臣に正式に了承されたということで」

多津美が言った。

「知っている。そこには、市議会議長は来ているか？」

荒谷のことか。来ていない。きょうの全員協議会には出てくるはずだが。

直樹はそれを多津美に答えた。

「じゃあ、もう東京にはいないのは確実だな。じつは、やつは昨日、大田原たちと一緒の飛行機で上京している。そのあと、別行動となった」

「そうなんですか？」

そんなことまでよく知っている、と直樹は思った。

「大田原の行動は、接待された総務省の役人のルートからわかった。いましがた、議長の行動がまた別ルートから入った」

「もったいつけないで言ってください」

「議長は、茨城の高杉晋作《たかすぎしんさく》と会ってたんだ。何を想像する？」

茨城の高杉晋作というのは、なかば選挙マニアの趣のある実業家だ。本名はもちろん高杉晋作ではない。選挙用の通名だ。鹿嶋《かしま》市を中心に不動産業から土建業、ホテル、タクシー会社など、多くの事業を手がけている。一方でこの十年ばかり、いくつもの知事選、国政選挙に立候補してきた。もちろんこれまではまったく泡沫《ほうまつ》候補扱いであり、供託金が没収されなかった選挙はない。ただし、選挙のたびにメディアが面白おかしく取り上げるから、知名度だけはそこそこある。これだけ夕張市の財政破綻が話題になったので、夕張市の市長選挙にも立候補するのではないかと、冗談めいた声も出ているほどだ。

その人物に、議会議長が会っていた？　何がどういうことなのか、直樹にはわからない。

「わかりません。組み合わせが意外すぎる」

「市長選だ。議長は、幌岡市の市長選挙に出て欲しいと頼みに行ったんだ」

「まさか」と、直樹は呆れた。「そんなはずはない。議長は、商工会の幹部です。大田原支持の筆頭ですよ」

「だから、出馬を要請したんだ」

「どういう意味です？」

「票を割るためだ。あの高杉晋作なら、うまく行けば一千の浮動票は取れるだろう。大田原批判票が割れる。あんたの当選は難しくなる」

「それを議長が要請？　高杉晋作さんだって、その程度の謀略には気づくでしょう。ひとのいいおっさんのように見えるけど」

「説得力ある言葉で口説いたんだろう。この苦境を救ってください。できるのはあなただけです、とか。後援会も作るとか」

「連中、なかなかのことをやってきますね」

「それだけ、あんたが脅威になってきたってことだ。対立候補として、あんたはついに敵にも認知されたんだ」

「でも、多津美さんはどうしてそんな情報をつかめるんです？」

「取引のある広告代理店に、きょう、高杉晋作事務所から、コンサルタント契約の打診があったそうだ。幌岡市長選に出るための下準備だ」

「じゃあ、高杉さんは立候補を決めたんですか」

「まだ翻意はできる。マスコミ発表していない。議長がそっちに帰ってしまっているなら、わたしは鹿嶋に向かう。高杉晋作と直接会う」

「幌岡市長選立候補を辞めろと?」

「いや。夕張市長選に出ろと。幌岡よりも夕張のほうが断然ブランドだ。市長をやるならあっちだし、あっちなら勝ち目もある。それなら自分がコンサルタントを引き受けてもいいと」

直樹は思わず笑った。

「ぼくを勝たせるために、それをやるんですか」

「そうだ。コンサルタントとして、わたしがやるべきことだ」

「後援会は相場のコンサルタント料も払えないかもしれませんよ。できても十年返済とか」

「こんどの契約で、わたしは頻繁に夕張に出張できる。高杉晋作のカネで、あんたのコンサルタントができるんだよ」

「それって、ビジネスとしてまずくないですか。倫理上」

「地方政治の腐れっぷりよりはましだと思うがね。それにわたしは公金を流用するわけじゃない」多津美は口調を変えた。「きょう再建計画が発表ってことで、きょう以降あんたのメインの攻撃対象は国だぞ。大田原批判は、二割程度にとどめるかたちでいい」

「対立候補は大田原でしょう」

「やつは、財政再建団体入りを受け入れた市長だ。国を攻撃できない。再建計画を粛々と実行しましょうと訴えるしかない。あんたは、計画の見直しを公約に掲げることができる」

「見直しは、かなり難しいと思いますよ」

「選挙の戦術だ。実現不可能でもかまわないんだ。大田原と差をつけ、大きな敵を想定して、そいつを叩《たた》け。少なくとも、あと一カ月半、投票当日までは、幌岡では国への恨みが渦巻く。あんたが市長になって少し経《た》てば、市民の気持ちも落ち着いて、やむをえない、受け入れるかになる。選挙では、とにかく国を叩く戦術を取る」

「助言ですか」

「コンサルタントとしての提案だよ」多津美は、少し厭味《いやみ》な調子でつけ加えた。「素直に聞いてくれてもよくないか」

そのとおりです、と思わず答えたくなるのを、直樹はこらえた。

電話を切ろうとすると多津美裕が言った。

「そろそろ市長選立候補予定者への説明会があるはずだな」

森下直樹は答えた。

「選管から、来週月曜日と発表になりましたよ」

「その日、市長選後援会の旗揚げだ。事務所の用意は、江藤さんや高畑くんにまかせておいていいかな」

「もう準備にかかってくれているみたいです」

「告示は四月十五日。投票日は四月二十二日。忙しくなるぞ。とにかく行動には気をつけてな。向こうは百戦錬磨だ」

「承知してます」

電話は多津美のほうから切れた。

直樹が会議室に戻ると、記者会見はまだ続いていた。

ちょうど、全国紙の長沢が質問しているところだった。

「このほど決まった財政再建計画では、幌岡興産の扱いはどうなるのですか。財政破綻の一因が観光開発路線にあった以上、三セクをどうするのかということも、当然総務省は指示してきたかと思いますが」

助役の白川が立った。

「全面見直しとなります。ただ、二百十人の雇用がある三セクですから、この扱いはきわめて難しい問題です。どうなるにせよ、幌岡市は三セクを通じた観光開発への出資は完全に止《や》めることになります」

「どうなるにせよ、ということですが方針は決まっているのですか」

「まだ決まっておりません」

「全面見直しでは、選択肢は限られているかと思いますが、三セク自体は縮小して存続でしょうか」

白川は、ちらりと隣席の大田原市長を見た。市長は、お前が答えろとでも言うように顎《あご》を突き出した。

白川が答弁を続けた。

「幌岡興産は解散いたします。すぐにも清算の手続きにかかることになるでしょう」

「施設はどうなります？　ホテル、ゴルフ場、遊園地、ゲンゴロウの動物王国などは」

「ふたつのことを想定しております。ひとつは、一括売却。この場合、町に売却益が入るので、その収入を債務の返済に充《あ》てることができます。ただし雇用の確保が可能かどうか、難しいところです。もうひとつは、運営の委託です。施設は町の所有とな

ります し、将来の可能性として観光事業が復活するときに、これらは資産として再活用できます。しかし売却益が出ないため、返済へ充当することができません。雇用確保は、委託の際に条件として提示することは可能でしょう。全員でないにせよです」

「運営委託の場合、施設ごとに委託企業を探すことになりますか。それとも夕張市のように、一括運営委託でしょうか」

夕張市は、第三セクターを清算し、ホテル、スキー場、石炭博物館、遊園地などを、一括して加森観光という北海道の大手観光開発業者に委託した。公募に対して受託を望む企業が十数社立候補したが、けっきょく三社だけヒアリングして、加森観光に決まったのだった。夕張市は事前に加森観光と接触しており、公募とは名ばかりの出来レースだったのではないかという疑念が出ている。

白川が答えた。

「両方考えられます。どうするかはまだ決めておりません」

質問が途切れた。次の質問者が出てこない。

その沈黙をとらえて、すかさず白川が言った。

「では、財政再建計画に対する説明はこれで終わらせていただきます」

大田原ほか、市の幹部たちが立ち上がり、投石でも避けるようにそそくさと退室していった。

直樹が廊下に出ると、すぐに長沢たちがメモ帳を手に直樹に近づいてきた。

「どう思われますか」と、長沢が訊《き》いてきた。「この再建計画は？」

直樹は、ほかのメディアのカメラを意識しながら答えた。

「厳しい。この計画は、夕張のものと同様、市の安楽死計画にしか思えません」

「具体的には？」

「市立病院の廃止が、何より気になります。診療所に縮小したら、いま利用している多くの患者さんたちはいったいどこに行けばよいのか。多くの公共施設の廃止や統合、利用料の引き上げなど、いちばん弱い市民にもっとも負担がかかる計画だ。結果として、この計画では幌岡市は存続できない。幌岡は死にます」

「承認できないということですね？」

「できません。国には見直しを求めたい。こんな計画を受け入れた市にも、不信が募ります」

「どういうことです？」

「幌岡市は夕張同様、不適切な決算を繰り返して、巨額の赤字隠しを続けてきた。もしあの赤字隠しということがなければ、同じ財政破綻《はたん》にしても早い段階で対応が可能でしたし、北海道庁や総務省に対してもう少し市民の立場からの逆提案なり抵抗ができたでしょう。この再建計画は、町を再建するためのプランじゃない。粉飾決算の懲罰、でたらめ財政という犯罪に対する死刑判決です」

言い過ぎたか、と一瞬思った。しかし、事実上もう市長選は始まっている。いましがたの多津美のアドバイスもあった。自分はもう国を仮想敵として対決姿勢を見せることで、大田原との差異を明らかにしてゆかねばならないのだ。これでいいだろう。

久住が訊いた。

「見直しは可能ですか?」

「総務省が押しつけてくる計画を黙って受け入れるわけにはゆきません。市長をはじめとする市当局は、なるほどひどい大失態を犯した。だけど、その罰を弱い立場の市民がひっかぶるいわれはありません」

「大田原市長は、市民の支持を受けて五回、市長に当選してきています。市民が大田原市政を支えてきたのだ、という見方もあります」

久住は、意地悪でこれを質問したのではないはずだ。この見方は、幌岡市以外の日本人のごく一般的な感覚である。これについても、自分の論理を明らかにしておく必要はたしかにある。

直樹は答えた。

「決算報告が毎年正直に行われてきたら、五回も当選させることはなかったはずです。市民は何も判断材料を与えられていなかったのです」

テレビ局のディレクターらしき男が言った。

「森下さん、計画に対するさっきの言葉をもう一度」

直樹は、そのディレクターに顔を向けて言った。

「これは再建計画じゃない。幌岡市安楽死計画です。死刑宣告です。わたしは見直しを求めます」

その日の夕刻、議会の全員協議会が開かれた。すでに財政再建団体入りは二カ月前の議会で承認されている。こんどの再建計画も、議会は形式上承認する以外にないと、議会事務局からの説明だった。賛否は問う、とのことであったので、直樹は反対すると議長の荒谷に伝えた。寺西真知子を除く議員全員が、直樹を宴会場に迷い込んだ子鬼か何かのように睨《にら》んだ。

長老議員の石黒が、いらだたしげに言った。

「総務省とのすり合わせで決まったことだ。反対のしようがあるか？　対案を出しても、通る見込みはゼロなんだぞ」

直樹は言った。

「それでも、採決してください。こんな計画に賛成するわけにはゆきません」

「事実上反対できないと言っているんだ。反対するなら、市長不信任案を出すしかないんだぞ。やるつもりか？」

たしかに事態がここに至っては、不信任案を出すことも、いたずらに議会を混乱させるだけのことかもしれない。直樹は、自分を駄々っ子のように見せたくはなかった。妥協案を荒谷に出した。

「では、賛否を問う前に、議場を退出させてください。わたしは、投票を棄権します。賛成はできない」

寺西真知子が賛同した。

「そうしてください。わたしも、この計画に賛成はできない」

荒谷が、怒りを押し殺したような声で言った。

「市からの報告のあと、賛否を問う前に、退出する時間を取る」

「棄権者として記録してもらえますね。起立、賛成多数という案件じゃないんですから」

「棄権者名を記録。残りの議員の賛成多数で計画を承認する」

いいだろう。自分はこの安楽死計画から自由になれる。市長選挙では、見直しを堂々と訴えることができる。

同じ時刻、市立スポーツセンターでは、市当局による再建計画説明会が開催された。市は折り畳み椅子《いす》を会場に五百並べて、市民の参加を待ったが、集まったのはお年寄りを中心にわずか二百少々だった。

ここでも市長の大田原は、自分の力のおかげで夕張の再建計画よりははるかに市民に対して優しい計画になったと胸を張ったという。市民運動グループのひとつが、財政破綻の原因はどこにあるのか、赤字を隠し続けてきた理由は何かと執拗《しつよう》に質問したが、大田原や市の幹部の発言は、市議会での発言から一歩も出るものではなかった。しかも同じ言葉が繰り返された。いわく「監督諸官庁の指導があり」「第三セクターを守るため」「雇用を守るため」「やむをえず」「ただし夕張市よりははるかに少ない負担にとどめ」「懲罰的な計画案の押しつけを阻《はば》むことができた」と。

説明会が始まって一時間後には、参加した市民の大半が、しらけた顔のまま退出してしまった。あとに残ったのは、党派色の強い市民が二十人ほどだったと後に聞いた。

翌日である。

午前十時から始まった臨時市議会で大田原市長以下市の幹部が、再建計画の承認を求めた。直樹は寺西真知子と共に採決を棄権し、議場を出た。

直樹は、議会で渡された二十四ページの再建計画書を手に、市庁舎を出た。すぐに札幌へと走り、北海道大学の重森薫助教授に計画書を見せて、アドバイスを求めるつもりだった。見直しを訴えるにあたって、どのような視点でどの部分を重点的に突くか、専門家としての意見を聞かせてもらいたかった。その助言をもとに、自分の選挙公約の根本部分が作られることになるだろう。

エントランスで、高畑光男と浜口明に会った。

「どこにゆく?」と、高畑が訊いた。

「札幌」と直樹は答えた。「北大の重森先生に会ってくる」

「例のブレーンの女性教授か」

「ああ。再建計画を分析してもらう」

直樹はふたりに手を上げて、自分の事務所へと急いだ。

12

大きな拍手が起こった。

満員の市民会館の中の空気が震えている。

森下直樹は、原稿をテーブルの上に置いて、満場の市民を見渡した。六百人が定員のこの市民会館はほぼ九分の入り。そしていま拍手をしてくれているのは、そのうちのさらに八割といったところだろうか。ステージのすぐ前、三列か四列はネーム入りの作業着を着た男たちで埋まっているが、まったく拍手していないのはこの連中だけかもしれない。言うまでもなく、大田原市長後援会が動員した市内の土建関連の業者やその従業員たちだ。

告示まであと二週間、こんどの市長選に立候補する予定の三人が、このステージ上にいる。森下直樹と、現市長の大田原昭夫と、共産党の寺西真知子である。幌岡市の市長選は、この三人の争いとなるのだ。茨城の実業家、高杉晋作は、お隣り夕張市の市長選に立候補を表明している。

この集まりは、札幌の大学教授たちが作る地方自治研究グループが主催したものだ。

立会演説会の代わりの、討論会。市長選立候補予定者に主催者が同じ質問をし、それに答えてもらって、集まった市民の判断材料にしてもらうという企画である。最初が立候補予定者それぞれの自己紹介、ついで財政破綻の責任についての見方が質問され、そのあと財政再建計画への対応を訊かれたのだった。司会者からは、発言に対しては拍手をしないようにという注意があった。公開討論会の基本ルールだ。立会演説会のような、動員合戦になることを避ける意味がある。だから、誰の発言に対してもこの時点までは拍手はなかったのだ。

ここまで大田原は、当然ながら破綻の原因を国の石炭政策の転換に求め、幌岡市はその犠牲者であるという立場を取った。自分は二十年間、むしろ財政破綻をさせぬようにと尽力してきたし、市民からの支持ももらってきたのだと。そして再建計画については、受け入れる、幌岡市は一丸となって粛々と債務を返済してゆくしかない、という主張だった。

同じ質問に対して直樹は、財政破綻の原因は観光開発への過大な投資と放漫財政、そして長年の赤字隠しという、大田原市政の基本的な路線と体質の問題だと指摘、市民には責任はないことを訴えた。再建計画については、このような安楽死計画を受け入れるわけにはゆかない、国に対して辛抱強く見直しを求めてゆくと強く主張した。

拍手は、ここで起こったのだ。

拍手は続いている。直樹はちらりとステージ横手にいる大田原の顔を見た。彼は口をへの字に結んでいる。再建計画見直しを訴えた直樹にこれほどの拍手が起きたことを、苦々しく思っているのだ。この討論では負けた、と感じているのかもしれない。

直樹が発言を終えて自分の席に戻ると、司会者が聴衆に言った。

「拍手は、ご遠慮ください。立会演説会とはちがいます。じっくりと立候補予定者の政策を聞く場です」

彼は札幌の私立大学の政治学の教授だという。地方自治論の専門家と、チラシには書かれていた。

彼の注意のせいで拍手はゆっくりと引いていった。

少なくともこの場では、と直樹は思った。再建計画受け入れは市民の支持を得られなかった。見直しが、多数派の意志だ。この会場にきている市民が幌岡市の市民のもっとも平均的な五百人ではないにせよ、受け入れに反対する市民はけっして侮《あなど》れない割合であるということである。再建計画発表後の市の懸命の「やむなし」キャンペーンにもかかわらずいまの拍手の量なのだ。大田原市政への批判は、侮れないだけのものだ。

司会者からの三番目の質問は、今後の観光開発への対応と、それ以外の町興《おこ》しの構想だった。市は四日前、第三セクターの清算と、ホテルなど観光施設の一括売却を発表している。観光開発からは完全に手を引くということだった。民間企業に観光事業はまかせるとして、これに代わる産業も必要になる。それなしでは人口流出が急速に進み、再建計画さえ早晩行き詰まらざるをえないのだった。

大田原は、観光施設の売却が成功すれば、雇用は引き続き確保され、関連産業も生き残りうると主張した。夕張に負けまいと、あちらの施策に引っ張られすぎた、映画祭で対抗してもしかたがない。こんどは、メジャーのゴルフ・トーナメントを誘致する。世界のトップ・プレイヤーを呼ぶゴルフ大会を企画するとも。

また、売れ残っている工業団地へあらためて企業誘致をはかる、と主張した。これまでは観光開発を優先させてしまったが、全体で一千人の雇用確保が可能な企業誘致は可能であり、これに全力を尽くすと。廃坑跡地を利用した自衛隊訓練施設、放射性廃棄物の深層処理研究施設、さらに刑務所の誘致も挙げた。一部の聴衆は失笑し、ブーイングをもらした。

直樹は、幌岡市の弱みと考えられている特徴を逆転させようと訴えた。重森薫が中心になってまとめてくれた提言を採用したのだ。すなわち幌岡市では、人口の高齢化が北海道内のどこよりも早く進んだために、逆にお年寄りがあまり現金を使うことなく暮らすことが可能なシステムが作られてきた。炭住があったころの伝統で近隣が助け合うコミュニティも生きている。介護サービスへの進出や、起業も多いし、関連のNPO法人も少なくない。グループホームの数も、人口比では北海道一である。しかも人口流出により市営住宅にはいま二百戸以上の空きがある。ここに市外から年金生活のお年寄りを呼び込み、これを支えるひとびとの雇用を生み出すことが可能である。それには市立病院の存続は不可欠の前提となるが、市立病院を存続させ、先進的な地域医療のモデル都市を目指すのが、現実的な施策である。

福祉と先進地域医療の町として再生をはかることで、将来的には関連サービスのための学校も生まれてくるし、研修、見学者のための施設等も設立しうる。高齢者比率北海道一という事実は、むしろ「お年寄りに優しい町」としての看板になるのだと。

さらに、再建計画は町の基本構造を考えるきっかけを与えてくれたのかもしれない、とも、言葉を選んで語った。細長い谷に大きな集落が三つ存在し、そのうえかつての炭住が散在している。このため行政サービスのコストが割り高になっているのは否《いな》めないのだ。公共施設の統合が不可欠なら、むしろ積極的に集落の集約化を進め、高集積で暮らしやすいコンパクト・シティ化を推し進めることで、その面でも先進都市になりうるだろうと。

これを発言したときは、聴衆の反応はいまひとつだった。重森薫たちはそれをいまから語っておくべきと提案し、多津美裕はコンパクト・シティ化の提言は当選後でいいと助言してきた。どっちみちそうなるしかないと予想できることだ。時勢に合わせるかたちでやればよいのだと。しかし直樹は、重森らの提言を受け入れて、この討論会で明確に語ったのだった。

また観光事業についてはこう主張した。幌岡市は、千歳空港という国際空港からわずか一時間弱の距離にある町である。美しい谷、渓流、それに温泉がある。果樹栽培でも、幌岡のブランドは確たるものだ。果実が豊かに実り、温泉もある美しい谷として、アジアからの観光客を呼び込みうる利点がある。札幌圏から足を延ばす場合も、ニセコより近い一時間三十分という距離。しかも峠越えが必要ないという大きな地の利がある。小資本の進出を促す施策をとることで、バブル期型リゾートとは一線を画した田園型リゾートとなりうると。

そしていましがた、発言の最後を、自分は再建計画の見直しを求める、と締めくくったのだった。

司会者が、有意義な討論会であった、とまとめた。きょうの討論を、市長選での投票の際の判断材料にして欲しいと。

あらためて場内から拍手が起こり、討論会は閉幕となった。

討論会を終えて、西町に置いた後援会事務所に行くと、少し遅れて高畑光男がやってきた。少し上気した顔だった。

高畑光男は、全国紙の名を挙げて言った。

「会場の外で、アンケートを取ったそうだ。簡単な三つの質問。一番印象に残った候補予定者は誰か。八〇パーセント、森下直樹」

直樹は、浮わつくなと自分に言い聞かせながら言った。

「印象に残ったというだけだろ。市長ならこのひと、という答じゃない」

高畑は、直樹の反応を無視して続けた。

「ふたつ目の質問。再建計画を受け入れるか、見直しを求めるか。見直し、九二パーセント」

「それが簡単にできるものなら、大田原支持者だってそう願う」

「三つ目、市長に望む資質は何か。経験と実績、二五パーセント。新鮮な発想力、行動力、六〇パーセント」

「ぼくは、発想力も行動力も自分のキーワードにしたことはないぞ」

「それでも、市民の多くが期待するのはそこだとわかる。誰を想定して答えたかもな。お前の圧勝だ。これからは発想力と行動力をキャッチフレーズにすればいいんだ」

「そのアンケート結果、新聞に出たとしたら、絶対に大田原陣営は、悪質な世論誘導だと抗議する」

「記事にするつもりはないそうだ。ただ、情勢分析の資料にするだけだろう。おれは出口で大田原派の幹部の顔色を観察してたけど、青ざめてた」

手段を選ばぬ反撃がなければよいな、と、直樹は壁のカレンダーに目をやりながら思った。告示まで二週間。投票日まで三週間ちょうどだった。

伯父の森下克己から電話があったのは、その翌日だった。

「緊急ですまんが」と伯父は言った。「明後日《あさって》、一時間よこせ。札幌に来い」

直樹は伯父の調子に合わせながら言った。

「明後日ですか。そうとう大事な用件でしょうね」

「ああ。お前はうちの取締役になる。非常勤役員だ。明後日の株主総会で決まる。顔を出してあいさつしろ」

さすがに直樹も、これには驚いた。

「どうしてまたぼくが、おじさんの会社の役員に」

「市長をやるってのに、三十二万の給料はきついだろう。おれが、ほんの少し補助してやるってことだ」

「まだ当選してませんよ」

「落選したいなんて考えないように、出すんだ。役員報酬は月額十万。年四回、役員会に出席しろ」

「名前だけの役員ですか」

「安心しろ。うちは絶対に幌岡市で入札に参加しない。法律上は問題ない」

「道義的に」

「あの大田原って市長は、三セクの社長やって役員報酬もらっていたんだろ。あれと較《くら》べりゃ」

「でも」

「告示のとき、お前の役職として、民間企業の役員という肩書がつくんだ。大田原たちは、お前の若さや経営感覚の少なさを攻撃してくるだろうが、この肩書は少しは役に立つはずだ」

言われるとおりかもしれない。直樹は礼を言った。

「役員会、顔だけ出します」

「明後日、午後いちだ」

すでに事実上選挙戦は始まっているが、なんとか半日時間を取り、札幌に行ってこなければならないだろう。

その日の午後だ。幌岡市は、観光施設の一括売却を発表した。

売却先は、北海道では有名な企業だ。山岡産業。同族企業であり、バブル期以降、経営破綻《はたん》したホテルやリゾート地を積極的に傘下《さんか》に収めることで、事業規模を拡大した。北海道や本州の各地に、二十以上のリゾート・ホテル、温泉ホテルを所有している。ほうぼうの自治体が投げ出したリゾート地の運営も受託していた。ミニ動物園、ミニ・サファリパーク、水族館、遊園地の経営も行っている。経営のやりくちが汚い、反社会的という評判もあり、ほうぼうでカネの支払いや契約の不履行をめぐるトラブルも起こしていた。しかし北海道の経済界、保守政界では、成功した企業として讃《たた》えられているし、広告の出稿量が多いせいか、マスメディアがこの企業についての悪評や批判的な記事を書くこともない。資本力がある、観光開発に実績がある、という虚構は一般市民のあいだに広まっているから、この売却先決定が幌岡市民の多くに歓迎されることは明白だった。

このニュースを直樹に最初に伝えてくれたのは、高畑光男だった。彼は市役所でのこの決定発表のとき、市役所に行っていたという。

高畑は、後援会事務所に飛び込んできて直樹に言った。

「聞いて驚くなよ。売却金額はいくらだと思う？」

ホテルの建設費は四十五億円だった。ゴルフ場は十二億円。動物園と遊園地には、これまで五億円以上が投資されているはずである。

高畑は言った。

「四千万円」

直樹はまばたきした。四千万円？　聞き違いか？

「四千万円」と高畑は繰り返した。「六十億円以上かけて造った施設が、四千万円だ。ただでくれてやったようなものだ」

「入札は、複数あったんだろう？」

「説明会に出たのは四社あった」

「山岡産業に決まった理由は？」

「施設の一括購入。もうひとつは、雇用確保の全力追求。できる限り雇用をも守ると約束したそうだ」

「できる限り、なんて条件じゃ、ないと同じだ」

「それでも市は、山岡産業に売った。四千万円。もし最初からこの金額で買えるとわかっていたら、おれだって借金して買ったよ」

「何か裏があるぞ」

「きょう、これから山岡産業の社長が、ホテルで記者会見だそうだ」

「きているのか」

「さっき市役所にもいた。あらたに投資するとかなんとか、派手な話をぶちあげるんじゃないかな。売却金額の安さを帳消しにするくらいの派手な計画を」

「改修工事とか？」

「大田原の言っていたメジャーのゴルフ・トーナメントの誘致とか」

そのとき、事務所の電話が鳴った。

後援会の恩田由美子が電話を取り、ふたことみこと話していた。彼女はきょう、休みを取って事務所に出てきてくれているのだ。その恩田由美子が、不安そうな顔で直樹に受話器を渡してきた。

「誰？」と直樹は受話器を受け取りながら訊《き》いた。

「札幌の雑誌社からです」と恩田由美子が答えた。「札幌経済春秋」

直樹は受話器を耳に当てて言った。

「森下です」

相手が言った。

「森下直樹さんご本人ですね」

あつかましさを感じさせる大きな声だ。年齢は五十歳前後だろうか。

「はい」

「これはどうも恐縮です。わたし、札幌経済春秋の木村と言います。編集主幹ですが、いまちょっとお話かまいませんか」

「ええ」と、直樹は後援会事務所の面々の視線を意識しながら答えた。

「札幌経済春秋」は、よその地方であれば総会屋雑誌に分類される月刊誌だった。北海道内の経済と行政について、いつもセンセーショナルな見出しの記事を掲載している。非主流の経済人や、国会議員、首長らのスキャンダルを好んで取り上げることでも知られていた。毎号、新聞に一ページの三分の一のスペースの大きな広告を載せる。多くの北海道民は、その広告を見ただけで中身を読んだ気になってしまう。広告に出る見出しはしばしば記事の中身とはあまり関係がないか、羊頭狗肉《ようとうくにく》というものであるのだが。

直樹はこの雑誌が、大田原市長や夕張の中田前市長について、ずいぶん多くの提灯《ちょうちん》記事を載せてきたという印象があった。先月も、「逆境からの再出発、幌岡市再建の先頭に立つ大田原市長」という記事を掲載したばかりだ。つまり、直樹にとってけっして味方と言えるメディアではない。

木村と名乗った男は言った。

「ちょっと電話取材ということでお聞かせください。森下さんの市長選立候補にあたっての公約は、正確にはなんになります？　再建計画見直しを、でよいのでしたか」

「そうです。それを最大の主張として、立候補する予定でおります」

「後援会のパンフレットを拝見しました。ご自身についてのキャッチフレーズは、若さ・情熱・行動力でしたね。これもまちがいない？」

パンフがあるなら、確認するまでもないことだ。はい、と答えながらも直樹は思った。これは前振り。このあとに何か、重要な用件が控えているはずだ。

「大事なものは、家族、と書かれています。ご趣味はご家族での遠出。大切にしている時間は、家族と一緒に過ごすこと。これも間違いありませんね」

「ええ」

「ところで、うちも幌岡市長選については特集記事を組むつもりなのですが、森下さんの女性関係についての情報が入ってきましてね」

「は？」女性関係？　何のことだろう。まったく身に覚えはないが。直樹は身構えた。

「重森薫という北大の先生とは、どういうご関係でしょう」

「彼女は……」

事務所の中がふいに緊張したのがわかった。

直樹は言いなおした。

「重森先生は、わたしのブレーンのひとりです」

「個人的なおつきあいは？」

「ありません」

「何度も札幌でお会いになっていますね」

「ブレーンですから、何度か助言をいただきにうかがっている」

「先日も、お会いになった。討論会の二日前のことです。札幌のホテルで」

ホテル？　自分たちはたしかに、北大の正門に近いシティ・ホテルの喫茶店で会って話をしたが前にも使ったことのある店だ。

「喫茶店です」と直樹は言った。「喫茶店でお目にかかった」

「札幌エース・ホテルの喫茶店ですね」

「そのとおりです」

「店の名前は？」

知らなかった。ホテル一階の喫茶店としか覚えていない。

「喫茶店の名前は知りません」

「そうですか。とにかくよかった、確認が取れて」木村はとくに皮肉っぽい調子も交えずに言った。「いまのお言葉、記事に使わせていただいてかまいませんか」

自分はホテルでの密会という疑念を否定したのだ。かまわないだろう。

「どうぞ。でも、いい加減な憶測で記事は書いて欲しくありません」

「だから確認させていただいたのです。ところでもうひとつ、奥さんの美由紀さんとは、いつお知り合いになったのでしたっけ」

「女房？　彼女が札幌の広告代理店に勤めていたころです」

「正確には？　結婚はパンフでは一九九六年の夏でしたね」

「そのとおりです」

「ということは、婚約はその前の年となりますね？　一年ぐらいの婚約期間があったと」

そう言われればそういうことになる。もっとも自分には、婚約期間という意識はなかった。父が死んだ年の春ごろに知り合い、つきあい始めてすぐに結婚を意識した。父の事務所を継ぐと決めてからプロポーズ、美由紀が受け入れてくれたので、父の喪が明けるのを待って結婚した。結婚式は札幌で挙げ、すぐに美由紀をともない幌岡に帰ってきたのだった。

「はい」

「確認が取れてよかった。どうも」

「それは、どういう記事になるのですか?」

「幌岡市長選の分析、解説記事です。各候補のひととなりについても書きます」

ひととなり。この雑誌にひととなりを書かれるということは、もしや。

「記事をあらかじめ読ませてもらうことはできますか」

「残念ながら、うちはジャーナリズムです。それはできません」木村は口調を変えて言った。「ほんとにどうも。ありがとうございました」

電話が切れて、受話器をもとの位置に戻すと、高畑が訊いてきた。

「何か深刻なことか?」

「よくわからない。ぼくと重森先生が妙な仲だという情報があったというんだ」

高畑たち後援会の面々が互いに顔を見合わせた。

高畑が、言いにくそうな表情で訊いた。

「そうなのか?」

「まさか。ただ、ぼくが重森先生に会っているところを、目撃されているらしい」

「どこで会ってるんだ?」

「何度かは大学の研究室で。先生の都合で、北大正門近くのホテルの喫茶店で会ったこともある」

「ホテルの?」

「エース・ホテルだ。妙なところじゃない。一階にある喫茶店だ」

「ふたりだけで会ってた?」

「だいたいは。助言をもらうためだぞ」

「心配する必要はないだろう。もうひとつ、何か奥さんのことを訊かれた?」

「知り合ったのはいつか、結婚したのはいつかという確認だった」

「何か、あの雑誌に書かれて問題になりそうか?」

「何もないはずだ。もっとも、あることないこと、センセーショナルに書くことはやるかもしれないけど」

浜口明が言った。

「何を書かれようと、あの雑誌を信じる人間は世の中にいないよ」

高畑が言った。

「利用しようとする人間はいる」

恩田由美子が言った。

「取材されたってことだけで心配になりますね。大田原一派から雑誌に、働きかけでもあったのかもしれない」

それはあり得る、と直樹は思った。先日のあの討論会と、メディアの調査で、大田原が守勢に回っていることがはっきりした。過去五回の選挙とは様相がまるでちがう。陣営の危機感は相当なもののはずである。公職選挙では名物の茨城の実業家、高杉晋作の擁立にも失敗した。大田原市政批判票は、分裂しないのだ。大田原陣営は、あくどい仕掛けに動きだしたのかもしれない。たぶん自分はその仕掛けに耐えられるとは思うが。

その夜、事務所に多津美裕からファクスが入った。

「夕張・幌岡、告示直前世論調査」とタイトルがついている。全国紙のひとつが、この統一地方選の注目首長選挙ということで、世論調査をおこなったのだ。その数字に、現地担当記者の予測が加味されて当落予想が出ていた。多津美は自分のネットワークを通じて、このレポートを手にできたのだろう。

幌岡市についてはこうだ。

大田原昭夫、現職、無所属。支持率三一パーセント。

やや優勢。商工団体、労働団体の組織票をほぼ固めた。無党派層では支持は浸透していない。

森下直樹、新、無所属。支持率二三パーセント。

高齢者、女性を中心に支持浸透。選挙戦次第では追い上げも。

寺西真知子、新、共産党。支持率二パーセント。

組織をほぼ固めて独自の戦い。

その末尾に、手書きの文字。多津美が書き添えたのだろう。

「急追している。行けるぞ」

どうやら、供託金没収は免れるようだ。

13

その朝は、気温が高かった。

四月の十五日であるが、五月上旬を思わせる陽気となったのだ。すでに市内の道路は完全に雪が消えて、路面は乾いている。まだ山肌や町並みの日陰部分にはかなりの雪が残っているし、木々もまだ新芽すら出してはいないが、空気は完全に春と言ってよいだけのものだ。風もなかった。昼ごろには、防寒着さえ不要の気温となるかもしれない。

森下直樹は朝八時に、すぐにも選挙事務所となる予定の後援会事務所に入った。日曜日である。妻の美由紀とふたりの子供たちも一緒だ。子供たちは、少しだけ事務所にいたあと、本町の児童会館に行くことになっている。

西町商店街の中ほどの空き店舗に作られた事務所の前には三十人ほどの支援者の姿があった。直樹たちが車を降りると、その支援者たちが拍手して迎えてくれた。直樹はあいさつしながら、家族と一緒に事務所の中に入った。四年前までは中華レストランだったスペースである。四カ月前のあの夜、居酒屋に集まってくれた面々がほぼ全員揃《そろ》っていた。

市職員の江藤昇もいる。彼はこれまで、直樹の後援者、支持者としては表に出てきたことがなかった。しかしきょうは告示日である。七日間の選挙戦の初日だ。四カ月前の会議が事実上の選挙戦初日であったことを考えるなら、きょうから投票日前日までの法律上の選挙運動期間は、森下直樹市長実現のための運動の最終局面ということになる。もう江藤が顔を隠していてはならない。むしろ顔を出し、直樹支持者であることをとくに幌岡市職員たちに印象づけることで、職員票獲得につなげねばならなかった。もちろんこんどの選挙でも、市職員組合は大田原を組織内候補として推薦している。つまり市職組は組織としては直樹の反対派ということになる。しかし財政再建団体となったいま、執行部のこの決定に不満を持つ若手職員も少なくないはずである。切り崩しの余地は十分にあるのだ。

事務所の中に入った。

真正面の壁には、白布に大きく書かれた文字。

「幌岡復興」

「幌岡再出発」

その左右には、何枚もの檄文《げきぶん》や、団体などの推薦文がある。ただ、組合や商工会関連の団体のものはひとつもない。市政に対してそれなりの影響力を持っている団体はどれひとつとして、直樹推薦を機関決定していないのだ。だから並んでいるのは、幌岡映画同好会、幌岡カヌー愛好会、といった趣味のサークル系団体のものが多い。図書館の音訳ボランティアの会が推薦団体となってくれているのが目立った。

その壁の前には、差し入れが並べられている。お酒、缶ビールやソフト・ドリンク、栄養剤の箱。カップ・ラーメンの箱も三つ重ねられている。たいがいの箱には、必勝と書かれた紙が貼《は》られていた。

ダルマはない。大田原の事務所にはいつも、高さ百二十センチばかりの大きなダルマが飾られるが、直樹はこの市長選にはダルマは不要と判断し、後援会の了解を求めたのだ。勝ったところでそれを手放しで喜べるようなテーマの選挙ではない。祭りムードはむしろ排除すべきところなのだ。

部屋の中央にはテーブルがまとめられ、その周囲に二十脚ほどのパイプ椅子《いす》がある。奥のほうには、炊《た》き出しのための調理台ができていた。

直樹は、部屋の奥にいるのはかなり年配の女性たちばかりであることに気づいた。七十歳前後と見えるひとが六、七人だ。

元採炭夫の町田善作が言った。

「炭住組のおれのガールフレンドたちだよ」

直樹は訊《き》いた。

「みんな炭鉱で働いていたひと？」

「亭主たちの秘密の党活動を支えてたおばちゃんたちだよ。パワーあるぞ」

そこに飯島義夫が現れた。農民として後援会に参加してくれた老人だ。飯島は一升瓶を一本提げて、事務所に入ってきた。

飯島は、愉快でたまらないという表情で言った。

「いい勝負になってきたな。大田原は何がなんだかわからなくなってるんじゃないか」

「これまで五回、らくらくと当選してきたんですからね」

「昨夜、農協の幹部が集まった。大田原の支持を続けるかどうか、結論は出なかった」

「強硬に主張したひとはいたんでしょうね」

「組合長と理事長さ。おれが、組合長一任に反対した」

「ありがとうございます」

飯島は、左右に目をやってから、小声で言った。

「約束を忘れるなよ」

農道の延長工事の件だろう。財政再建団体となったいま、その予算が確保できる可能性はきわめて少なくなったのだが。それでも直樹は言った。

「承知しています」

事務所の支援者にひととおりあいさつしたところで、恩田由美子が言った。

「出陣前の記念写真を。家族のみなさんも入って」

直樹はうなずいて、美由紀たちに言った。

「写真を撮るよ。みんな集まって」

直樹の家族を中心に、事務所の関係者が集まって記念写真を撮った。子供ふたりはVサインのポーズ。写真を撮るときは必ずそのサインと信じ込んでいるのだろう。

高畑光男が言った。

「さ、立候補してこよう」

きょうはこれから選挙管理委員会に出向いて、正式に市長選立候補を届け出るのだ。立候補が受け付けられたところではじめて、直樹は市長選立候補者として選挙運動に出ることができる。

高畑の亘に乗り込んだとき、携帯電話が震えた。多津美裕からだった。

おはようございますと挨拶《あいさつ》すると、多津美は言った。

「わたしはいま羽田だ。夕張に向かう。例の高杉晋作候補の選挙事務所に詰める。あんたの選挙戦は、隣町で注視してるからな」

「ときどきアドバイスもください」

「もちろんだ。そのために、夕張での仕事を引き受けたんだ」

「晋作さんは、勝てそうですか？」

夕張市では、ベテラン市議や夕張出身の民間人ほか、市外からも四人立候補している。全国的に知名度もある高杉晋作も、今回は泡沫《ほうまつ》候補扱いではないようだ。面白い選挙戦になるらしい。

多津美は自信たっぷりに言った。

「たぶん彼は、これまでの選挙で最大の得票を集める。勝てるかどうかは微妙だけれどな。うちのマシーンもフル稼働《かどう》だ」

「ご健闘を祈ります」

多津美はああと短く応《こた》えて電話を切った。

ワゴン車が動き始めてから、直樹はひとつ気になったことを思い出した。

「きょう、浜口の顔が見えなかったな」

高畑が少し口ごもりながら言った。

「さっき電話で話した。あいつは、大田原についた」

さほど驚きではなかった。後援会発足時のメンバーから、ひとりふたり脱落者が出ても仕方がないとは思っていたのだ。向こうは六選を目指す候補なのだ。強さは圧倒的であり、願望を入れずに判断するなら、大田原の勝利はほぼ約束されていると言っていい。この町でビジネスを続けるつもりならば、大田原についておくのが実際的な振る舞いだった。浜口の場合は、家業が理容店だ。本町の市庁舎のそばにあって、客の大半は市の職員だ。言ってみれば、政談が交わされる空間を運営している。あからさまに市長の反対派にまわったとなれば、客の足は遠のく。だから彼が土壇場《どたんば》で、映画祭実行委員という立場よりも家業のほうを優先したという事情はわかる。

「あ」と、直樹は思わずもらした。

「どうした？」と、高畑。

「浜口は、向こうに付いただけじゃない。こっちの情報も流していたのかな」

高畑も、小さく「あ」と言った。

「辻褄《つじつま》は合うな」

「切り崩しなのかな。最初からかな」

「後援会には、おれが強く誘ったんだ。映画祭実行委員だし、わかってもらえると思った。強引すぎたのかもしれない」

「あらためて敵の強さがわかるよ」

「家族は引き裂けないしな」

高畑がワゴン車を少し荒っぽく加速した。


選挙管理委員会は、本町の市役所庁舎の中に置かれている。庁舎に着いた時間は、市役所始業の八時三十分を五分回っていた。たぶん大田原は、一番乗りで立候補を届け出たはずである。

意外にも、庁舎にはマスメディアの姿はなかった。たぶん夕張市長選挙のほうに総動員されているのだろう。メディアにとって面白いのはやはり、注目度の高い夕張市長選だ。財政破綻《はたん》の二番手で、夕張市と似すぎた幌岡市は、これまでも夕張のことが報道されたあとに付け足しのように扱われてきた。告示日のきょう、メディアがあちらに行ってしまったのはしかたのないところだった。

選挙管理委員会で手続きを済ませて、駐車場に戻ったときだ。高畑光男が携帯電話を取り出して、耳に当てた。その顔が、曇った。何かよくないことでも？

ついで、直樹の携帯電話が鳴った。江藤昇からだった。

「始まったぞ」と江藤が言った。「怪文書攻撃だ」

「怪文書？」

「札幌経済春秋、臨時増刊、統一地方選特集号だ。あんたのゴシップが載っている。今朝、幌岡駅やコンビニ、食堂なんかに片っ端からばら撒《ま》かれていたらしい」

「どんなゴシップなんです？」

「あんたが、北大の重森准《じゅん》教授と不倫。いまは助教授と呼ばなくなったんだよな。奥さんについても、汚い記事が」

江藤の言葉の、とくに後半には驚いた。美由紀について書かれるとは、まったく予想外だ。

「汚い記事、なんですか」

「立候補手続きは終わったんだろう？」

「ええ」

「すぐ事務所に。出陣式。第一声。街頭演説。今夜、対策を話し合おう」

携帯電話を胸ポケットに収めると、高畑光男が直樹を見つめて言った。

「奥さんについて、書かれたらしい。お前には、ちょっと耐えがたいスキャンダルかもしれんぞ」

「札幌経済春秋のことか」

「ああ。いまの電話は？」

「江藤さんから」

「おれは、恩田さんから」

「記事を読む前に、心構えをしておきたい。女房がなんだって？」

「あんたと結婚する前、ふた股《また》かけていた。その」高畑光男は言いにくそうに言った。「産科病院に行った、と思わせぶりに書いてある」

意味を理解してから、美由紀の顔が思い浮かんだ。真偽のほどはともかく、そんなふうに書かれて、彼女のショックはどれほどのものとなるだろう。子供たちの耳にも入るだろうか。まだ小さな子供たちだから、聞いても意味は理解できないだろうが、世の中には意地悪な大人がいないでもないのだ。もし誰かが子供の頭でもわかる言い方に直して伝えたりしたら。

「どうした？」と、高畑光男が訊いた。「ほんとうなのか？」

直樹は首を振った。

「重森先生とのことは嘘《うそ》だ。女房のことはおれが嘘かどうか言えることじゃないが、卑劣だな」

「とにかく事務所に戻ろう。おれたちは無視する」

「ああ」

事務所に戻ると、いましがた出たときとさほど空気に変化はなかった。まだあの雑誌に目を通していない後援者が多いのかもしれない。江藤がちらりと目配せしてきたし、恩田由美子もなんとなくばつの悪そうな顔をしていたが、それだけだ。美由紀と子供たちに目を向けた。美由紀と目が合った。ごくふつうに振る舞っていたが、かすかに緊張しているようにも見えた。彼女はもうその記事を読んだのかもしれない。

恩師の田所永治も来ていた。彼は年長であるし、地元高校で人望の厚かった元教師だ。彼がここにいるだけで、事務所がそれなりの品位と威厳を持つのではないか。少なくとも直樹にはそう感じられた。

田所が近づいてきて言った。

「何もできないが、年金生活だ。毎日ここで、やってくるひとにあいさつするぐらいのことはできる。きてもいいかな」

「ありがとうございます、ぜひ」

高畑光男が、田所に出陣のあいさつを頼んだ。田所は快諾した。

彼は檄文《げきぶん》の貼《は》られた壁の前に立つと、すぐに語りだした。

「わたしたちの無関心と冷笑主義が、この町をとうとう死なせてしまった。あさましいひとたちが群がって町を食いつぶしたあげく、町は死んだのです。でも、ここにいま暮らすひとびとがいて、ここに明日を夢見るひとがいる限り、町は死にっぱなしになるわけにはゆかない。二度死ぬわけにはゆきません。いま、森下くんが町の復興と再生のために、身を粉にして働くと名乗り出た。わたしは同じ町に住む者として、この絶望的な状況の中で立ち上がってくれた森下くんを誇りに思う。森下くん」

田所は森下に目を向けてきた。直樹は田所の次の言葉を待った。

田所は続けた。

「きみはたいへんな責務を引き受けようとしている。きみをひとりきりにはしない。きみのうしろには、わたしたちがいる。うしろを心配することなく、突き進んで欲しい。選挙戦、頑張ろう」

その言葉に、事務所にいた全員が唱和した。

「頑張ろう！」

高畑光男にうながされ、直樹があいさつに立った。

「もう長いあいさつは要りませんね。田所先生のおっしゃったとおり、この町を二度死なせるわけにはゆきません。一緒に、頑張りましょう」

拍手があった。直樹はていねいにひとりひとりに頭を下げた。

「さあ、出発」と高畑が言った。

「その前にトイレに」

後援者たちが控えめに笑う中、直樹がトイレに向かうと、すっと江藤が近づいてきて、一冊の雑誌を渡してきた。

「札幌経済春秋」だった。トイレの中で目を通せということだろうか。直樹は受け取ってトイレの個室に入った。

その雑誌の表紙には大きく、統一地方選特集号、と記されている。総力取材・道内全選挙分析という見出しがその横に。

注目選挙区、札幌・夕張・幌岡の候補者たち、という見出しも同じサイズの活字で。

地方選特集号であるはずなのに、もうひとつ気になる見出し。

「特別寄稿・ギョーカイ女たちの驚異の生態、古川夏矢《ふるかわなつや》」

美由紀についてのゴシップが書かれているという記事はこれだろうか。それにしても、古川夏矢とは誰なのだ？

雑誌は二カ所、隅が折られていた。江藤が目印をつけてくれたのだろう。

最初の記事を読んだ。

「若さの暴走、幌岡市長選立候補予定の森下直樹」という見出しだ。

記事は大田原市政の二十年を手放しで評価している。財政再建団体転落についても、それを大田原の責任とはせず、むしろ大田原を政府に振り回されて貧乏籤《くじ》を引いた被害者と書いていた。それを前段にして、記事は直樹の立候補を「勘違い」「世間知らず」と断じている。市議を一期しか務めたことのない若造が、この難局で何ができるか、というものだった。市の決算を三回承認した市議には、大田原市政を非難する資格がないとも書かれている。

記事は、直樹の経歴を悪意ある筆致で要約している。劣等生、司法試験三回不合格。父についても、ひどい書き方をしていた。存命時、故人となっている某開業医と共謀して、公文書を偽造、何人もの幌岡市民に生活保護費を不正受給させた、というものだ。この不正受給問題で父親は市役所の福祉課とトラブルになり、仕事を失う羽目となった、直樹が大田原市政に批判的なのは、その私怨《しえん》があるからだ、と記事は書いている。もちろんその件で大田原陣営が父を追い詰め、自殺させたことについては触れられていない。この事情については、直樹はすでに胸の内で解決をつけていた。自死を選んだ父の苦悩を理解していた。

この件はさほど問題にはならないだろう。なるほど父は、公文書偽造という犯罪に手を染めた。生活保護費の不正受給に力を貸した。きちんと立件されれば詐欺罪《さぎざい》が適用されるかもしれないだけのことをした。しかし父はそれをみずからの死で贖《あがな》った。直樹は具体的に父が、誰の不正受給に手を貸したのか知らない。しかし暴力団員や職業的犯罪者であったはずはないのだ。父はそのような連中とは絶対に関わりを持たなかった。相手は生活保護を申請しなければならないだけの苦しい暮らしのひとたちだったのだろうし、どうであれ、大田原が二十年で作った借金や債務隠しと比較するなら、罪の程度は小さいと言えまいか。少なくとも市から引き出されたカネは町の中の誰かの生活を支え、町での消費に使われたのだ。利息分として町の外に吸い上げられていったわけではない。この記事を読んだ直樹の支持者の中にはむしろ、父の温情や配慮について弁護してくれるひとが出てくるかもしれない。

記事は直樹の政治的経験の浅さを攻撃している。学級委員の経験さえない、と書いてあった。小学校でも中学校でも、学級委員の経験はある。小さな学校だったから、順番に当たるのだ。ただし、委員長の経験はない。いずれにせよ、問題になるところではなかった。

市議会のベテラン議員のコメントがあった。

「とにかく社会性に欠ける青年だ。あいさつもできないし、世の中の慣行も知ったことかという態度。礼儀知らずで傲慢《ごうまん》で。理想論を唱えたって、あれじゃあ誰もついてゆかない」

これを語ったベテラン議員が誰か、おおよそ見当はつく。ほとんど同じことを面と向かって言われたことだって、一度や二度ではないのだ。

記事の最後の段落で、直樹は怒りの声を上げるのをこらえた。

「愛するものは家族、と語る森下氏だが、そのいっぽうで家族外の関係でもご発展家という情報もある。とくにブレーンと言われる北大経済学部准教授の重森薫女史との公私にわたる関係はおおかたの知るところ。ホテルでの密会を突き止めた本誌編集部からの問い合わせに対して、喫茶店で打ち合わせただけ、と森下氏は答えた。しかし喫茶店の名は覚えていなかった。もちろん、出会い系サイトで未成年と淫行《いんこう》してしまうような議員ではないはずであるが、氏の家族観はきわめてオープンで現代的であることはまちがいない」

その記事の脇《わき》に、直樹と重森薫がふたり写った写真が載っている。札幌エース・ホテルのエントランス前だ。エース・ホテルという看板が写っている。このホテルのことを知っているひとなら、そこがふつうのシティ・ホテルだとわかるだろうが、知らないひとであればそこがラブ・ホテルの出入り口と誤解してもおかしくはない。巧妙に名誉毀損《きそん》で訴えられることを避けた記事であり、写真だった。しかし全体では、直樹が不倫していると受け取れる。

事実無根だ。それは美由紀の前で誓ってもいい。美由紀も、自分を信じてくれるはずだ。絶対にそのことで直樹を疑ったりはしない。

家族想《おも》いの父であることは、直樹のセリング・ポイントだった。大田原は若いときから、女性関係が派手なことで有名だった。産炭地の実力者たちの遊びの伝統を受け継いだか、いわゆる玄人《くろうと》女性との関係も多かったらしい。結婚は三度。映画祭で知り合った札幌の放送関係者に、愛人にならないか、と迫ったという噂《うわさ》が流れたこともある。映画祭の何度目かのとき、企画にはなかった幌岡市長特別賞という賞が、ある中堅女優に唐突に与えられたことがあった。あれは関係の謝礼だとひそかに語られたが、大田原のその女優への執念を考えればありうる話だった。

だからこそ直樹は、家族想いの父のイメージを広報ビラなどで強調したのだった。しかしこの記事のように、家族愛が口だけのものだと印象づけられると……。

もうひとつの記事を読んだ。

「特別寄稿・ギョーカイ女たちの驚異の生態」と題された記事だ。古川夏矢なる人物のエッセイのようだ。

タイトルの脇に「本誌好評連載の特別番外篇」と書かれている。同じ人物が似たような中身のエッセイを連載しているのだろうか。

そのエッセイはこう始まっていた。

「ギョーカイと言えば業界だが、筆者の棲息《せいそく》する世界では、ギョーカイとは建設や流通業を含まず、マスコミや広告関係業界を指すことになっている」

「古い言葉を使えば、このギョーカイは跳んでる女が多いことでも、ほかのギョーカイとはちょっとちがっている。筆者のような、女性をこよなく分け隔てなく愛する男には、まっことうれしいギョーカイなのである。まったくこのギョーカイに入って、僕って幸せだったな」

その筆致の軽薄さと嫌ったらしさについ顔をしかめてしまったが、我慢して先を読んだ。

彼は書いていた。

「そのころ籍を置いていた札幌の広告代理店では、毎年ふたりか三人、女性の新人が入ってくる。そういうギョーカイをめざす女性たちだから、学生時代からすでに跳んでいる。僕は面接試験のその日に彼女たちをバーに誘い、相性を試すことにしていた。いや、単に仕事の相性のことだが」

「ひとり学生時代はお芝居に打ち込んだという新卒女性社員がいた。イベント業務などにも慣れている新人で、活発で積極的な女性だった。僕の直属の部下となったので、いろいろ指導することになった」

「やがて彼女は、某司法書士と知り合いになり婚約、結婚することになった。その顚末《てんまつ》なども寝物語に聞かされるわけだ。ところが跳んでる彼女もやはり女の子、結婚が近づくにつれ、マリッジブルーってやつにかかってしまった。僕は性格上、放ってはおけない。彼女が立ち直れるようずいぶん慰めてやったりもした。ついうっかりポカをやって、彼女は産科に行くことになったが、それでもケアの甲斐《かい》あって、なんとか晴々と結婚していった。僕がつきあった女性たちのうちでも、結婚式の直前まで何食わぬ顔でふた股《また》かける跳びっぷりは彼女だけだ。彼女はいま、旧産炭地の町で市議会議員夫人。子供もふたり。幸せな家庭を築いている。その町のお芝居観賞運動の先頭に立っているとか。僕としては、短い期間だったが素晴らしいパートナーだった彼女の幸福を願うばかりだ」

　これか。

直樹は、何か酸《す》っぱいものが胃の奥から逆流してきたような気分となった。いや、ほんとうに嘔気《はきけ》が生じたのだろう。

いくつかのキーワードから、この跳んでる女性というのが、美由紀を示唆《しさ》していることは明白だ。学生時代はお芝居に打ち込む。札幌では広告代理店勤務。司法書士と結婚。旧産炭地の市議会議員夫人。お芝居観賞運動……。

思わせぶりな言葉は、もっと不快だ。相性を試す。寝物語。産科に行く……。

直樹は、記事の前後を確かめ、この古川夏矢なる男がどんな人物なのかを知ろうとした。彼の肩書は、広告プロデューサーということだった。でもそれ以上のことはわからない。美由紀の上司だった時期があるのだとしたら、直樹も名を知っているあの広告代理店勤務だったということなのだろうが。しかし直樹は、会社の関係者として美由紀からこの名前を聞いたことがなかった。少なくとも記憶にはない。

なんであれ、これは美由紀にとってもショックな記事のはずだ。記事の中に固有名詞が出てきていない以上、書かれていることがすべて美由紀をめぐる真実のわけがない。しかしこのように書かれて、それが美由紀を指しているのだと憶測されることは、自分にもつらい。

個室の外にひとの気配があった。直樹は背を起こして、雑誌を閉じた。

高畑光男の声が聞こえた。

「大丈夫か？」

直樹は答えた。

「ああ」

「そろそろ出よう」

「行く」

事務所に出ると、雰囲気がいましがたと微妙に変わっているようにも感じられた。支援者たちの視線が、どこかよそよそしい。自分と支援者たちとのあいだに、薄いバリアができたようにも感じられた。江藤昇や高畑光男の表情にさえ、かすかな失望や侮蔑《ぶべつ》が現れていないか？

考えすぎだ、と思いなおした。あの記事を読んだために、自分がナーバスになっているだけだ。

美由紀がそばに寄ってきた。何か言いたげに見える。彼女の頬には、自分が亭主だからこそ感じ取れる程度の緊張。

直樹は先に言った。

「じゃあ、いよいよ選挙戦だ。出陣だ。お父さん頑張ってって、みんなで言ってくれ」

美由紀はまばたきしてから、子供たちを振り返って言った。

「おいで。お父さんに、エールよ」

子供たちがやってきた。美由紀が小声で指示している。子供たちは一歩前に出てきて、声を揃《そろ》えて言った。

「お父さん、頑張って」

「ありがとう。行ってくるよ」

事務所の中は少しなごんだろうか。あんな雑誌の記事などまともに相手にするに値しないという意思表示は伝わったろうか。

恩田由美子がたすきをかけてくれた。

美由紀とまた目が合った。彼女は、声には出さず、口の動きだけで言った。

あとで。

直樹はうなずき、事務所の外に出た。選挙カーが選挙管理委員会のチェックを受けて、到着していた。レンタカーの白いワゴン車だ。

運転手は、吉岡《よしおか》という映画祭実行委員会の若いメンバーだ。ウグイス嬢はふたり。ひとりはやはり映画祭に関わってきた三十代の女性で、もうひとりは地元の商店の娘だった。高畑光男ともうひとりの支援者が交代で同乗する。

　ワゴン車の前でもう一度拍手の見送りを受けて、直樹はワゴン車に乗り込んだ。きょうから七日間の選挙戦だった。来週日曜日が投票日。当日の午後九時には、結果が出ている。

　この統一地方選挙では、幌岡市議会の議員選挙も同時に行われる。財政再建計画で議会の定員は削減され、市議として前回より六人減る十八人を選ぶことになる。議員報酬も二十五万円に削減されたので、事実上、市内の事業経営者か年金生活者以外は市議になりようがない。うがった見方では、うるさい総務省批判派議員を出さないための定員削減だというのだった。じっさい、立候補している二十人のうち十七人が、大田原市政を完全に支持してきた保守系候補である。寺西真知子が市長選に立候補しているので、共産党は新人候補を立てた。あとのふたりも新人で、どちらかといえば非大田原派というところだろうか。つまり、もし直樹が市長に当選したとしても、議会は直樹の与党にはなりえない議員たちで占められるのだ。

　直樹は、ふと当選後のことを思った。あのゴシップ記事は、もし当選したとしても、あとあと反対派にねちねちと攻撃される材料にされるのだろうか。七十五日では消えないスキャンダルとして、直樹の顔を見るたびに関係者が思い出すことになるのだろうか。

「それでは行ってきます」と、直樹は窓から顔を出し、努めて陽気な声を出して言った。「頑張ってきます」

　ワゴン車が発進した。


　お昼に選挙事務所に戻ったとき、こんどははっきりと空気が変わっていた。困惑と気まずさが、支援者の誰の顔にも見えるのだ。あいさつの声さえ、どこか引き気味だ。いま事務所には、美由紀も子供たちもいない。きょう、児童会館で読み聞かせの会がある。美由紀は子供たちを参加させたあと、栗山町のショッピング・センターまで買い物に行くことになっていた。

　事務所に入ると、江藤昇が近寄ってきて言った。

「ちょっと、奥で話せるかな」

　直樹は江藤について奥の小部屋に入った。小さな座敷となっている。

　江藤は畳の上に腰を下ろすと、ビラらしき印刷物を数枚、座卓の上に広げた。

「あの雑誌記事のコピーが、さっそくビラになってる。大田原陣営がばらまいているんだろう」

「法律的には？」

「記事の引用だけだ。選挙妨害にはならないんじゃないか。

「雑誌社と著作権問題は発生するかもしれないが、あの雑誌はこういう使い方まで想定したうえで、カネを受け取っているに決まってる」

ざっとチラシを見た。あの雑誌記事をコピーしてある。直樹がひどいと感じた部分には、ごていねいに赤い線で枠がつけられていた。重森薫との「ホテルでの密会」の部分だ。

裏は、例の広告プロデューサーの記事のコピーだ。やはり赤線で枠。某市議会議員夫人の若い時分のふた股についての記述の部分だった。産科に行くことになった、という箇所には、わざわざ横に赤い破線がつけられている。

江藤が言った。

「重森先生との件は、脇《わき》が甘かったな」

「打ち合わせだけです」と直樹は抗議した。「一切何もない」

「取材に対応したこと自体、弁解と取られる」

「すいません」

「ま、さほどの効果はないだろう。だけど、こっちの記事は、固有名詞は出ていないけど、効くな」

確認すべきことでもない。直樹はきっぱりと言った。

「まったくのでたらめですよ」

「知ってる。だけど、奥さんはあんたの弱点だ」

「女房が？」

「札幌出身の、都会的な青春を送った女性。活発で社交的。社会活動にも熱心だ。ある種の女性層には、反感をもたれる。このビラは、そこを刺激してきた。あのような奥さんの過去ってこうなのかと」

「もう一回言うけど、でたらめですって」

「ほんとかどうかは問題じゃない。あの雑誌とこのビラを読めば、奥さんについてのイメージが出来上がってしまうってことだ。あんたの支持層の半分は、町で地味に働いている女性や主婦だ。女性層が、あんたへの投票をためらう」

直樹は、江藤もこの記事の内容を真に受けているにちがいないと確信した。彼の頭の中では、すでに美由紀は尻軽女《ビッチ》であり、直樹はそんな尻軽女に悩殺された情けない男ということなのだろう。

その想《おも》いは胸の奥に押さえ込んで、直樹は訊《き》いた。

「どう対応しましょうか」

江藤は、妙に陰謀家めいた目を直樹に向けて言った。

「ビラも記事も黙殺。相手にしない。だけど、奥さんには消えてもらう」

「消えてもらう？」

「引っ込んでいてもらう。奥さんが事務所にくれば、事務所に来ない女性も出てくるだろう。事務所には顔を出さないようにしてくれ」

「家族で戦う、というのが方針です」

「裏目に出る。あんたの売りは、若さと清新さなんだ。奥さんが出ると、そのイメージが崩れることになる」

「それって、女房を侮辱してますよ。いや、このぼくも」

「いいか」と江藤の言葉も厳しいものになった。「記事の真偽なんか関係ない。だけど、こういうネガティブ・キャンペーンが始まってしまった以上、それに対応して作戦を変えなきゃならない。投票日まで、奥さんを人目にさらすな。奥さんが出てくれば、みんないやでもこの記事を思い出すんだ」

そのとき、直樹の携帯電話が震えた。取り出して見ると、多津美からだった。直樹は携帯電話を耳に当てた。

多津美は例のとおり、あいさつ抜きで言った。

「いま、夕張だ。話せる状態か？」

声のトーンから、この雑誌記事のことだとわかった。夕張市にいるはずの多津美のもとにも、誰かが届けているのだろう。

直樹は言った。

「事務所の奥です。いま江藤さんとふたりきり」

「ならかまわん。記事を読んだ。中傷ビラも。やつら、ずいぶん古典的にやってきたな」

「ここまで卑劣な手でくるとは思っていませんでした。ぼくの件も、女房の件も、まったくでたらめです」

「承知だよ。問題は女性票だ。今夜、そっちに行く」

「どう対応しましょうか」

「奥さんを前面に出せ」

直樹は驚いた。いま江藤から、まったく正反対の助言を受けたばかりだ。

驚きが伝わったようだ。多津美は続けた。

「明日から、選挙戦はふたりが揃って表に出るんだ」

「女房には、きつすぎます」

たぶん、野次や罵声《ばせい》だって浴びせられるのだ。

しかし多津美は言った。

「やってもらう。今夜、話そう。九時、選挙事務所に行く」

電話を切ると、江藤が首を傾《かし》げてきた。

直樹は、首を振った。おれにはいま、どちらの助言に従うべきか、まったく判断のしようもない。


選挙戦一日目の感触は悪くなかった。森下直樹の乗る選挙カーが行くところ、どの地区でも必ず家を出てきて手を振ってくれる市民がいた。事業所の窓を開けて、身を乗り出し手を振るひともいる。手応《てごた》えがあった。

午後の四時までの時点で、市内の全エリアを回ることができた。街頭演説は八カ所でおこなった。少ない場所では二十人ほどの聴衆だったが、本町と中町での街頭演説には、どちらも七、八十の市民が集まって聞いてくれた。

しかし本町の市役所に近い広場で街頭演説をしようとしたとき、ひとり自営業者と見える中年男が、例の雑誌「札幌経済春秋」を高く掲げて、嘲笑《ちようしよう》するような表情を向けてきた。何か叫んだかもしれないが、直樹には聞こえなかった。

本町から移動するとき、直樹は選挙カーの中で高畑光男に訊いた。

「あの雑誌を持っていた男、なんて言ったか聞こえたか?」

選挙カーの中が、一瞬だけかすかに緊張した。ウグイス嬢もドライバーも、ぴくりと反応したのだ。

高畑光男が、車内を一瞥《いちべつ》してから言った。

「色男、って言ってたな」

その言葉に、直樹はしおれた。これはきつい悪罵だ。まだしも無能とか軽薄と罵《ののし》られることのほうがよかったと言えるほどだ。あの記事は、そのような言葉をすぐに連想させるだけの衝撃力を持っていたということになる。

高畑光男はフォローしてこなかった。そのまま窓の外に目を向け、通行人に手を振った。

夕方五時を回ったころだ。直樹の携帯電話が鳴った。妻の美由紀からだった。

「いま、どのあたり?」

少し硬い声だった。

直樹は窓の外に目を向け、幌岡市の中町と西町とを結ぶ国道沿いの風景を見ながら答えた。

「西町十二線の近く」

「遊説《ゆうぜい》中とても申し訳ないのだけど、途中で五分だけ、話せないかしら。わたし、西町のコンビニの駐車場に行ってる」

今朝、出陣の前に「あとで」と言われたときから、用件の見当はついていた。直樹は言った。

「うん。十分後でいいかな」

「ええ」

直樹は、高畑に言った。

「このあと、西町のコンビニに行ってくれないかな。ちょっと家庭の用事で」

高畑はうなずいた。

そのコンビニの駐車場の端に、見慣れた白い軽自動車が停まっていた。美由紀の使っているものだ。運転席に美由紀がいる。選挙カーが停まると、直樹は高畑に、五分だけ、と言って車を降り、軽自動車に向かった。

ウィンドウごしに、運転席で美由紀が助手席を示したのがわかった。乗って、と言っている。直樹は助手席側のドアを開けて身体《からだ》を入れた。運転席側のドアポケットに、あの雑誌が差し込まれている。美由紀の表情はかすかに強張《こわば》っているが、怒りや嘆きの感情は読み取れなかった。むしろ、恐縮しているようにさえ見える。

直樹は美由紀に顔を向けて言った。

「あの重森先生とのことはでたらめだ。何もない。北大近くのエース・ホテルの喫茶店で話を聞かせてもらったことがあるだけだ」

「わかる」と美由紀は言った。「何もないのもわかっています。お話ししたいのは、わたしのことなの」

「記事の？」

「ええ。わたし、広告代理店にいたころ、つきあっていたひとがいた」

聞いている。結婚前に美由紀がそう話してくれた。直樹だって、美由紀ほど社交性があって仕事のできる女性が、それまで男性とつきあったことがないとは夢にも思わない。自分は最後の男になったのだ、という認識で結婚したのだ。

「ぼくは気にしていない」直樹は言った。「きみも気にするな」

「あの記事を書いたひと、たぶん当時のわたしがつきあっていた上司なのだと思う」

「古川夏矢だったか？」

「ペンネームなのでしょう。べつの名前の男性」

「もういいって。忘れよう」

「でたらめな部分もある。時期も、ものごとの順序も。ほんとのこともある」

どこが、とは聞かなかった。自分はいま気にしていないと伝えたばかりだ。それがどの部分であろうと、告白させたくなかった。

しかし美由紀は言った。

「つまらないひととつきあってしまった。産婦人科に行ったという部分はほんとうなの。そのひとは結婚はできないと言って、わたしは手術を受けた」

「もういいって。気にしていない」言葉とは裏腹に、声の調子には少し動揺が表れたかもしれなかった。「昔のことを、何もかも知ろうとは思わない。いい」

「選挙に迷惑をかけてる。事務所の女性たちの大半が、あの記事をもう読んだみたいだし」

「だからといって、応援を辞めたひとはいないだろう？」

「ふたり、お昼で帰ってしまった」

直樹は驚いた。

「記事が理由で？」

「何も言わなかったけど、たぶんそう」

美由紀はふたりのボランティアの女性の名を挙げた。わりあい最近、後援会に入ってくれた主婦がふたりだ。つまり、組織的な離反があったわけではない。

美由紀は続けた。

「わたしは迷惑をかけている。わたしは、投票日まで人前に出ないほうがいいと思う」

「それは、あの記事がほんとうだと認めてしまうことになる。大田原陣営の思う壺《つぼ》だ」

「基本のところはほんとうだもの」

「出るのがつらい？」

「あなただって、わたしと一緒にいることがつらくない？」

「いや。この選挙は、きみの支えがなければやり抜けない。当選すればなおのことだ。きみには、一緒に戦ってもらいたい」

「たぶん汚い言葉も投げつけられる」

「ぼくは気にしない。きみの分はかばう」

美由紀が黙ったままでいるので、直樹は言った。

「ぼくはいま聞いたことについて、何も気にしない。ぼくが気にしなければ、中傷も無意味になる」

「ほんとかと訊かれるかもしれない」

「いいえ、と答えたらいい」

「嘘《うそ》をつくと、顔に出るわ」

「きみは古川夏矢という名前の男とつきあった？　ちがうだろう？　嘘じゃない。きみは古川夏矢という男とはまったく何もなかったんだ」

「手術のことを訊かれたら？」

「それを訊くひとはいない。もし訊かれたら、訊き返してやるさ。子宮ガン検診のことを言っているのですか？　って。相手は黙る」

美由紀は少しのあいだ直樹を見つめていたが、やがて頬をゆるめた。目が少しうるんでいるようにも見える。

美由紀は、直樹の右手に自分の両手を重ねてきた。

「ごめんなさい。ありがとう。明日からも一緒にいるわ」

直樹は自分の左手を美由紀の手に置いて、軽く二度握った。

多津美裕が選挙事務所に現れたのは、午後の九時少し前だった。きょうはいつもの黒いオーバーコートではなく、四月にふさわしいピーチスキンのダスターコート姿だった。

選挙事務所には、江藤昇や高畑光男たち、後援会の中核となる男女が五人残っていた。元採炭夫の老コミュニスト、町田善作もいる。奥の座敷で、すぐに作戦会議が始まった。

多津美は、座卓の上に「札幌経済春秋」とビラを放り出してから言った。

「ここまでやられたんだ。これまで以上に奥さんを前面に出して戦う。記事にはまったく真実などないと、ふたりの態度、ふたりの表情で理解してもらう」

江藤が反対した。

「この雑誌はかなりばらまかれた。婦人層の反発を感じる。奥さん隠しのほうがいいと思うが。いまの情勢なら、森下くんだけ人目にさらしても勝てる。急速に支持が広がってるんだ。とくに男性に」

多津美は首を振った。

「あっちは組織力がある。婦人部の力もあなどれない。女性運動員たちにネガティブキャンペーンをさせないためにも、奥さんを森下くんの隣りにいつも立てるべきだ」

「ネガキャンは止められない。事実じゃないと否定するには、時間もカネもない」

「効果を相殺《そうさい》させることができる。記事がばらまかれているのも承知で、森下くんが奥さんと一緒になごやかに、強力なパートナーシップを組んでいるところを見せればいいんだ。奥さんの過去にこだわらない寛容な、度量の広い男だと訴えることができる」

直樹はあわてて言った。

「あの記事はでたらめです。根拠もないことなんです」

「どちらでもいい」と、多津美は冷たい調子で言った。「このネガキャンをどう使うかだ。あんたは、若いときちょっと羽目をはずした女性と結婚し、いい家庭を作っている。そのことを訴えるための材料にできればいい。奥さんは、選挙運動についても明日以降も協力する腹かな」

「明日も事務所に出ますよ。一緒に選挙カーに乗るのでもいい。家内はそのつもりでいます」

「選挙カーには乗らなくてもいい。選挙事務所で働いて、ひと目にさらす」

「さらす？」

「言葉の綾《あや》だ。ほかの奥さんたちと似た格好、だっさいエプロン、素に近い化粧。そして、記事のことなど何も知らないという屈託ない表情。奥さんはできるかな」

「きょうもそんなようなものでした」

「もうひとつ」と江藤が言った。「森下くん自身のスキャンダルがある。北大の女性の准《じゅん》教授との密会」

「何もありませんって」と、直樹は声を荒らげた。「一切何もない」

多津美が直樹を制するように手をかざして言った。

「個人演説会の予定は？」

高畑光男が、プリントを江藤に渡して言った。

「三日連続、本町、中町、西町で、一回ずつです。夜八時から」

「明日は？」

「本町。福祉会館」

江藤が言った。

「本町は、大田原陣営の拠点だ。業者も多いし、地区労も動員できる。後援会の人数も本町支部がいちばん多い」

「婦人層は？」

「大田原陣営の強力なおばちゃんたちがいる。正直なところ、この件でいちばん手ひどく野次られるのは、明日だと予想できる」

多津美が言った。

「重森先生を明日、個人演説会に呼ぶ。応援弁士として」

直樹が驚くと、多津美が訊《き》いた。

「奥さんと会わせるのはまずいか?」

「全然」

「うるさい女性たちの前で、記事には根も葉もないことをアピールしよう。あんたと奥さんと先生、三人が親しそうに談笑すれば、ゴシップではなくなる。新聞、テレビは、きょうは夕張市長選のほうに集中していた。明日は、こちらにも人手を出してくる。露出が期待できる」

直樹は同意した。悪くない。重森先生も、都合がつけば来てくれるだろう。そう期待していること自体に、たしかに自分の隙《すき》はあったわけだが。

多津美はさらに続けた。

「札幌の料理研究家で、河合《かわい》純子《じゅんこ》さんってひとがいるな。あのひとは、たしか奥さんと同じ大学じゃなかったろうか。いくつか先輩かと思うが、彼女を古い友達として呼ぶこともできる。仕事でつきあいがある」

江藤が反対した。

「あの記事は、奥さんの都会性をいやったらしく強調しているんだ。テレビに出る有名人を使えば、かえって女性層の反発を食う」

恩田由美子が言った。

「鶴丸《つるまる》のおばあちゃんを、奥さんの後援者にできないかしら」

全員が恩田を見た。その名前が出るとは意外だったが、たしかに彼女が美由紀につけば、女性層の受けはよくなるだろう。ゴシップは帳消しにされる。

「誰だ?」と多津美が訊いた。

江藤が説明した。鶴丸のおばあちゃん、とはかつて本町の歓楽街で芸妓《げいぎ》として働いていた女性だ。もっとはっきり言えば、高級娼婦《しょうふ》であった。鶴丸というのは源氏名。芳村久恵《よしむらひさえ》というのが本名だけれど、いまだに彼女はその源氏名のほうで呼ばれている。炭鉱が栄えていた当時、町の有力者たちが競って彼女のもとに通ったのだ。五十歳になったとき、彼女はそれまでの仕事を辞めて焼き鳥屋を始め、さらにそのあと、市議会議員に立候補した。まだ大田原市政が始まる前のことだ。彼女は立候補にあたって、町の有力者たちにひとりひとり会って言ったという。あたしのことを覚えているなら、投票しなさい、応援しなさい。結果、彼女は当時の議長に次ぐ得票数で市議となった。

「冗談のつもりだったのに」と、当選が決まって彼女はもらしたとか。一期だけで引退したけれど、高級娼婦から市議となった女性として、この地方では有名人である。気《き》っ風《ぷ》がよく、姐御肌《あねごはだ》。権力を持つ男たちを手玉に取った、という評価なのか、女性たちにもふしぎな人気があった。大田原に対しては終始一貫、距離を置いてきている。大田原を指して、あるとき彼女が放ったという言葉は、いまでも男たちだけの酒席では笑い話の種とされている。大田原がまだ若手の市職員だったころ、何か接点があったのだろう。今年、八十二歳か三歳になる。

直樹はおそるおそる反対した。

「それって、女房が鶴丸姐《ねえ》さんと同類の女だと言っていることになりませんか」

江藤が訊いた。

「どの部分が同類なんだ？」

「それは」

直樹は言葉に詰まった。言えば、それは鶴丸姐さんの人生を汚いものだと語ることになる。

江藤が言った。

「あれは事実じゃありませんと否定して回るわけにはゆかないんだ。だったら、事実だとしても何の意味があるかと、上書きして情報の価値を減らしてやるしかない」

高畑が、多少疑わしげという調子で言った。

「鶴丸さんは、応援してくれるかな」

それまで黙ったままでいた町田善作が言った。

「おれが頼んでみる」

全員が町田に視線を向けた。この老人にそんな力が?

町田は、面白くなさそうな顔で言った。

「鶴丸姐さんは昔の同志さ。頼める」

昔の同志。ということはつまり。

直樹が驚きを言葉にまとめないうちに、江藤が言った。

「町田さんにまかせる。明日、演説会にきてもらって、奥さんとのツーショットを」

高畑が言った。

「じゃあ、多津美さんには、重森先生との話をまとめてもらえますか」

「ああ」

多津美は携帯電話を取り出して立ち上がった。残った者たちは互いに見合った。どうやら記事のインパクトを少し弱めることができそうだ。

五分ほどして、多津美が座敷に戻ってきた。

「重森先生はくる。送迎の手配は、後援会のほうで頼む」

高畑がはいと応《こた》えて手帳にメモした。

江藤が言った。

「こっちも反撃してやろう。汚い手には、倍返しだ」

多津美が訊いた。

「材料はあるのか？」

「大田原のセクハラ。三年前、入庁一年目の女子職員が辞めた。秘書室に入った子だけど、岩手視察旅行に同行して部屋に侵入された。婦女暴行未遂といってもいいくらいのことがあった」

全員の目が江藤に向けられた。

多津美が言った。

「証言だけでは使えない。法的な記録が必要だ」

「示談書がある。わたしが相談に乗ったんだ」

「これ以上問題にしないという一文が入っていないか？」

「ある」

「公表できない」

「その後本人は市役所を辞め、去年交通事故で死んだ。遺族は札幌だ」

高畑が、あっという声を上げた。

「細川恵美《ほそかわえみ》？　あの話、噂《うわさ》だけかと思っていた」

「聞いていたのか」

多津美が江藤に訊いた。

「使えるか？」

「示談金が裏金から支払われてる。ほんとのところ、セクハラよりも、使えるのは示談金が裏金から出たという部分だ」

「裏金だと証明するものは？」

「領収書のコピー。助役に対して二百万の領収書を書いた。コピーの取れる領収書用紙に書くよう、わたしが被害者の女の子に勧めておいたんだ」

江藤が古い革鞄《かわかばん》を手元に引き寄せた。取りだしたのは、二通のコピーだ。示談書と、領収書。領収書には、宛《あ》て先にいまの助役の名が記されていた。

多津美がそのコピーを見て言った。

「領収書のコピーを取られたとは、助役も脇《わき》が甘いな」

「大田原は」と江藤が言った。「市の会計全部を自分の個人資産だと考えている男だ。もはや公金という感覚さえない」

「もう使いかたまで考えているんだろう」

江藤は多津美を見つめて頬をゆるめた。

「明日、使う。ある新聞社の幌岡担当女性記者で、やっぱり大田原からセクハラを受けたひとがいる。この証拠は喜ぶはずだ」

多津美は言った。

「向こうがセックス・ゴシップをぶつけてきた以上、こっちも暴露で対応しよう。山岡産業との癒着の件だ」

高畑光男が言った。

「大田原市長の弟が三セクを退職して山岡産業の役員として天下り。施設を一括四千万円で売却。ここまでは市民も知っています。苦々しく思っているけど、市長からひきずり下ろせという声になるほどの情報でもありません」

「大田原が財政再建団体になったという市の市長の座に固執する理由がわかった。少なくとも類推できることがある」

直樹が多津美に目を向けると、彼は言った。

「高杉晋作事務所に、山岡産業の専務がやってきた。社長の息子だ」

多津美は続けた。

山岡産業の専務は言った。財政再建団体になった夕張の再建計画は、数年以内に見直しされる。地元国会議員たちが政府、総務省を動かす。財政再建のモデル自治体として政府による補助金を受けて、優遇されることになる。そうなるよう山岡産業は政治家たちにも働きかけてきた。幌岡市についても、山岡産業は、再建のために新市長を全面的にお手伝いする意志がある。その際、自治体と安定的なつながりを持ち、自治体と山岡産業のどちらもが利益を得る互恵的、共存的関係となりたい、と。

高杉晋作には、もし市長当選後末永くおつきあいしていただけるなら、選挙資金を用立てしたいとの申し出だった。すでに隣町、幌岡市の大田原市長とは話がついているとも。専務は秘書に持たせた鞄の中に、二千万円の現金を用意していたという。

直樹は言った。

「再建計画の見直し？　三年やそこらでは無理だ」

「山岡産業は、自信たっぷりだった。倶知安町《くっちゃんちょう》やニセコの例を出し、あらためて政府の援助を受けて、あのような外貨を稼げるリゾートにするのだと胸を張った」

「要するに、高杉さんには、山岡産業の番頭として市長をやれということですか」

「そういう言い方もできる」

「高杉晋作の答えは？」

「自分でやる、カネならある、ということだった」

「山岡産業の専務は、すでに幌岡でも大田原とは話がついていると言った？」

「そう」

「それをスキャンダルとして発表する手立ては？　そういう謀議があった、というだけじゃ、アピールはできない」

多津美はにやりと笑みを見せた。

「伊達《だて》に二十年以上も選挙コンサルタントをやっていない。山岡産業のあくどさを証明する文書ならいくつもある。山岡産業社員の内部告発の文書も手に入った」

見せて欲しいと言いかけて、その言葉を呑《の》み込んだ。それは、いま自分が候補者として知っておく必要がある情報だろうか。投票直前のネガティブ・キャンペーンとして使う証拠類だ。自分は関わるべきではないかもしれない。

多津美も最初からそのつもりだったようだ。

「いまの話は、われわれがやる。あんたはまっすぐに再建を訴えろ。あんたが口にしていいのは、山岡産業への市長の弟の天下り問題と、施設の叩《たた》き売りの件だけだ」

江藤が言った。

「よし、ここまでだ。裏の工作は、わたしたちがやる。あんたは引き続き清廉《せいれん》で清新な市長候補として、表に立て」

直樹はうなずいた。このプロジェクトに於《お》ける自分の役割とはそういうものだ。この分担でいい。

解散となった。

直樹は、事務所を出る際、夕張のホテルに戻るという多津美に訊《たず》ねた。

「高杉晋作候補は、いかがです？」

多津美は答えた。

「いい感触だ。相手は、夕張出身ということだけが売り物の男だ。街頭演説を聞いたが、あいつは財政再建計画を理解していない。新聞を読んでもいないんじゃないか。すでに財政が破綻《はたん》した町だっていうのに、市政に市民の声を反映させるとか、市民の声を聞くとか、のどかな公約を掲げてる。いまのところ中立の地区労、連合、それに」多津美は宗教団体の名をつけ加えた。「その三つが中立を守り続けるなら、勝てるかもしれない」

「では、高杉さんにとっては、もしかするとほんとに公職に就ける選挙なんだ」

「少なくとも、泡沫《ほうまつ》候補じゃない」

「ご健闘を祈ります」

多津美はうなずいて、自分が乗ってきたレンタカーのドアを開けた。


その夜、直樹が帰宅したのは、子供たちもとうに眠っている時刻だった。居間に入ると、食卓のテーブルの向こう側で美由紀が立ち上がった。何か言いたげに見えた。もうコンビニの駐車場で、話すことは話していた。直樹は唇に指を当てて何も言わなくてよいと指示してから、美由紀を抱き寄せた。

14

翌日も朝八時から選挙運動は始まった。

選挙カーで事務所を出発した森下直樹は、市内の道路を一本一本丹念にトレースするように走って、窓から手を振った。途中、確実な支持者とわかっていて、支持を公言してくれている家には必ず停まり、車から降りてあいさつした。

選挙事務所を出発してからほぼ二時間、町を半周して中町の市街地に入ったころだ。

高畑光男が、あとをつけてくる二台の車に気づいた。とくに妨害するでもなく、こちらが停まれば向こうも停まる、曲がれば同じように曲がる。それだけだ。車にはそれぞれ四人ずつ乗っている。マスメディアのものではないようだ。しかし、大田原陣営の車とも判断できなかった。

中町のAコープ・ストアの駐車場前に停まって降りたときだ。その二台の車は駐車場の中に入って停まった。中年の女性がふたり降りて、辻立《つじだ》ちを始めた直樹のそばに近づいてくる。ふたりは笑顔だった。直樹も視線の隅で彼女たちをとらえたが、とくに警戒はしなかった。買い物にきていた市民が十人ほど、選挙カーのそばに立ち止まった。

ふたりの女性がすぐ目の前まで近づいてきた。あいさつをしてくれるのだろうと、直樹は演説をやめて彼女たちに微笑を向けた。見知らぬ顔だ。

ふたりの女性は、笑顔のままでトートバッグから例の雑誌を取りだした。ひとりは、中傷記事を拡大コピーしてビニールのカバーをつけたものを手にしている。

ひとり、年長のほうが言った。

「あんたさあ、そうやって札幌で不倫して、奥さんに申し開きできるのかい？」

口調自体は、攻撃的なものではなかった。むしろ侮蔑感《ぶべつかん》があらわという声の調子だった。

もうひとりが言った。

「奥さんの過去のこと、知ってて結婚したの？　奥さんは全部話していたの？」

演説を聞いていた市民のうち半分ほどは、何の話題かと興味深げにそのふたりに目を向けた。年配のほうの女性はなお直樹に言った。

「ね、このこと奥さんは知ってるの？　何か言ってなかった？」

高畑が横から腕を引っ張って言った。

「行こう。かまうな」

直樹は気をとりなおし、相手に言った。

「全部でたらめなんですよ」

「写真もあるじゃない」

「やましいものじゃない」

高畑が強引に直樹を引っ張り、選挙カーに押し込んだ。ドアが完全に閉じきらないうちに選挙カーは発進した。全員がシートでのけぞった。

高畑が言った。

「知らない顔だった。誰か知ってるか？」

運動員の誰も反応しなかった。車に乗っている六人の誰もその女性たちの顔を知らない、というのは、この小さな町ではありえないような確率と言える。

ドライバーの吉岡が、ひとりごとのように言った。

「ずいぶん慣れた様子だった。ふつう気後れして、なかなかできないことじゃないか」

世の中には、この種のことの手だれとなった人間もいるということなのだろう。

高畑がリアウィンドウごしに後方を確かめてから言った。

「まだついてくる。徹底して妨害してくる気だな。振り切るか」

「いや、むしろひと前でやろう。きょうはメディアも夕張のほうから出張してくるんじゃなかったか？」

「本町の市役所前に、十二時に行くと伝えてある」

「少し早めて、メディアの前であれをやらせてやろう。カメラがあれば、あのひとたちは顔を隠して消えるはずだ」

そのとおりとなった。その二台の車は午後になると、直樹たちの選挙カーのそばから消えた。

八時から始まる演説会には、すでに七時半過ぎからひとが集まってきていた。会場に先乗りしていた江藤からの電話では、大田原陣営が動員したとみられる市民たちが、二十人ほどいるようだという。地元建設会社の社員とか、商工会の幹部夫人たち、大田原の個人後援会の女性たちが中心とのことだった。ただし、直樹支持とみられる層はこれを数倍する数が自発的に集まってきているという。

会場の福祉会館の洗面所には、例の総会屋雑誌の記事のコピーが大量に置かれていたらしい。江藤たちがすぐに見つけてゴミ箱にたたきこんだ。

「きつい質問は覚悟しておけ」と江藤が言った。「質問をさせるつもりはない。だけどあんた、女性に笑顔で挙手されたら、ついどうぞと指さしてしまうだろう?」

直樹は言った。

「大丈夫です。午前中にもう経験ずみですから」

直樹はいったん選挙事務所に戻り、手伝いにきていた美由紀と一緒にあらためて選挙カーに乗った。もう彼女は、昨日午後に見せていたような動揺は表情から追い払っていた。地元に溶け込んだ二児の母親の顔だった。福祉会館に着いて選挙カーを降りるとき、直樹はそっと美由紀の手を握った。

会場の外の廊下で、多津美が近づいてきた。

「重森先生も到着ずみだ。あんたがステージに上がる前に、あいさつしてくる。三人で談笑してくれ」

「女房も含めて三人という意味ですね」

「そうだ。聴衆の前で、自然にそれを見せてやる。頃合いをみて、町田さんが鶴丸姐《ねえ》さんを引っ張ってゆく。奥さんを激励するだろう」

「ぼくじゃなく」

「奥さんを、だ」

ふと気になって、直樹は多津美に訊《き》いた。

「何かありましたか？　浮かない顔ですが」

多津美は言った。

「夕張の情勢だ。きょうになって、地区労と」多津美はある宗教団体の名を挙げた。「例の夕張出身の候補の支持を決めたんだ。高杉候補の戦いが厳しいものになった」ということは、夕張市民は右から左まで、よそものには口出しさせない、という一点でまとまったということか。

江藤が腕時計でタイミングをみてから、直樹たちを会場の中に案内した。入り口から入ったとたんに、場内の観客から拍手があった。直樹は素早く場内の聴衆を見渡した。二百人ぐらいか。通常四百人入る会場がほぼ半分埋まっていると見える。

入り口近くの最前列に、重森薫准《じゆん》教授が腰掛けて拍手していた。目が合うと、重森薫はすぐに立ち上がって、直樹たちに近づいてきた。

「立候補、ご苦労さま」と重森薫が言った。

直樹は妻を紹介した。

「妻の美由紀です。このたびは幌岡までわざわざ」

重森は屈託のない顔で美由紀を見つめて言った。

「北大の重森といいます。札幌からご主人を応援しています」

美由紀も、まったく自然な表情で応《こた》えた。

「先生にお力になっていただいて、森下も百人力を得たようなものです」

恩田由美子が、デジカメを手に言った。

「森下さん、写真いいですか」

直樹は恩田由美子のほうに顔を向けた。ということは、聴衆全員に真正面から向かい合ったということでもあった。直樹と美由紀と重森薫の三人は、親しげな様子を聴衆全員に見せて微笑した。恩田由美子のデジカメのストロボが光った。

壇上には、直樹の恩師である田所がいた。彼がきょうの司会である。田所が壇上から直樹を呼んだ。

「では候補に上がってきてもらいましょう」

直樹がステージにかけられたステップに向かったときだ。入り口から、和服姿の女性が姿を見せた。伝説の鶴丸姐さんだった。八十を超えた歳《とし》だというのに、背筋はぴんと伸びていた。町田善作が先導していた。

鶴丸姐さんは直樹たちの前まで進み出ると、美由紀に微笑《ほほえ》みかけた。

「美由紀さん、鶴丸だけど」

美由紀がていねいに頭を下げた。

「このたびはわざわざ、主人のためにご足労いただいて」

「あちこちであんたのこと、ずっと耳にしてはいたんだ」

メディア関係者が五、六人、さっと集まってきた。いましがたの恩田由美子のデジカメとちがい、大光量のストロボがたて続けに発光した。

鶴丸姐さんは、直樹と美由紀を交互に見てから、直樹に言った。

「美由紀さんがあんたを市長にする。覚えておいて。美由紀さんが見込んだ男が、どんなものになるか、あたしも楽しみだ」

その言葉は、たぶんステージ寄りの聴衆たちの耳にも届いたことだろう。直樹はその言葉の意味を瞬時に吟味した。これって、あの記事の意味をあっさり反転させてしまったということか。あの記事の筆者はつまり、美由紀が捨てた駄目男だ、と言ったことになる。あの記事がおおむね事実だったとしてもだ。

直樹は笑って言った。

「おそれいります」

「男は女次第だよ。奥さんを選んだあんたの目も、悪かないね」

田所が壇上からまた直樹を呼んだ。

直樹がステージに上がろうとすると、鶴丸姐さんが呼び止めた。

「待って。これをやらせてよ。ほんとは、出陣式のときにやるべきだったんだろうけど」

「なんです？」

いつのまにか鶴丸姐さんは、手に火打ち石を持っていた。粋筋《いきすじ》や任俠《にんきょう》の世界の習俗ではなかったろうか。男が大事な場に出てゆくとき、女がその肩口に向けて火打ち石で火花を飛ばす。安全と祈願成就《じょうじゅ》の古いならわしのはずだ。自分の世界に属する儀式ではなかったが、直樹はこれを受け入れた。

鶴丸姐さんは、直樹のスーツの肩口に向けて、三度切り火を切った。カチ、カチ、カチッと音がした。

直樹は思った。鶴丸姐さんの頭の中では、粋筋の自分とコミュニストの自分と、どっちがどういう割合で混じっているのだろう。

直樹が壇上に上がると、拍手が起こった。同時に質問のかたちを取った野次も飛んだ。

「雑誌記事はほんとうですか」

女性の声だ。

その野次は無視して直樹が演壇に着くと、鶴丸姐さんが会場の下手側の壁際《かべぎわ》の椅子《いす》に腰をおろしたところだった。ほかの聴衆に対して直角に身体《からだ》を向ける格好だ。聴衆の反応も、またステージ上の直樹の姿も両方同時に眺めることのできる位置だった。睨《にら》みを利《き》かせることのできる場所という言い方もできるかもしれない。

「それでは」司会の田所が言った。「このたび幌岡市長選に立候補した、市議会議員、森下直樹候補に、選挙演説をおこなってもらいます。財政再建団体に転落したこの幌岡市の未来をどう作ってゆくか、再建計画にどのような態度で臨むのか、その基本姿勢と中期的な構想について語ってもらいますので、野次などは慎んでください。それでは、森下候補」

直樹は演壇で一礼してから語り出した。先日の立候補予定者のシンポジウムで語った内容とほぼ同一のものだ。野次はもう出なかった。つまり再建計画の見直しを政府に働きかけること、先端福祉と地域医療先進地としての再生、箱もの観光からの脱却とアグリ・ツーリズムへの方向転換、農産物のブランド力の強化、コンパクト・シティ化の推進……。

ときおり直樹は、最前列の重森薫の表情を見た。彼女は同意するというようにうなずいてくる。彼女の助言や提案をもとにしてまとめた自分の幌岡再建計画だった。公共経済が専門の彼女に同意してもらえることは光栄だった。自分の案は素人《しろうと》の妄想ではないと保証してもらえたようなものだからだ。聴衆の反応も悪くなかった。受け入れられている。その空気をはっきりと感じとることができた。

演説が始まって十分ほどたったころだ。主婦っぽい雰囲気の女性たちが三人、席を立ち、出口のほうへと向かった。一瞬、自分の構想には賛成できないという意思表示かと動揺した。しかし聴衆席にいた高畑光男が、安心しろと言うように小さく首を振った。ということは、彼女たちは大田原派か。鶴丸姐さんが睨みを利かせている会場では、野次攻撃も不可能と悟って帰ることにしたのだろう。その三人に続いて、男性四人のグループも席を立ち、会場を出ていった。二十分もたったころには、会場内には大田原支持者と見られる聴衆は皆無となった。

最後に直樹は締めくくった。

「財政破綻《はたん》は幌岡市民の自己責任という見方があります。いまわたしたちがその見方は誤りだと証明してやれるただひとつの方法は、わたしたちの自己責任でこの悪夢の継続を終わらせることです。終わらせましょう」

直樹が頭を下げると、拍手が起こった。

けっして熱狂的なものではなかったし、立ち上がって拍手する者もなかったけれど、確実に想《おも》いは伝わったと確信できる拍手だった。共感と賛同と支援の意志を読み取ることができた。直樹は一度顔を上げたが、なお拍手が続いているのであらためて頭を下げた。

翌日、西町の老人福祉会館の前で選挙カーを停め、演説を始めたときだ。またあの妨害者たちがやってきて、同じことを言い始めた。そのとき、集まってきたお年寄りたちの中から、妨害者たちを非難する声が出た。

「しつこいよ、あんたたち」

「いい加減にしなさい」

「黙って聴きなさい」

妨害者たちには想像外の事態だったのだろう。ばつの悪そうな表情で、彼女たちはその場から去っていった。その後、彼女たちは姿を見せなくなった。またその日、選挙事務所には、あらたに手伝いを買って出てくれたひとが八人あった。

水曜日、朝の全国紙の地方面に、幌岡市役所に関する二十行ほどの記事が載った。

「セクハラで市役所退職
示談金は裏金から？」

という見出しだ。三年前に自己都合退職した女性職員は、じっさいは市の幹部によるセクハラを受けて、退職を余儀なくされたものだ、と記事は書いていた。このとき市側から示談金が支払われたが、これは市の裏金から出た疑惑がある、というもの。女性職員は一年前に交通事故で亡《な》くなっているが、遺族はあらためて市の関係者に対し、その女性職員の退職の事情について、事実を公表するよう求めることにしたというものだった。すでに遺族は札幌の弁護士とも相談しているという。

記事はきわめてニュートラルな調子で書かれていたが、関係者は、背筋に冷汗が流れ落ちる感覚を持ったはずである。三年前に退職した女子職員となれば、それがどの部署にいた誰か、セクハラをやった人物が誰か、容易に想像がつくのだ。書かれた中身を、完全に否定するのは難しい。また全国紙に「裏金」とまで書かれた以上、司法捜査員の関心も引かずにはすまないのだ。もちろん大田原の後援会の婦人層の一部も、顔をしかめたにちがいない。選挙事務所の裏手では、女性たちがその記事の中身に固有名詞を入れて解釈を語り合ったはずである。

江藤がお昼に直樹に耳打ちして教えてくれた。

「その新聞、コンビニからも販売店からも消えた。売り切れだ」

直樹は訊いた。

「買い占めじゃなく？」

「その前に、売れたんだ。コピーが回りだしている」

その翌日、ということは投票日まであと三日という時点だが、地元ブロック紙が山岡産業の新規投資計画をスクープ記事として載せた。記事は、山岡産業役員の発言とは書いていなかったけれども、容易に幹部のオフレコ発言の報道と読めるものだった。その記事によれば、山岡産業は幌岡市で、買収した観光施設をいっそう拡充する計画を持っており、向こう三年間の投資額は五十億から六十億円を予定しているとのことだった。雇用もいまの二倍までは必要になるだろうという。市当局とも緊密に観光開発計画を進めてゆきたい、と関係筋が明らかにしたと書かれている。

読むひとが読むなら、大田原六選のために撃たれた援護射撃とわかる記事だった。それでも商工関係者や自営業者には効くことだろう。

お昼になって、直樹は西町のそば屋に入って昼食を取ることにした。開業から四十年という、いまの幌岡では古いほうの部類の店だ。七十歳を超えた主人は、以前から非大田原派と思われている。いまも直樹の選挙ポスターを外壁に貼《は》ってくれていた。こういう店で運動員たちと一緒に昼食を取ることは、主人の直樹支持を確実なものにする。

高畑を先頭に店に入ると、店の主人とその奥さんが歓迎の笑みを見せてくれた。二票。

奥さんが、注文を取ったあとに言った。

「面白い本をもらった。さっきのお客さんが、黙っておいて行ったんだけど」

カウンターの上にあった本を、高畑光男が持ち上げた。

軽装版の本で、装丁が素人っぽい。自費出版の本なのかもしれない。

高畑光男が示した表紙には、こうタイトルが書かれている。

『告発　山岡産業の内幕
元社員が暴《あば》くブラック・ビジネスの実態』

著者は、「正直太郎」とある。本名ではない。

版元は自費出版の専門出版社のようだ。

主人が言った。

「山岡産業って、なんとなく北海道じゃ優良企業みたいに言われているでしょ。だけどあくどい商売してるんだね。あんなところに叩《たた》き売って、何考えているんだかと思ってしまった」

直樹は訊《き》いた。

「かなり過激な中身ですか？」

「少なくとも、財政破綻した町がすがっていい相手じゃないよね。この内部告発読むと」

「置いていったのは、町のひと？」

「いや、知らないお客だった」

多津美の手配なのだろう。彼は山岡産業の内部告発文書を手にしていると言っていた。これがその一部なのかもしれない。それにしても、もう本ができていたとは。

直樹は高畑光男を見た。彼も多津美の手配のよさに呆《あき》れているようだ。

昼食を終えて店の外に出てから、直樹は多津美に電話した。

「山岡産業の内部告発本、多津美さんの手配ですか？」

「ああ」多津美は答えた。「べつの選挙のときに手に入れた。こういうことになったんで、著者から、急いで二百冊送らせたんだ」

「二百も」

「ただだよ。影響力のある使い方をすると言ったら、喜んでいた」

「告発したのは、どういうひとなんです？」

「山岡の営業部長だった男さ。反応を、もう何か聞いているか」

「ええ。やはりすがる相手ではないと。今朝の地元紙の援護射撃記事を帳消しにしてくれるといいんですけど」

「もうひとつふたつ、文書で反撃する。じゃあ、運動しっかり」

電話は多津美のほうから切れた。

直樹は肩をすぼめて、自分の携帯電話をポケットに収めた。

その夜、選挙事務所で江藤昇を中心に票読みが行われた。多津美に参加できなかった。彼は夕張の高杉晋作候補の事務所に張りついているのだ。

江藤が数字を集約したが、何回評価し直してみても劣勢だった。市役所、職組、地区労、建設関連業者、商工会関係者とその家族は大田原支持で磐石《ばんじゃく》だった。これだけでおよそ三千五百。直樹の支持は、この層にはまったく浸透していない。逆に直樹がやや優勢といえるのは、当初から大田原市政の恩恵を得ていない市外資本の事業所のホワイトカラーとか労働者、さらに農家だった。高齢者、年金生活者でははっきりと直樹が優勢だった。市立病院や福祉施設で働くひとたちも。

女性層ではもともと好感度が高いという感触だったが、投票に結びつくかどうかまでは判断しきれなかった。ただ、大田原陣営によるネガティブ・キャンペーンが奏功していないことだけははっきりしていた。総体で三千プラスマイナス三百。逆転していない。

午後の十時をまわったところで、江藤が言った。

「あと二日間だ。旧炭住街の高齢者、年金生活者に集中しよう。ここだけで千二百世帯、二千人いるんだ。いま八百は固いと思うが、もうひと頑張り、旧炭住全戸を回るつもりで。運動員は、身体の弱っているお年寄りには投票にゆく意志があるかどうかを確かめて、当日の送迎を約束してくれ」

恩田由美子や町田善作たちがうなずいた。

選挙選最終日には、多津美も幌岡に駆けつけてきた。彼は江藤たちの読みとはべつに、メディアの予測も入手してきていた。

彼は明瞭《めいりょう》に言い切った。

「投票率六五パーセントなら、百票差で勝てる。ここから先の投票率は、一パーセントあたり六十が森下直樹投票だ」

「あとは天気頼みだな」と江藤が言った。「晴れれば、年寄り層が増えて若年層は棄権だ」

果樹農家の飯島が言った。

「午前中は曇り。気温はやや高め。午後から晴れる」

多津美が言った。

「パーフェクト」

開票は、本町の市立体育館で午後八時三十分から始まった。その少し前に選挙管理委員会は、投票率を六九パーセントと発表している。直樹にには有利な数字だった。共産党候補の予想得票数は三百前後だから、四千五百五十あたりが当選確定ラインということになる。

開票所には運動員が詰めて、公式発表前の開票の様子も伝えてくれることになっていた。

直樹は大勢がはっきりしたところで、選挙事務所に出ることにしていた。敗北とわかっても、できるだけ早く行くつもりだった。支持者や運動員をねぎらい、礼を言わねばならなかった。こころづもりでは、それは午後の九時すぎあたりのはずだった。

最初の開票分は、本町の幌岡中央小学校での投票分だった。大田原のリードで始まったが、これは織り込みずみだ。しかし、西町と中町の投票所の分が開き始めると、数字は逆転した。差はわずかとはいえ、リードしたまま、数字が積み重なっているという。それを伝えてくれた高畑光男の声は、こころなしかはずんでいるようだった。

「早めにきてもらったほうがいいと思う」と、高畑は言った。「メディアは、大田原事務所からかなりこっちに移動してきた」

選挙事務所の周辺には、たしかにメディアのものと思える七、八台の車が集まっていた。今回の統一地方選挙では、北海道では何より政令指定都市である札幌市と、財政破綻《はたん》した夕張市、幌岡市の市長選が注目だった。とくに夕張市には、東京のメディアも取材陣を送り込んでいるとか。開票日のきょうは、幌岡市にも地元のメディアが特別の取材チームを送り込んでいる。

選挙事務所に入ると、中の空気はさすがに緊張していた。選挙事務所のひと隅に報道陣が固まっていたけれども、みな勝敗が決定する瞬間までは待機という様子だ。運動員たちもほとんど会話を交わすことなく、開票所からの報告を待っている。いま壁のホワイトボードには、公式発表の開票途中の数字が記されている。直樹の得票は三千百。大田原が二千九百だった。寺西真知子が二百である。ということは、現在の開票率は六〇パーセント少々というところか。

高畑光男がまた携帯電話を受けて、ホワイトボードに向き直った。高畑光男はまず直樹の得票数を消してから、数字を書いた。

三九二七

次に大田原の得票。

三七一五

接戦だ。

直樹は、自分が選挙事務所にきたのに早すぎたかと後悔した。これから勝敗がつくまでのあいだ、この事務所で待つのはなかなかにきつい時間となりそうだった。隅のパイプ椅子《いす》に腰かけると、美由紀が横に座って手を握ってきた。彼女のてのひらはひんやりとして、しかも汗ばんでいた。

携帯電話が震えた。多津美からだった。

多津美が言った。

「高杉晋作候補の落選が決まった。三千三百。五百票差で次点。わたしはいまからそちらに向かう」

電話はすぐに切れた。夕張市の高杉候補の選挙事務所のある本町からここまで、およそ三十分だ。多津美が到着するころには、幌岡市長選の結果も出ているはずだ。

それから十五分後だ。高畑光男が携帯電話を耳に当てたまま言った。

「開票終了」

選挙事務所の中の空気が張りつめた。高畑光男がホワイトボードに手を伸ばした。

誰もが息を殺した。

高畑光男がまた直樹の名のうしろの数字を消して、新しい数字を書き込んだ。

四八二二

ほんの一瞬の沈黙のあとに、爆発のような歓声があった。ティンパニを叩くような拍手がこれに続いた。狭い選挙事務所の中の空気は激しく振動し、壁や窓のガラスを震わせた。報道陣のつけたライトや発光するストロボのせいで、事務所の中はテレビスタジオのような明るさとなった。室温もまちがいなく三度か四度は急上昇したことだろう。

江藤にうながされ、直樹は立ち上がった。拍手がひときわ激しくなった。

部屋の反対側で、テレビのレポーターが、興奮気味に言っているのが聞こえた。

「注目の幌岡市長選、新人の森下直樹候補の当選が決まりました。六選をめざした現職大田原候補を破って当選です。財政破綻した幌岡市に、新しい市長が誕生しました！」

直樹は歓喜にわく選挙事務所の中を見渡してから、運動員たちに頭を下げた。

15

直樹がその朝ＪＲ幌岡駅に駆け込んだとき、多津美裕はちょうど改札を抜けようとしているところだった。直樹が呼びとめると、多津美は立ち止まって振り返った。

直樹はそのベテラン選挙コンサルタントの前へと歩いて言った。

「昨日からろくに話してもいないじゃないですか」

多津美が真顔で訊き返した。

「何かあるか？」

「きちんとお礼をしなければ。当選は、多津美さんのおかげです」

「わたしは自分の仕事をしただけだ」

「多津美さんがとつぜん訪ねてきて、立候補しろと勧めなければ、ぼくはそのことを決意できなかった」

「ほかの誰かが強く勧めたさ」

「ほんとうにありがとうございます」

「いいんだ。もう列車がくるんだけど」

「ひとつだけ、教えてくれませんか」

多津美が首を傾けた。

直樹は訊いた。

「幌岡の市長選挙にこんなに入れ込んだことには、何か個人的な思い入れもありますね。仕事というだけではなかったはずです」

多津美は少しとまどいを見せてから、仕方がないという表情で言った。

「昔、広告代理店の若造が、北海道のある自治体の町興《おこ》し計画を立てた。とくに根拠もない思いつきだったのに、それがそっくりその町の市長に採用された。その挙げ句、その町は借金まみれで財政破綻した。その市長の名前は、中田鉄治というんだ」

すでに故人の夕張の名物市長だ。

多津美が自嘲《じちょう》的な微笑を浮かべて続けた。

「困ったことに、その計画を真似《まね》て劣化コピーの町興しを始めて、やはり夕張同様に財政破綻した町がある」

それはつまり幌岡市なのだろう。ということは、若造の広告代理店社員というのは、多津美自身のことなのか。

「その若造は、自分の思いつきで町をふたつ死なせたんだ。そのままじゃ、寝覚めも悪いさ」

改札口で、駅員が言った。

「上り札幌行き、まもなく到着です」

多津美が手を振って改札口を抜けようとしたので、直樹は言った。

「あらためてまたどこかでお目にかかれますよね。きちんとお礼をしたいので」

多津美は直樹をまっすぐに見つめて言った。

「きみが拒んでも、わたしはもう一回きみの前に現れるよ。八年後か。いや、市長二期目の途中かもしれない」

「そのときに、何か？」

「そう遠くない将来、政権交代がある。そのあとの国会には、財政破綻から自治体を再生させた経験のある議員が必要になるからな」

直樹は驚いて言いかけた。

「それって、まさか」

多津美はうなずくと、くるりと踵《きびす》を返し、コートの裾《すそ》をひるがえして改札口を抜けていった。

直樹は少しのあいだ、多津美の言葉を反芻《はんすう》しながら、彼の姿が跨線橋《こせんきょう》の階段に消えるのを見守った。彼の言葉は、これからのきつく厳しい四年間の仕事を支える、大きな力になってくれそうだった。

直樹はいま、多津美に言ってもらったおかげで、素直に認めることができると意識した。たぶん自分は、自分で気づいていた以上に野心家である。いや、野心家に育った。多津美のおかげで。この選挙戦を通じて。

直樹は振り返って駅舎を出た。これから選挙管理委員会に、当選証書を受け取りに行かねばならない。

その証書は、直樹が人生で二度目に手にする公職当選の証《あか》しだが、最後のものではなく、おそらく最高のレベルのものでもないだろう。

解説

佳多山大地

政治を軽蔑《けいべつ》するものは、軽蔑すべき政治しか持つことが出来ない。
——トーマス・マン『魔の山』より

まず本稿では、混同を避けるために、実在する／実在した人物には敬称を用いることを断っておく次第。

佐々木譲《ささききじょう》氏と解説子の出身地には共通点がある。どちらも全国的に有名であるという共通点が。

年来のファンには周知のとおり、佐々木譲氏の出身地は北海道の空知《そらち》地方、夕張《ゆうばり》である。一九五〇年三月、佐々木氏は夕張市の大夕張地区で生を享《う》け、三歳まで同地で育った。氏の父君は戦後択捉《えとろふ》島から引き揚げ、当時三菱大夕張炭鉱で働いていたのだ。

一方、と並べて話をするのはおこがましいが、解説子は大阪府吹田《すいた》の生まれ。吹田市、とだけではピンとこない向きも、一九七〇年に万博《ばんぱく》（日本万国博覧会）が開かれた町、と聞けば膝《ひざ》をうってくれるだろう。岡本太郎氏がデザインした万博のシンボル、《太陽の塔》は、いまなお千里の丘陵に屹立《きつりつ》して吹田市民を睥睨《へいげい》し、圧倒的な威容を誇る。数年前、鉄道旅行で夕張を訪れた夜、居酒屋で地元客に「どこから来たの？」と尋ねられて万博の昔話で盛り上がったところ、申し訳ないことにこちらの飲み代《しろ》まで一緒に払ってくれたっけ。

閑話休題。佐々木譲氏の故郷、北海道の夕張は、明治初期に〝炭鉱の町〟として切り拓《ひら》かれ、戦後の一九六〇年代前半に殷賑《いんしん》を極めた。しかし、原油の輸入自由化を契機に「石炭から石油へ」と産業エネルギーの需要が移るなか、夕張は町の基幹産業を「石炭から観光へ」と転換することをもくろむ。各種テーマパークの設営やスキーリゾート開発、そして一九九〇年に《ゆうばり国際ファンタスティック映画祭》を始めるなど、とりわけバブル期においてその路線転換はいかにも華々しく映り、「町おこし」の成功例として持てはやされる。また、そうした観光地化が推し進められるのとは独立独歩にメロン生産農家が国内有数のブランド力を獲得していた。

炭都、映画祭、夕張メロン。それが明治近代化以降、二〇〇〇年代の半ばを過ぎるまで、夕張という町に一般が抱いていたプラスのイメージであったはずだ。夕張の知名度は、すでにして低いものではなかった。しかし、その名前が真に全国区で世人の口の端《は》にのぼるようになったのは、二〇〇六年六月、約六百三十二億円もの巨額の負債を市が抱え、事実上の財政破綻《はたん》を来《きた》していることが明るみに出てからである。

本書『カウントダウン』は、北海道のとある地方自治体が基幹産業の転換についに失敗し、法律に基づく〝財政再建団体〟に転落するまでの経緯《カウントダウン》を検証しながら、その責任の所在について追及の手をゆるめることない社会派サスペンス長篇である。毎日新聞社の雑誌「本の時間」二〇〇八年二月号～八月号、〇九年一月号～十一月号に連載された『二度死ぬ町』を加筆改稿・改題したもので、初刊単行本は二〇一〇年九月に同社から上梓《じょうし》されている。このたび、新潮社から待望の文庫版刊行と相成ったわけだ。

作者の佐々木譲氏はこの作品に自ら「ポリティカル情報小説」という商標《ラベル》を貼《は》っているが、実際、財政再建団体入りが決まった生まれ故郷、夕張市を長期取材して、読売新聞北海道版に「夕張ふたたび」と題するルポルタージュを連載したときの蓄積を小説の形で結実させている。

物語の主要舞台は、北海道の架空の町、幌岡《ほろおか》市。作中の「今年」＝二〇〇六年に巨額の隠し債務が発覚した夕張市に隣接し、「双子町」と呼ばれてきた町だ。夕張と同じく、かつては産炭地として栄え、炭鉱の閉山後は観光開発に活路を見出《みいだ》したところも共通する。夕張市は一九七九年から六期二十四年もの長きにわたり市長を務めた中田《なかだ》鉄治《てつじ》氏が産業構造の転換を主導したが、幌岡市のほうはその中田市長に強烈なライバル意識を燃やす大田原《おおたわら》昭夫《あきお》が五期二十年、市政を牛耳ってきた。そんな幌岡市も、夕張市の後を追うように財政再建団体に移行することを余儀なくされ、翌〇七年四月の統一地方選挙において市政の刷新が問われることになる……。

もともと佐々木譲氏は、一九七九年の作家デビュー以来、多種多彩なジャンル小説を手懸けてきたわけだが、近年最も力を注いで人気を博したのは『笑う警官』（二〇〇四年）や『制服捜査』（〇六年）、『警官の血』（〇七年）など主役たる職業捜査官と彼が所属する警察組織の内実に踏み込む警察小説《ポリス・プロシーデュラル》にほかならない。新来の佐々木ファンで、かかる警察小説作品にだけ親しんできた向きには、「ポリティカル情報小説」という耳慣れない商標はなんだか堅苦しく思えるのではないだろうか？

おっと、しかしそんな心配は無用である。既得権益にしがみつく自警主義的政治が蔓延《はびこ》る幌岡市の市長選に、主人公で新人市議の森下直樹《もりしたなおき》は六選を目指す現職の対抗馬として立つ。そこでは、頼りがいもあるがアクの強い選挙コンサルタントとの出会いや、主人公の父の死に大田原が陰で関わっていた因縁が浮かんで弔い合戦の様相を帯びること、また直樹の身辺にイエロージャーナリズムの手が伸びて困難に直面する場面など、架空の町で起こる選挙戦を〝劇的〟に仕立てるベテラン作家のストーリーテラーぶりを堪能《たんのう》することができる。若き森下市議が市議会の議場といざ市長選の最前線で幌岡市民の現在と未来の生活を守ろうと繰り広げる〝闘い〟は、拳銃《けんじゅう》も警棒も持たないヒーローの誕生譚《たんじょうたん》だと言っていいだろう。古い映画を持ち出すけれど、フランク・キャプラ監督が理想に燃える青年政治家の挫折《ざせつ》と栄光を描いた『スミス都へ行く』（一九三九年）を髣髴《ほうふつ》とさせるところがあって、リーダビリティも抜群の社会派エンターテインメント小説であることを保証しておこう。

とまれ、本書『カウントダウン』で、ほとんど徒手空拳のポリティカル・ヒーローに立ちはだかる敵役となるのは、実質、夕張の中田鉄治元市長とその多選を支え続けてきた翼賛的な市議会であると断じていい。幌岡の赤字隠しの手口は夕張のそれに倣《なら》うものであり、夕張が年度の切り替わりの時期の「出納整理期間」を利用して累積《るいせき》赤字があることを隠し通してきた欺瞞《ぎまん》は作中で詳しく説明される。まさしくそこが〝政治に関する《ポリティカル》情報小説〟を謳《うた》うに相応《ふさわ》しいジャーナリスティックな部分にほかならない。現実の夕張市を財政難に陥らせた最大の責任者と目される中田鉄治氏は、夕張市に進出した松下興産が建設したスキーリゾート物件を相場より極めて高額で市が買い取ることを決めた直後に引退を表明した。このバブル期の最後の夢の後始末は、もともと北炭（北海道炭礦《たんこう》汽船）の撤退にともなう尻拭《しりぬぐ》いで借金漬けになっていた市の財政に致命的な打撃を与えたが、当の中田氏は二〇〇三年四月の任期満了をもって市長の座から静かに降り、後釜《あとがま》には市職員出身の後継者が就いた。中田氏は退任からわずか五カ月後に肝臓ガンのため逝去する。

本作の雑誌連載開始時にはすでにこの世に無かった中田鉄治氏と常に張り合ってきた大田原昭夫は、わざわざ「顔つきまでよく似ている」と揶揄《やゆ》される。そう、夕張出身で、郷土の再生を願ってやまない佐々木譲氏は、敢《あ》えて〝死者に鞭打《むちう》つ〟覚悟を決めてこの作品と取り組んだのだ。いや、もし中田氏が存命でさえあれば――市の財政破綻について率直に非のあったことを認めるにせよ、あるいは大田原のように開き直りの強弁に終始するにせよ――これほどあからさまに「双子町」という設定にこだわらなかったかもしれない。誤解を恐れずに言えば、中田氏はいまわの際《きわ》まで地域のボスとして幸福にこの世にオサラバすることができた。結果論で過去の判断の良否をあげつらうことは慎むべきだが、こと政治家という職業を選んだ者はすべて結果論から歴史的評価を下される運命を引き受けるのも務《つとめ》にちがいない。ひとつの町の最大の産業を、とどのつまり、役所そのものが生み出す利権構造にしてしまった結果は重大だ。

それにしても興味深いのは、まるで本作が予言の書のようでもあることだ。現実に二〇〇七年四月に行われた夕張市長選挙では、本作に登場する「高杉晋作」のモデル、羽柴秀吉氏が予想外の善戦をしたものの、旧態依然の組織選挙を継承した候補がやはり当選を果たした。と、ここまでは本作でも幌岡市長選の行方と並行して描かれるところだが、それから四年後（『カウントダウン』刊行から半年後）の二〇一一年四月、財政破綻後二度目の夕張市長選においては、元東京都職員で夕張市に出向した経験のある鈴木直道氏が初当選し、〝三十歳の全国最年少市長の誕生〟とマスコミを大いに賑《にぎ》わせたことは記憶に新しい。本命と目されたのは、前衆議院議員で知名度も高く、自民党、公明党、みんなの党のほか市内各種団体の推薦を受けた飯島夕雁《いいじまゆかり》氏だったのだが……。

当然のこと、若き新市長、鈴木直道氏の行政手腕も、いずれ結果論ですべては問われる。としても、選挙時の有力候補たちの敗戦の弁（いちいちをここでは記さない。本作に登場する選挙コンサルタントの古強者《ふるつわもの》が自分の評判を裏付けするのに「ネットで検索をかけてみるといい」と主人公に話すように、彼らが夕張市民に対して吐いた捨て台詞《ぜりふ》もそこで拾うことができる）を聞くかぎり、夕張市民は最良の選択肢に今後四年間の未来を託したのだと信じていいのではないだろうか。

佐々木譲氏は本作のなかで、主人公の伯父で実業家として成功した人物に「十年後には、日本全体がほんとに夕張そのものになるんだ」と嘆じさせている。実際、今年(二〇一三年)六月末の時点で、国債や借入金、政府短期証券を合わせたいわゆる「国の借金」は初めて一千兆円の大台を突破してなお膨張に歯止めはかからず、財政健全化の道のりは険しい。巨額の財政赤字に少子高齢化の加速度的進行、そして——佐々木氏も『廃墟《はいきょ》に乞《こ》う』(〇九年)など北海道のローカル色を前面に押し出した作品群で繰り返し描いてきた——地方の衰退……。夕張は、近未来の日本の縮図かもしれない。『カウントダウン』は〝全国最高の住民負担で、全国最低の行政サービス〟しか受けられなくなった幌岡/夕張市民の溜飲《りゅういん》を下げるための復讐《ふくしゅう》小説ではない。この国に暮らしていながら、この国の政治を軽蔑しがちな多くの人々に向けて書かれているのだ。

(二〇一三年八月、ミステリ評論家)

この作品は二〇一〇年九月毎日新聞社より刊行された。

カウントダウン

新潮文庫　さ－24－15

平成二十五年十一月　一　日　発　行

著　者　佐《さ》々《さ》木《き》譲《じょう》

発行者　佐藤隆信

発行所　株式会社　新潮社

郵便番号　一六二―八七一一
東京都新宿区矢来町七一
電話　編集部(〇三)三二六六―五四四〇
読者係(〇三)三二六六―五一一一
http://www.shinchosha.co.jp

価格はカバーに表示してあります。

乱丁・落丁本は、ご面倒ですが小社読者係宛ご送付ください。送料小社負担にてお取替えいたします。

印刷・錦明印刷株式会社　製本・錦明印刷株式会社

ISBN978-4-10-122325-4　C0193